周国平 著

安 静

周国平经典散文

浙江文艺出版社

图书在版编目（CIP）数据

安静／周国平著. — 杭州：浙江文艺出版社，
2013.3（2014.8重印）

ISBN 978-7-5339-3504-7

Ⅰ.①安… Ⅱ.①周… Ⅲ.①散文集—中国—当代
Ⅳ.①I267

中国版本图书馆CIP数据核字(2012)第250932号

责任编辑　陈　坚
特约监制　何勇斌　马百岗　李丹丹
特约编辑　裴向敏
封面设计　颜森设计

安静

周国平　著

出版　浙江文艺出版社
地址　杭州市体育场路347号　邮编　310006
网址　www.zjwycbs.cn
经销　浙江省新华书店集团有限公司
印刷　北京慧美印刷有限公司
开本　710毫米×1000毫米　1/16
字数　352千字
印张　18.5
版次　2013年3月第1版　2014年8月第3次印刷
书号　ISBN 978-7-5339-3504-7
定价　29.90元

目 录

第三辑 / 读《圣经》札记

第四辑／在维纳斯脚下哭泣

第五辑／精神寻找形式

第六辑 / 中国人缺少什么

第七辑 / 向教育争自由

第十辑／讲演辑录

　　本书是我从1999年到现在所发表的文章的结集。东方出版社出版过我的两个散文集：《守望的距离》是1983至1995年散文的结集，《各自的朝圣路》是1996至1998年散文的结集。本书在写作时间上与那两本书衔接，是我的散文的第三个完整结集。我在大学和其他场合做过若干讲座，最近把讲稿加以整理，也收在了本书中。

　　将近四年的时间，我发表的文字只有十多万字，未免少了一些。不过，我早就不以发表来估量我的写作，更不以写作来估量我的生活了。当我酝酿和从事一项较大的工作时，我已能克制自己不去写那些马上发表的东西。当我坐在电脑前忙碌而我的女儿却希望我陪她玩儿时，我也清楚什么是更聪明的选择。

　　曾经有一个时期，我疲于应付刊物的约稿和媒体的采访。我对那种状态很不喜欢，但我不是一个善于拒绝的人，只好在内心里盼望一个机会，能够强使我结束这种状态。1999年，我应聘在德国海德堡大学任客座教授，在那半年里，客观上与国内的媒体拉开了距离，编辑和记者们找不到我了。当时我知道，我所盼望的机会来了。回国后，我横下了一条心，对于约稿、采访以及好事者组织的各种会议一律拒绝，真感到耳根和心地都清净了。据说有所谓名人效应：你越有名，媒体和公众就越是关注和包围你，结果你就更有名了。现在我发现相反的规律同样成立：你一旦自愿或不自愿地离开聚光灯的照耀，聚光灯当然是不会闲着的，立刻会有新的名人取代你成为被关注和包围的中心，而你就越来越隐入了被遗忘的暗处。我不无满意地看到这一"褪名效应"正在我的身上发生。我的天性不算自信，但我拥有的自信恰好达到这个程度，使我能够不必在乎外界是否注意我。

我当然不是一个脱俗到了拒绝名声的人，但是，比名声更重要的是，我需要回到我自己。我必须为自己的心灵保留一个自由的空间，一种内在的从容和悠闲。唯有保持这样一种内在状态，我在写作时才能真正品尝到精神的快乐。我的写作应该同时也是我的精神生活，两者必须合一，否则其价值就要受到怀疑。无论什么东西威胁到了我所珍惜的这种内在状态，我只能坚决抵制。说到底，这也只是一种权衡利弊，一种自我保护罢了。

摈弃了外来的催逼，写作无疑少了一种刺激，但我决心冒这个险。如果我的写作缺乏足够的内在动力，就让我什么也不写，什么也写不出好了。一种没有内在动力的写作不过是一种技艺，我已经发现，人一旦掌握了某种技艺，就很容易受这种技艺的限制和支配，像工匠一样沉湎其中，以为这就是人生意义之所在，甚至以为这就是整个世界。可是，跳出来看一看，世界大得很，无论在何种技艺中生活一辈子终归都是可怜的。最重要的还是要有充实完整的内在生活，而不是写作或别的什么。如果没有，身体在外部世界里做什么都无所谓，写作、绘画、探险、行善等等都没有根本的价值。反之，一个人就可以把所有这些活动当作他的精神生活的形式。到目前为止，我仍相信写作是最适合于我的方式，可是谁知道呢，说不定我的想法会改变，有一天我会换一种方式生活。

上面说的只是近些年萦绕在我心中的念头，事实上未能完全实施，至少我没有把拒绝一切约稿的决心坚持到底，否则就不会有现在这个集子了。这个集子里的许多文章仍是应约而写的。不过，我做到了有所节制，拒绝了大部分约稿。当今膨胀的媒体对于稿件的需求几乎是无限的，如果有求必应，我必完蛋无疑。我要努力做到的是保证基本写作状态的健康，这样来分配我的精力：首先用于写不发表的东西，即我的私人笔记，它是我的精神生活的第一现场，也是我的思想原料仓库；其次用于写将来发表的东西，那应该是一些比较大而完整的作品；只允许花最少的精力写马上发表的东西，即适合于媒体用的文字，并且也要以言之有物为前提。我一定这样做。

周国平

2002 年 8 月 19 日

第一辑

对自己的人生负责

对自己的人生负责

我们活在世上，不免要承担各种责任，小至对家庭、亲戚、朋友，对自己的职务，大至对国家和社会。这些责任多半是应该承担的。不过，我们不要忘记，除此之外，我们还有一项根本的责任，便是对自己的人生负责。

每个人在世上都只有活一次的机会，没有任何人能够代替他重新活一次。如果这唯一的一次人生虚度了，也没有任何人能够真正安慰他。认识到这一点，我们对自己的人生怎么能不产生强烈的责任心呢？在某种意义上，人间各种其他的责任都是可以分担或转让的，唯有对自己的人生的责任，每个人都只能完全由自己来承担，一丝一毫依靠不了别人。

不止于此，我还要说，对自己的人生的责任心是其余一切责任心的根源。一个人唯有对自己的人生负责，建立了真正属于自己的人生目标和生活信念，他才可能由之出发，自觉地选择和承担起对他人和社会的责任。正如歌德所说："责任就是对自己要求去做的事情有一种爱。"因为这种爱，所以尽责本身就成了生命意义的一种实现，就能从中获得心灵的满足。相反，我不能想象，一个不爱人生的人怎么会爱他人和爱事业，一个在人生中随波逐流的人怎么会坚定地负起生活中的责任。实际情况往往是，这样的人把尽责不是看作从外面加给他的负担而勉强承受，便是看作纯粹的付出而索求回报。

一个不知对自己的人生负有什么责任的人，他甚至无法弄清他在世界上的责任是什么。有一位小姐向托尔斯泰请教，为了尽到对人类的责任，她应该做些什么。托尔斯泰听了非常反感，因此想到：人们为之受苦的巨大灾难就在于没有自己的信念，却偏要做出按照某种信念生活的样子。当然，这样的信念只能是空洞的。这是一种情况。更常见的情况是，许多人对责任的关系确实是完全被动的，他们之所以把一些做法视为自己的责任，不是出于自觉的选择，而是由于习惯、时尚、舆论等原因。譬如说，有的人把偶然却又长期从事的某一职业当作了自己的责任，从不尝试去拥有真正适合自己本性的事业。有的人看见别人发财和挥霍，便觉得自己也有责任拼命挣钱花钱。有的人十分看重别人尤其上司对自己的评价，谨小慎微地为这种评价而活着。由于他们不曾认真地想过自己的人生使命究竟是什么，在责任问题上也就必然是盲目的了。

所以，我们活在世上，必须知道自己究竟想要什么。一个人认清了他在这世界上要做的事情，并且在认真地做着这些事情，他就会获得一种内在的平静和充实。

他知道自己的责任之所在，因而关于责任的种种虚假观念都不能使他动摇了。我还相信，如果一个人能对自己的人生负责，那么，在包括婚姻和家庭在内的一切社会关系上，他对自己的行为都会有一种负责的态度。如果一个社会是由这样对自己的人生负责的成员组成的，这个社会就必定是高质量的有效率的社会。

2001 年 7 月

成功的真谛

在通常意义上，成功指一个人凭自己的能力做出了一番成就，并且这成就获得了社会的承认。成功的标志，说穿了，无非是名声、地位和金钱。这个意义上的成功当然也是好东西。世上有人淡泊于名利，但没有人会愿意自己彻底穷困潦倒，成为实际生活中的失败者。歌德曾说："勋章和头衔能使人在倾轧中免遭挨打。"据我的体会，一个人即使相当超脱，某种程度的成功也仍然是好事，对于超脱不但无害反而有所助益。当你在广泛的范围里得到了社会的承认，你就更不必在乎在你所隶属的小环境里的遭遇了。众所周知，小环境里往往充满短兵相接的琐屑的利益之争，而你因为你的成功便仿佛站在了天地比较开阔的高处，可以俯视从而以此方式摆脱这类渺小的斗争。

但是，这样的俯视毕竟还是站得比较低的，只不过是恃大利而弃小利罢了，仍未脱利益的计算。真正站得高的人应该能够站到世间一切成功的上方俯视成功本身。一个人能否做出被社会承认的成就，并不完全取决于才能，起作用的还有环境和机遇等外部因素，有时候这些外部因素甚至起决定性作用。单凭这一点，就有理由不以成败论英雄。我曾经在边远省份的一个小县生活了将近十年，如果不是大环境发生变化，也许会在那里"埋没"终生。我尝自问，倘真如此，我便比现在的我差许多吗？我不相信。当然，我肯定不会有现在的所谓成就和名声，但只要我精神上足够富有，我就一定会以另一种方式收获自己的果实。成功是一个社会概念，一个直接面对上帝和自己的人是不会太看重它的。

我的意思是说，成功不是衡量人生价值的最高标准，比成功更重要的是，一个人要拥有内在的丰富，有自己的真性情和真兴趣，有自己真正喜欢做的事。只要你有自己真正喜欢做的事，你就在任何情况下都会感到充实和踏实。那些仅仅追求外在成功的人实际上是没有自己真正喜欢做的事的，他们真正喜欢的只是名利，一旦在名利场上受挫，内在的空虚就暴露无遗。照我的理解，把自己真正喜欢做的事做好，尽量做得完美，让自己满意，这才是成功的真谛，如此感到的喜悦才是不搀杂功利考虑的纯粹的成功之喜悦。当一个母亲生育了一个可爱的小生命，一个诗人写出了一首美妙的诗，所感觉到的就是这种纯粹的喜悦。当然，这个意义上的成功已经超越于社会的评价，而人生最珍贵的价值和最美好的享受恰恰就寓于这样的成功之中。

2000 年 11 月

好梦何必成真

好梦成真——这是现在流行的一句祝词，人们以此互相慷慨地表达友善之意。每当听见这话，我就不禁思忖：好梦都能成真，都非要成真吗？

有两种不同的梦。

第一种梦，它的内容是实际的，譬如说，梦想升官发财，梦想娶一个倾国倾城的美人或嫁一个富甲天下的款哥，梦想得诺贝尔奖金，等等。对于这些梦，弗洛伊德的定义是适用的：梦是未实现的愿望的替代。未实现不等于不可能实现，世上的确有人升了官发了财，娶了美人或嫁了富翁，得了诺贝尔奖金。这种梦的价值取决于能否变成现实，如果不能，我们就说它是不切实际的梦想。

第二种梦，它的内容与实际无关，因而不能用能否变成现实来衡量它的价值。譬如说，陶渊明梦见桃花源，鲁迅梦见好的故事，但丁梦见天堂，或者作为普通人的我们梦见一片美丽的风景。这种梦不能实现也不需要实现，它的价值在其自身，做这样的梦本身就是享受，而记载了这类梦的《桃花源记》、《好的故事》、《神曲》本身便成了人类的精神财富。

所谓好梦成真往往是针对第一种梦发出的祝愿，我承认有其合理性。一则古代故事描绘了一个贫穷的樵夫，说他白天辛苦打柴，夜晚大做其富贵梦，奇异的是每晚的梦像连续剧一样向前推进，最后好像是当上了皇帝。这个樵夫因此过得十分快活，他的理由是：倘若把夜晚的梦当成现实，把白天的现实当成梦，他岂不就是天下最幸福的人。这种自欺的逻辑遭到了当时人的哄笑，我相信我们今天的人也多半会加入哄笑的行列。

可是，说到第二种梦，情形就很不同了。我想把这种梦的范围和含义扩大一些，举凡组成一个人的心灵生活的东西，包括生命的感悟，艺术的体验，哲学的沉思，宗教的信仰，都可归入其中。这样的梦永远不会变成看得见摸得着的直接现实，在此意义上不可能成真。但也不必在此意义上成真，因为它们有着与第一种梦完全不同的实现方式，不妨说，它们的存在本身就已经构成了一种内在的现实，这样的好梦本身就已经是一种真。对真的理解应该宽泛一些，你不能说只有外在的荣华富贵是真实的，内在的智慧教养是虚假的。一个内心生活丰富的人，与一个内心生活贫乏的人，他们是在实实在在的意义上过着截然不同的生活。

我把第一种梦称作物质的梦，把第二种梦称作精神的梦。不能说做第一种梦的人庸俗，但是，如果一个人只做物质的梦，从不做精神的梦，说他庸俗就不算冤枉。如果整个人类只梦见黄金而从不梦见天堂，则即使梦想成真，也只是生活在铺满金子的地狱里而已。

2000 年 11 月

在物质生活上，我抱中庸的态度。我当然不喜欢贫穷，人穷志短，为衣食住行操心是很毁人的。但我也从不梦想大富大贵，内心里真的觉得，还是小康最好。

说这话也许有酸葡萄之嫌，那么我索性做一回狐狸，断言大富大贵这颗葡萄是酸的，不但是酸的，常常还是苦的，有时竟是有毒的。我的证据是许多争吃这颗葡萄的人，他们的日子过得并不快活，并且有一些人确实中毒身亡了。我有一个感觉：暴富很可能是不祥之兆。天下诚然也有祥云笼罩的发家史，不过那除了真本事还必须加上好运气，不是单凭人力可以造成的。大量触目惊心的权钱交易案例业已证明，对于金钱的贪欲会使人不顾一切，甚至不要性命。千万不要以为，这些一失足成千古恨的人是天生的坏人。事实上，他们与我们中间许多人的区别只在于，他们恰好处在一个直接面对巨大诱惑的位置上。任何一个人，倘若渴慕奢华的物质生活而不能自制，一旦面临类似的诱惑，都完全可能走上同样的道路。

我丝毫不反对美国的比尔·盖茨们和中国的李嘉诚们凭借自己的能力，在给人类带来巨大福利的同时，自己也成为富豪。但是，让我们记住，在这个世界上，富豪终究是少数，多数人不论从事的是什么职业，努力的结果充其量也只是小康而已。我知道自己就属于这多数人，并且对此心安理得。"知足常乐"是中国的古训，我认为在金钱的问题上，这句话是对的。以挣钱为目的，挣多少算够了，这个界限无法确定。事实上，凡是以挣钱为目的的人，他永远不会觉得够了，因为富了终归可以更富，一旦走上了这条路，很少有人能够自己停下来。商界的有为之士也并非把金钱当作最终目的的，他们另有更高的抱负，不过要坚持这抱负可不容易。我有不少从商的朋友，在我看来，他们的生活是过于热闹、繁忙和复杂了。相比之下，我就更加庆幸我能过一种安静、悠闲、简单的生活。他们有时也会对我的生活表示羡慕，开玩笑要和我交换。当然，他们不是真想换，即使真想换，我也不会答应。如果我做着自己喜欢做的事情，既能从中获得身心的愉快，又能藉此保证衣食无忧，那么，即使你出再大的价钱，我也不肯把这么好的生活卖给你。

金钱能带来物质享受，但算不上最高的物质幸福。最高的物质幸福是什么？我赞成一位先哲的见解：对人类社会来说，是和平；对个人来说，是健康。在一个时刻遭受战争和恐怖主义的威胁的世界上，经济再发达又有什么用？如果一个人的生命机能被彻底毁坏了，钱再多又有什么用？所以，我在物质上的最高奢望就是，在一个和平的世界上，有一个健康的身体，过一种小康的日子。在我看来，如果天下绝大多数人都能过上这种日子，那就是一个非常美好的世界了。

2001 年 7 月

　　我，你，他，这是人人皆知的三个人称代词。在一定的语境中，它们被用在不同的人身上。有的作家喜欢用不同的人称来叙述同一个主人公，不断变换视角，使得人物的形象富有立体感。我觉得，我们每一个人也可以用这种方式来看自己。

　　涉及自己，使用第一人称是习惯成自然的事情了，好像无须多说。我是谁，我要什么，我做了什么，我爱某某，我恨某某，如此等等，似乎一目了然。然而，真正做自己，行己胸臆，表里一致，敢作敢当，并不是容易的事。正因为如此，许多哲人把"成为你自己"看作一个很高的人生目标。另一方面呢，一个人如果只是我行我素，从来不跳出来从别的角度看一看自己，他又是活得很盲目的。所以，其他两个人称的视角也是不可缺少的。

　　先说第三人称。在别人的眼里，我是一个"他"（或"她"）。因此，用第三人称看自己，实际上就是用别人的或者说社会的眼光看自己，审视一下自己在别人眼里是什么样子，在社会上扮演着什么角色。人不能脱离社会而生活，所以这个视角是必要的。做自己的一个冷眼旁观者和批评者，这是一种修养，它可以使我们保持某种清醒，避免落入自命不凡或者顾影自怜的可笑复可悲的境地。当然，别人的意见只能做参考，为人处世还得自己拿主意。据我观察，在不少人身上，这个视角是过于强大了，以至于他们只是在依据别人的意见生活，陷入了另一种盲目。

　　如果说第一人称是做自己，第三人称是做自己的旁观者，那么，第二人称就是做自己的朋友。把一个人当作"你"对待，就意味着和这个人面对面，像朋友一样敞开心怀，诚恳交流。如果不是这样，心里仍偷偷地打量着和提防着面前的这个人，那就不是把这个人当作一个"你"，而是当作一个"他"了。与此相类似，当我们把自己看作一个"他"的时候，那眼光往往是冷静的，有时候还是很功利的，衡量的是自己在社会上的表现、作用、地位、名声之类的东西。相反，对自己以"你"相待，就需要一种既超脱又体贴的眼光，所关心的是人生中更本质的方面。这时候，我们就好像把那个在人世间活动着、快乐着、痛苦着的自己迎回家中，怀着关切和理解之情和他促膝谈心。人在世上都离不开朋友，但是，最忠实的朋友还是自己，就看你是否善于做自己的朋友了。要能够做自己的朋友，你就必须比那个外在的自己站得更高，看得更远，从而能够从人生的全景出发给他以提醒、鼓励和指导。事实上，在我们每个人身上，除了外在的自我以外，都还有着一个内在的精神性的自我。可惜的是，许多人的这个内在自我始终是昏睡着的，甚至是发育不良的。为了使内在自我能够健康生长，你必须给它以充足的营养。如果你经常读好书、沉思、欣赏艺术等等，拥有丰富的精神生活，你就一定会感觉到，在你身上确实还有一个更高的自我，这个自我是你的人生路上的坚贞不渝的精神密友。

2001 年 8 月

我发现，世界越来越喧闹，而我的日子越来越安静了。我喜欢过安静的日子。

当然，安静不是静止，不是封闭，如井中的死水。曾经有一个时代，广大的世界对于我们只是一个无法证实的传说，我们每一个人都被锁定在一个狭小的角落里，如同螺丝钉被拧在一个不变的位置上。那时候，我刚离开学校，被分配到一个边远山区，生活平静而又单调。日子仿佛停止了，不像是一条河，更像是一口井。

后来，时代突然改变，人们的日子如同解冻的江河，又在阳光下的大地上纵横交错了。我也像是一条积压了太多能量的河，生命的浪潮在我的河床里奔腾起伏，把我的成年岁月变成了一道动荡不宁的急流。

而现在，我又重归于平静了。不过，这是跌荡之后的平静。在经历了许多冲撞和曲折之后，我的生命之河仿佛终于来到一处开阔的谷地，汇蓄成了一片浩淼的湖泊。我曾经流连于阿尔卑斯山麓的湖畔，看雪山、白云和森林的倒影伸展在蔚蓝的神秘之中。我知道，湖中的水仍在流转，是湖的深邃才使得湖面寂静如镜。

我的日子真的很安静。每天，我在家里读书和写作，外面各种热闹的圈子和聚会都和我无关。我和妻子女儿一起品尝着普通的人间亲情，外面各种寻欢作乐的场所和玩意也都和我无关。我对这样过日子很满意，因为我的心境也是安静的。

也许，每一个人在生命中的某个阶段是需要某种热闹的。那时候，饱涨的生命力需要向外奔突，去为自己寻找一条河道，确定一个流向。但是，一个人不能永远停留在这个阶段。托尔斯泰如此自述："随着年岁增长，我的生命越来越精神化了。"人们或许会把这解释为衰老的征兆，但是，我清楚地知道，即使在老年时，托尔斯泰也比所有的同龄人、甚至比许多年轻人更充满生命力。唯有强大的生命才能逐步朝精神化的方向发展。

现在我觉得，人生最好的境界是丰富的安静。安静，是因为摆脱了外界虚名浮利的诱惑。丰富，是因为拥有了内在精神世界的宝藏。泰戈尔曾说：外在世界的运动无穷无尽，证明了其中没有我们可以达到的目标，目标只能在别处，即在精神的内在世界里。"在那里，我们最为深切地渴望的，乃是在成就之上的安宁。在那里，我们遇见我们的上帝。"他接着说明："上帝就是灵魂里永远在休息的情爱。"他所说的情爱应是广义的，指创造的成就，精神的富有，博大的爱心，而这一切都超越于俗世的争斗，处在永久和平之中。这种境界，正是丰富的安静之极致。

我并不完全排斥热闹，热闹也可以是有内容的。但是，热闹总归是外部活动的特征，而任何外部活动倘若没有一种精神追求为其动力，没有一种精神价值为其目标，那么，不管表面上多么轰轰烈烈，有声有色，本质上必定是贫乏和空虚的。我对一切太喧嚣的事业和一切太张扬的感情都心存怀疑，它们总是使我想起莎士比亚对生命的嘲讽："充满了声音和狂热，里面空无一物。"

2002 年 6 月

安静的位置

对于各种热闹，诸如记者采访、电视亮相、大学讲座之类，我始终不能习惯，总是尽量推辞。有时盛情难却答应了，结果多半是后悔。人各有志，我不反对别人追求和享受所谓文化的社会效应，只是觉得这种热闹与我的天性太不合。我的性格决定我不能做一个公众人物。做公众人物一要自信，相信自己真是一个人物，二要有表演欲，一到台上就来情绪。我偏偏既自卑又怯场，面对摄像机和麦克风没有一次不感到是在受难。因此我想，万事不可勉强，就让我顺应天性过我的安静日子吧。如果确实有人喜欢我的书，他们喜欢的也一定不是这种表面的热闹，就让我们的心灵在各自的安静中相遇吧。

世上从来不缺少热闹，因为一旦缺少，便必定会有不甘心的人去把它制造出来。不过，大约只是到了今日的商业时代，文化似乎才必须成为一种热闹，不热闹就不成其为文化。譬如说，从前，一个人不爱读书就老老实实不读，如果爱读，必是自己来选择要读的书籍，在选择中贯彻了他的个性乃至怪癖。现在，媒体担起了指导公众读书的职责，畅销书推出一轮又一轮，书目不断在变，不变的是全国热心读者同一时期仿佛全在读相同的书。与此相映成趣的是，这些年来，学界总有一两个当红的热门话题，话题不断在变，不变的是不同学科的学者同一时期仿佛全在研究相同的课题。我不怀疑仍有认真的研究者，但更多的却只是凭着新闻记者式的嗅觉和喉咙，用以代替学者的眼光和头脑，正是他们的起哄把任何学术问题都变成了热门话题，亦即变成了过眼烟云的新闻。

在这个热闹的世界上，我尝自问：我的位置究竟在哪里？我不属于任何主流的、非主流的和反主流的圈子。我也不是现在有些人很喜欢标榜的所谓另类，因为这个名称也太热闹，使我想起了集市上的叫卖声。那么，我根本不属于这个热闹的世界吗？可是，我决不是一个出世者。对此我只能这样解释：不管世界多么热闹，热闹永远只占据世界的一小部分，热闹之外的世界无边无际，那里有着我的位置，一个安静的位置。这就好像在海边，有人弄潮，有人嬉水，有人拾贝壳，有人聚在一起高谈阔论，而我不妨找一个安静的角落独自坐着。是的，一个角落——在无边无际的大海边，哪里找不到这样一个角落呢——但我看到的却是整个大海，也许比那些热闹地聚玩的人看得更加完整。

在一个安静的位置上，去看世界的热闹，去看热闹背后的无限广袤的世界，这也许是最适合我的性情的一种活法吧。

1999 年 1 月

做自己真正想做的事情

——为某报"书人档案"栏目写

如果从我写第一本书《尼采：在世纪的转折点上》（1986）算起，我的所谓学术生涯迄今刚好是十五个年头。在这期间，我做了两件事。一是研究尼采，除了上述这本书外，还出版了博士论文《尼采与形而上学》（1990），翻译了尼采的若干著作。这些可以算作学术成果。此外还啃过胡塞尔和伽达默尔的原著，就他们的意义理论写过很长的论文（1995）。在做西方哲学研究时，我重视的是对原著的消化，力求弄清相关的思想家所欲解决的问题，这问题在哲学上的价值，解决这问题的思路，以及在何种程度上解决了或尚未解决。我不承认那种生吞活剥的概念拼贴或牵强附会的意识形态演绎是学术。二是把自己对人生的感悟和思考写下来，这些文字后来被人称作哲理散文。其中，完整的结集是《守望的距离》（1996）和《各自的朝圣路》（1999）两本书，还有随感录《人与永恒》（1992）和纪实作品《妞妞：一个父亲的札记》（1996）亦可归入此类。这些作品为我在专业范围之外赢得了广大读者，同时也使我在一些专业人士那里遭到了不务正业的讥评。好在我对两者都不太在意，当我做着自己真正想做的事情的时候，别人的褒贬是不重要的。

不过，我要立刻说明，我不是一个自信的人。问题正出在我常常并不知道自己真正想做什么，因此而对我以往所做的事情发生了怀疑。许多事情似乎是自己想做的，其实可能是受了外来的诱惑或逼迫去做的。生命有限，我害怕把精力投错了地方，致使不再来得及做成自己真正想做的事情。我现在便处在这样一种反省和犹豫之中。所以，我没有任何新作品可以向读者预告。我能够说的仅是，我本来就不是一个爱热闹的人，今后会更加远离一切热闹，包括媒体的热闹和学界的热闹（我把后者看作前者的一个类别），在安静中做成自己想做的事情，或者至少把自己真正想做什么的问题想明白。其实，真想明白了，哪有做不成之理呢？好了，祝世界继续热闹。

2000 年 5 月

"学而不思则罔，思而不学则殆。"这是孔子的名言。意思是说：只读书不思考，后果是糊涂；只思考不读书，后果是危险。前一句好理解，"罔"即惘然，亦即朱熹所解释的"昏而无得"。借用叔本华的譬喻来说，就好像是把自己的头脑变成了别人的跑马场，任人践踏，结果当然昏头昏脑。可是后一句，思而不学怎么就危险了呢？不妨也作一譬喻：就好像自己是一匹马，却蒙着眼睛乱走，于是难免在别人早已走通的道路上迷途，在别人曾经溺水的池塘边失足，始终处在困顿疲惫的状态了。句中的"殆"字，前人确有训作困顿疲惫的，而倘若陷在这种状态里出不来，也真是危险。

孔子当然不是无的放矢，"学而不思"和"思而不学"是好些聪明人也容易犯的毛病。有一种人，读书很多，称得上博学，但始终没有真正属于自己的见解。还有一种人，酷爱构筑体系，发现新的真理，但拿出的结果往往并无价值，即使有价值也是前人已经说过而且说得更好的。遇见这两种人，我总不免替他们惋惜。我感到不解的是，一个人真正好读书就必定是有所领悟，真正爱思考就必定想知道别人在他所思问题上的见解，学和思怎么能分开呢？不妨说，学和思是互相助兴的，读书引发思考，带着所思的问题读书，都是莫大的精神享受。

如此看来，学和思不可偏废。在这二者之外，我还要加上第三件也很重要的事——录。常学常思，必有所得，但如果不及时记录下来，便会流失，岂不可惜？不但可惜，如果任其流失，还必定会挫伤思的兴趣。席勒曾说，任何天才都不可能孤立地发展，外界的激励，如一本好书，一次谈话，会比多年独自耕耘更有力地促进思考。托尔斯泰据此发挥说，思想在与人交往中产生，而它的加工和表达则是在一个人独处之时。这话说得非常好，但我要做一点修正。根据我的经验，思想的产生不仅需要交往亦即外界的激发，而且也需要思想者自身的体贴和鼓励。如果没有独处中的用心加工和表达，不但已经产生的思想材料会流失，而且新的思想也会难以产生了。黄山谷说，三日不读书，便觉得自己语言无味，面目可憎。我的体会是，三天不动笔，就必定会思维迟钝，头脑发空。

灵感是思想者的贵宾，当灵感来临的时候，思想者要懂得待之以礼。写作便是迎接灵感的仪式。当你对较差的思想也肯勤于记录的时候，较好的思想就会纷纷投奔你的笔记本了，就像孟尝君收留了鸡鸣狗盗之徒，齐国的人材就云集到了他的门下。

　　所以，不但学和思是互相助兴的，录也是助兴行列中的一个重要角色。学而思，思而录，是愉快的精神拾荒之三步曲。

2002 年 6 月

灵魂的在场

智慧和信仰

——读史铁生《病隙碎笔》

三年前，在轮椅上坐了三十个年头的史铁生的生活中没有出现奇迹，反而又有新的灾难降临。由于双肾功能衰竭，从此以后，他必须靠血液透析维持生命了。当时，一个问题立刻使我——我相信还有其他许多喜欢他的读者——满心忧虑：他还能写作吗？在瘫痪之后，写作是他终于找到的活下去的理由和方式，如果不能了，他怎么办呀？现在，仿佛是作为一个回答，他的新作摆在了我的面前。

史铁生把他的新作题作《病隙碎笔》，我知道有多么确切。他每三天透析一回。透析那一天，除了耗在医院里的工夫外，坐在轮椅上的他往返医院还要经受常人想象不到的折腾，是不可能有余力的了。第二天是身体和精神状况最好（能好到哪里啊！）的时候，唯有那一天的某一时刻他才能动一会儿笔。到了第三天，血液里的毒素重趋饱和，体况恶化，写作又成奢望。大部分时间在受病折磨和与病搏斗，不折不扣是病隙碎笔，而且缝隙那样小得可怜！

然而，读这本书时，我在上面却没有发现一丝病的愁苦和阴影，看到的仍是一个沐浴在思想的光辉中的开朗的史铁生。这些断断续续记录下来的思绪也毫不给人以细碎之感，倒是有着内在的连贯性。这部新作证明，在自己的"写作之夜"，史铁生不是一个残疾人和重病患者，他的自由的心魂漫游在世界和人生的无疆之域，思考着生与死、苦难与信仰、残缺与爱情、神命与法律、写作与艺术等重大问题，他的思考既执著又开阔，既深刻又平易近人，他的'写作之夜"依然充实而完整。对此我只能这样来解释：在史铁生身上业已形成了一种坚固的东西，足以使他的精神历尽苦难而依然健康，备受打击而不会崩溃。这是什么东西呢？是哲人的智慧，还是圣徒的信念，抑或两者都是？

常常听人说，史铁生之所以善于思考是因为残疾，是因为他被困在轮椅上，除了思考便无事可做。假如他不是一个残疾人呢，人们信心十足地推断，他就肯定不会成为现在这个史铁生，——他们的意思是说，不会成为这么一个优秀的作家或者这么一个智慧的人。在我看来，没有比这更加肤浅的对史铁生的解读了。当然，如果不是残疾，他也许不会走上写作这条路，但也可能走上，这不是问题的关键。关键在于，他的那种无师自通的哲学智慧决不是残疾解释得了的。一个明显的证据是，我们在别的残疾人身上很少发现这一显著特点。当然，在非残疾人身上也很少发现。这至少说明，这种智慧是和残疾不残疾无关的。

关于残疾，史铁生自己有一个清晰的认识："人所不能者，即是限制，即是残疾"，在此意义上，残疾是与生俱来的，对所有的人来说都是这样。看到人所必有的不能和限制，这是智慧的起点。两千多年前，苏格拉底就是因为知道人之必然的无知，而被阿波罗神赞为最智慧的人的。众所周知，苏格拉底就不是一个残疾人。我相信，史铁生不过碰巧是一个残疾人罢了，如果他不是，他也一定能够由生命中必有的别的困境而觉悟到人的根本限制。

人要能够看到限制，前提是和这限制拉开一个距离。坐井观天，就永远不会知道天之大和井之小。人的根本限制就在于不得不有一个肉身凡胎，它被欲望所支配，受有限的智力所指引和蒙蔽，为生存而受苦。可是，如果我们总是坐在肉身凡胎这口井里，我们也就不可能看明白它是一个根本限制。所以，智慧就好像某种分身术，要把一个精神性的自我从这个肉身的自我中分离出来，让它站在高处和远处，以便看清楚这个在尘世挣扎的自己所处的位置和可能的出路。

从一定意义上说，哲学家是一种分身有术的人，他的精神性自我已经能够十分自由地离开肉身，静观和俯视尘世的一切。在史铁生身上，我也看到了这种能力。他在作品中经常把史铁生其人当作一个旁人来观察和谈论，这不是偶然的。站在史铁生之外来看史铁生，这几乎成了他的第二本能。这另一个史铁生时而居高临下俯瞰自己的尘世命运，时而冷眼旁观自己的执迷和嘲笑自己的妄念，当然，时常也关切地走近那个困顿中的自己，对他劝说和开导。有时候我不禁觉得，如同罗马已经不在罗马一样，史铁生也已经不在那个困在轮椅上的史铁生的躯体里了。也许正因为如此，肉身所遭遇的接二连三的灾难就伤害不了已经不在肉身中的这个史铁生了。

看到并且接受人所必有的限制，这是智慧的起点，但智慧并不止于此。如果只是忍受，没有拯救，或者只是超脱，没有超越，智慧就会沦为冷漠的犬儒主义。可是，一旦寻求拯救和超越，智慧又不会仅止于智慧，它必不可免地要走向信仰了。

其实，当一个人认识到人的限制、缺陷、不完美是绝对的，困境是永恒的，他已经是在用某种绝对的完美之境做参照系了。如果只是把自己和别人做比较，看到的就只能是限制的某种具体形态，譬如说肉体的残疾。俗话说，人比人，气死人，以自己的残缺比别人的肢体齐全，以自己的坎坷比别人的一帆风顺，所产生的只会是怨恨。反过来也一样，以别人的不能比自己的能够，以别人的不幸比自己的幸运，只会陷入浅薄的沾沾自喜。唯有在把人与神做比较时，才能看到人的限制之普遍，因而不论这种限制在自己或别人身上以何种形态出现，都不馁不骄，心平气和。对人的限制的这样一种宽容，换一个角度来看，便是面对神的谦卑。所以，真正的智慧中必蕴涵着信仰的倾向。这也是哲学之所以必须是形而上学的道理之所在，一种哲学如果不是或明或暗地包含着绝对价值的预设，它作为哲学的资格就颇值得怀疑。

进一步说，真正的信仰也必是从智慧中孕育出来的。如果不是太看清了人的限制，佛陀就不会寻求解脱，基督就无须传播福音。任何一种信仰倘若不是以人的根本困境为出发点，它作为信仰的资格也是值得怀疑的。因此，譬如说，如果有一个人去庙里烧香磕头，祈求佛为他消弭某一个具体的灾难，赐予某一项具体的福乐，我们就有理由说他没有信仰，只有迷信。或者，用史铁生的话说，他是在向佛行贿。又譬如说，如果有一种教义宣称能够在人世间消灭一切困境，实现完美，我们也就可以有把握地断定它不是真信仰，在最好的情形下也只是乌托邦。还是史铁生说得好：人的限制是"神的给定"，人休想篡改这个给定，必须接受它。"就连耶稣，就连佛祖，也不能篡改它。不能篡改它，而是在它之中来行那宏博的爱愿。"一切乌托邦的错误就在于企图篡改神的给定，其结果不是使人摆脱了限制而成为神，而一定是以神的名义施强制于人，把人的权利也剥夺了。

《病隙碎笔》中有许多对于信仰的思考，皆发人深省。一句点睛的话是："所谓天堂即是人的仰望。"人的精神性自我有两种姿态。当它登高俯视尘世时，它看到限制的必然，产生达观的认识和超脱的心情，这是智慧。当它站在尘世仰望天空时，它因永恒的缺陷而向往完满，因肉身的限制而寻求超越，这便是信仰了。完满不可一日而达到，超越永无止境，彼岸永远存在，如此信仰才得以延续。所以，史铁生说："皈依并不在一个处所，皈依是在路上。"这条路没有一个终于能够到达的目的地，但并非没有目标，走在路上本身即是目标存在的证明，而且是唯一可能和唯一有效的证明。物质理想（譬如产品的极大丰富）和社会理想（譬如消灭阶级）的实现要用外在的可见的事实来证明，精神理想的实现方式只能是内在的心灵境界。所以，凡是坚持走在路上的人，行走的坚定就已经是信仰的成立。

最后，我要承认，我一边写着上面这些想法，一边却感到不安：我是不是站着说话不腰疼？一个无情的事实是，不管史铁生的那个精神性自我多么坚不可摧，他仍有一个血肉之躯，而这个血肉之躯正在被疾病毁坏。在生理的意义上，精神是会被肉体拖垮的，我怎么能假装不懂这个常识？上帝啊，我祈求你给肉身的史铁生多一点健康，这个祈求好像近似史铁生和我都反对的行贿，但你知道不是的，因为你一定知道他的"写作之夜"对于你也是多么宝贵。

2002 年 1 月

现代生活的特点之一是灵魂的缺席。它表现在各个方面，例如使人不得安宁的快节奏，远离自然，传统的失落，环境的破坏，人与人之间亲密关系的丧失，等等。痛感于此，托马斯·摩尔把关涉灵魂生活的古今贤哲的一些言论汇集起来，编成了这本《心灵书》。书的原题是《灵魂的教育》，可见是作为一本灵魂的教科书来编著的。作者在前言中说："我们这个时代的最大问题是训示太多，教育太少。"在他看来，教育应是一门引导人的潜能的艺术，在最深层次上则是一门诱使灵魂从其隐藏的洞穴中显露出来的艺术。我的理解是，教育的本义是唤醒灵魂，使之在人生的各种场景中都保持在场。那么，相反，倘若一个人的灵魂总是缺席，不管他多么有学问或多么有身份，我们仍可把他看作一个没有受过教育的蒙昧人。

关于什么是灵魂，费西诺有一个说法，认为它是连结精神和肉体的中介。荣格也有一个说法，认为精神试图超越人性，灵魂则试图进入人性。这两种说法都很好，加以引申，我们不妨把灵魂定义为普遍性的精神在个体的人身上的存在，或超越性的精神在人的日常生活中的存在。一个人无论怎样超凡脱俗，总是要过日常生活的，而日常生活又总是平凡的。所以，灵魂的在场未必表现为隐居修道之类的极端形式，在绝大多数情形下，恰恰是表现为日常生活中的精神追求和精神享受。这就是作者所说的"平凡的神圣"之涵义。他说得对："能够真正享受普通生活并不是一件容易的事。"尤其是在今天，日常生活变成了无休止的劳作和消费，那本应是享受之主体的灵魂往往被排挤得没有容足之地了。

日常生活是包罗万象的，就本书涉及的内容而言，我比较关注这几个方面：工作与闲暇，自然与居住，孤独与交流。在所有这些场合，生活的质量都取决于灵魂是否在场。

在时间上，一个人的生活可分为两部分，即工作与闲暇。最理想的工作是那种能够体现一个人的灵魂的独特倾向的工作。正如作者所说："当我们灵魂中独特的一面与我们所从事的工作相融合时，我们发现本性与勤奋结出的是甜蜜的果实，它可以医好一切创伤。"当然，远非所有的人都能从事自己称心的职业的，但是我始终相信，一个人只要真正优秀，他就多半能够突破职业的约束，对于他来说，他的心血所倾注的事情才是他的真正的工作，哪怕是在业余所为。同时，我也赞成这样的标准：一个人的工作是否值得尊敬，取决于他完成工作的精神而非行为本身。这就好比造物主在创造万物之时，是以同样的关注之心创造一朵野花、一只小昆虫或一头巨象的。无论做什么事情，都力求尽善尽美，并从中获得极大的快乐，这样的工作态度中的确蕴涵着一种神性，不是所谓职业道德或敬业精神所能概括的。关于闲暇，我在这里只想指出一点：度闲的质量亦应取决于灵魂所获得的愉悦，没有灵魂的参与，再高的消费也只是低质量地消度了宝贵的闲暇时间。

在空间上，可以把环境划分为自然和人工两种类型。如果说自然是灵魂的来源和归宿，那么，人工建筑的屋宇就应该是灵魂在尘世的家园。作者强调，无论是与自然，还是与人工的建筑，都应该有一种亲密的关系。在一个关注灵魂的人眼中，自然中的一丘一壑，一草一木，都有着自己的生命和故事。同样，家居中的简单小事，诸如为门紧一根螺钉，擦干净一块玻璃，都会给屋子注入生命，使人对家产生更亲密的感觉。空间具有一种神圣性，但现代人对此已经完全陌生了。对于过去许多世代的人来说，不但人在屋宇之中，而且屋宇也在人之中，它们是历史和记忆，血缘和信念。正像黑尔诗意地表达的那样："旧建筑在歌唱。"可是现在，人却迷失在了高楼的迷宫之中，不管我们为装修付出了多少金钱和力气，屋宇仍然是外在于我们的，我们仍然是居无定所的流浪者。

说到人与人的关系，则不外是孤独和社会交往两种状态。交往包括婚姻和家庭，也包括友谊、邻里以及更广泛的人际关系。令作者担忧的也是人与人之间的亲密关系的消失。譬如说，论及婚姻问题，从前的大师们关注的是灵魂，现在的大师们却大谈心理分析和治疗。书信、日记、交谈——这些亲切的表达方式是更适合于灵魂需要的，现在也已成为稀有之物，而被公关之类的功利行动或上网之类的虚拟社交取代了。应该承认，现代人是孤独的。但是，由于灵魂的缺席，这种孤独就成了单纯的惩罚。相反，对于珍惜灵魂生活的人来说，如同默顿所说，孤独却应该是"生活的必需品"。或者，用蒂利希的话表述，人人都离不开一种广义的宗教，这种宗教就是对寂寞的体验。

我把自己读这本书时的感想写了下来。说到这本书本身，我的印象是，作者大约也是一位心理分析的信徒，因此，把荣格、希尔曼这样的心理分析家的言论选得多了一些。在我看来，还有许多贤哲说过一些中肯得多也明白得多的话语，那是更值得选的。不过，对此我无意苛责。事实上，不同的人来编这样的书，编成的面貌必定是很不同的。我希望自己有一天也来编一本心灵书。我还希望每一个关注灵魂的人都来编一本他自己的心灵书。说到底，每一个人的灵魂教育都只能是自我教育。

2001 年 6 月

让世界适合于小王子们居住

——为《小王子》新译本写的序

　　像《小王子》这样的书，本来是不需要有一篇序言的，不但不需要，而且不可能有。莫洛亚曾经表示，他不会试图去解释《小王子》中的哲理，就像人们不对一座大教堂或布满星斗的天穹进行解释一样。我也不会无知和狂妄到要给天穹写序，所能做的仅是借这个新译本出版之机，再一次表达我对圣埃克絮佩里的这部天才之作的崇拜和热爱。

　　我说《小王子》是一部天才之作，说的完全是我自己的真心感觉，与文学专家们的评论无关。我甚至要说，它是一个奇迹。世上只有极少数作品，如此精美又如此质朴，如此深刻又如此平易近人，从内容到形式都几近于完美，却不落丝毫斧凿痕迹，宛若一块浑然天成的美玉。

　　令我感到不可思议的一件事是，一个人怎么能够写出这样美妙的作品。令我感到不可思议的另一件事是，一个人翻开这样一本书，怎么会不被它吸引和感动。我自己许多次翻开它时都觉得新鲜如初，就好像第一次翻开它时觉得一见如故一样。每次读它，免不了的是常常含着泪花微笑，在惊喜的同时又感到辛酸。我知道许多读者有过和我相似的感受，我还相信这样的感受将会在更多的读者身上得到印证。

　　按照通常的归类，《小王子》被称作哲理童话。你们千万不要望文生义，设想它是一本给孩子们讲哲学道理的书。一般来说，童话是大人讲给孩子听的故事。这本书诚然也非常适合于孩子们阅读，但同时更是写给某一些成人看的。用作者的话来说，它是献给那些曾经是孩子并且记得这一点的大人的。我觉得比较准确的定位是，它是一个始终葆有童心的大人对孩子们、也对与他性情相通的大人们说的知心话，他向他们讲述了对于成人世界的观感和自己身处其中的孤独。

　　的确，作者的讲述饱含哲理，但他的哲理决非抽象的观念和教条，所以我们无法将其归纳为一些简明的句子而又不使之受到损害。譬如说，我们或许可以把全书的中心思想归结为一种人生信念，便是要像孩子们那样凭真性情直接生活在本质之中，而不要像许多成人那样为权力、虚荣、占有、职守、学问之类表面的东西无事空忙。可是，倘若你不是跟随小王子到各个星球上去访问一下那个命令太阳在日落时下降的国王，那个请求小王子为他不断鼓掌然后不断脱帽致礼的虚荣迷，那个热中于统计星星的数目并将之锁进抽屉里的商人，那个从不出门旅行的地理学家，你怎么能够领会孩子和作者眼中功名利禄的可笑呢？倘若你不是亲耳听见作者谈论大人们时的语气——例如，他谈到大人们热爱数目字，如果你对他们说起一座砖房的颜色、窗台上的花、屋顶上的鸽子，他们就无动于衷，如果你说这座房子值十万法郎，他们就会叫起来："多么漂亮的房子啊！"他还告诉孩子们，大人们就是这样的，孩子们对他们应该宽宏大量——你不亲自读这些，怎么能够体会那讽刺中的无奈，无奈中的悲凉呢？

我还可以从书中摘录一些精辟的句子，例如："正因为你在你的玫瑰身上花费了时间，这才使她变得如此名贵。""使沙漠变得这样美丽的，是它在什么地方隐藏着一眼井。"可是，这样的句子摘不胜摘，而要使它们真正属于你，你就必须自己去摘取。且把这本小书当作一朵玫瑰，在她身上花费你的时间，且把它当作一片沙漠，在它里面寻找你的井吧。我相信，只要你把它翻开来，读下去，它一定会对你也变得名贵而美丽。

圣埃克絮佩里一生有两大爱好：飞行和写作。他在写作中品味人间的孤独，在飞行中享受四千米高空的孤独。《小王子》是他生前出版的最后一本书，出版一年后，他在一次驾机执行任务时一去不复返了。没有人知道他去了哪里，在地球上再也没有发现他的那架飞机的残骸。我常常觉得，他一定是到小王子所住的那个小小的星球上去了，他其实就是小王子。

有一年夏天，我在巴黎参观先贤祠。先贤祠的宽敞正厅里只有两座坟墓，分别埋葬着法兰西精神之父伏尔泰和卢梭，唯一的例外是有一面巨柱上铭刻着圣埃克絮佩里的名字。站在那面巨柱前，我为法国人对这个大孩子的异乎寻常的尊敬而感到意外和欣慰。当时我心想，圣埃克絮佩里诞生在法国并非偶然，一个懂得《小王子》作者之伟大的民族有多么可爱。我还想，应该把《小王子》译成各种文字，印行几十亿册，让世界上每个孩子和每个尚可挽救的大人都读一读，这样世界一定会变得可爱一些，会比较适合于不同年龄的小王子们居住。

2000 年 8 月

最后的滋味是无奈

读幾米的图和文，心中不时会有莫名的感动。他的图像一个个童年的梦境，他的文是梦醒了的惆怅的回味。他用笔淡淡的，不夸张，不渲染，却因此而更有味。我们人人都领略过某些非常单纯的人生滋味，可是在都市的喧嚣中无暇去细品，只好听其流失，现在幾米替我们把这些我们其实也很珍惜的小感觉找了回来，叫我们怎么不感动。

幾米有一本书题为《照相本子》。他自己说：照相多半是欢乐的留影，少有人在哀痛时拍照。譬如说，有生日同欢照，孤单一人过生日的冷清却照不下来，有结婚照，但少有人拍离婚照。我的印象是，幾米作品是要纠正这种不真实，照出欢乐背后的哀伤，也给哀伤留影。他的多数作品的确透着一种哀愁的情调，不过他并不沉溺其中，而我们也并不感到压抑。原因也许在于，他虽然哀人生的种种缺陷，但又知道这是人生可爱之不可缺少的一面，对之产生了和解的心情。于是我们看到，那个独自吹生日蛋糕上的蜡烛的小女孩仍然面露笑容，因为她从幼稚的许愿中得到了安慰："以后你们的生日也都没有人记得。"那一对并不真正快乐的新人装出快乐的样子拍婚照，因为他们明白"大家一起快乐的时光真的不多了"。

人生有千百种滋味，品尝到最后，都只留下了一种滋味，就是无奈。生命中的一切花朵都会凋谢，一切凋谢都不可挽回，对此我们只好接受。幾米很懂得无奈的滋味。在海滩上，那个小姑娘的游泳衣还没有碰到水，风就把她的草帽吹跑了。她望着那顶粉红色帽子随着海浪愈漂愈远，仿佛听到它在呼救，却终究没能做什么。很久后她才知道，那只是无奈人生的小小开始罢了。长大以后，我们将一次次重温这个眼睁睁望着草帽漂走而无能为力的经验。身在人生这场游戏之中，幾米问："可以重来一遍吗？可以赖皮或中途退出吗？一定要加入吗？"答案是清楚的：即使我们不喜欢了，我们仍旧只好玩下去，因为唯有死才能使我们退出游戏。我们不得不把人生的一切缺憾随同人生一起接受下来，认识到了这一点，我们心中就会产生一种坦然。无奈本身包含不甘心的成分，可是，当我们甘心于不甘心，坦然于无奈，对无能为力的事情学会了无所谓，无奈就成了一种境界。"天上的云，飞过的野雁，随它去吧。错过的机会，心伤的过往，随它去吧。"Let it be！Let it be！幾米唱起了无奈的逍遥曲。

我注意到，对人生的无奈境遇，幾米常涉及三种，便是流逝、错过和迷途。流逝的是时间，而随时间一起流逝的是人生最珍贵的珍宝——童年和爱情。童年遗失的小布偶在我的梦里哭泣，告诉我她觉得冷，但我无法救她。爱情之花枯萎了，分手的时刻，那些怨恨、委屈和无尽的争执也突然都消失了，只有海风不断地吹啊吹。和流逝一样，错过也是始终伴随着我们的命运。小时候，我们不断地迷路、搭错车，到达时游乐场已经关门了。长大了，我们还要继续错过，"错过了诺亚方舟，错过了泰坦尼克号，错过了一切的惊险与不惊险"。大雨中的屋檐下，一个男人和一个女人，"她看见他，他也看见她。她知道他在看她，他也知道她假装不看他……他们都在等待雨停？然后离去？像所有的人一样？"人生本来有太多的可能性，舍弃虽属必然，仍令敏感的心灵感到震颤。在都市的隔膜中，错过有了一种难堪的性质。隔墙而居的人，每天看着同样的窗景，曾经逗过同一只小猫，却永是陌生人，这情形既平常又荒谬。迷途更多地是现代人的境遇。那个盲女诚然无休止地在地铁里上上下下，徒劳地寻找着出口，可是，那些在地铁口出出进进的蜂拥的人群难道就不盲吗？他们只是似乎知道自己要去哪里罢了，他们的没头脑的匆忙已经把整个世界变成了一个地铁式的巨大迷宫。相比之下，盲女倒是唯一清醒的人，她用她那一双超凡脱俗的盲眼洞察了世界的迷宫真相。《地下铁》把里尔克的诗《盲女》全文录在书末，这是意味深长的，盲女的确有权宣告："那将眼睛如花朵般摘下的死亡，将无法企及我的双眸……"

幾米的作品真的很有味，我们能从中读出童趣、人情、诗意和哲理，能读出人人感受过但又说不清道不明的人生滋味。对于都市人来说，这些滋味仿佛久违了，却因此而更有了魅力。在此意义上，我把幾米的作品看作都市人的一种乡愁。

2002 年 4 月

探险：用身体实现的精神事业

在南极探险史上，英国海军上校斯科特是最著名的英雄之一，同时也是头号倒霉蛋。他本来最有希望成为第一个到达极点的人，完全没有料到结果会被挪威的阿蒙森抢先一个月。更不幸的是，阿蒙森来去一帆风顺，他却在历尽艰险之后死在了返途上。我一直想了解这幕悲剧的详情，新近翻译出版的《世界上最糟糕的旅行》一书使我如愿以偿。这本书被美国地理协会列为十本最佳探险书之首，对此我丝毫不感到奇怪。只须想一想，本书的作者彻里就是斯科特探险队的成员，当年刚从牛津大学毕业，受的是文学和史学训练，在两年半的旅途上认真写日记，可资利用的还有包括斯科特在内的其他成员的日记，在此基础上写出这部旅行记，其内容之翔实、细致、生动自不待言了。我曾经在南极洲生活过两个月，因而在读这本书时更有了异乎寻常的亲切感，几乎觉得它是在讲"我们自己的故事"。当然这话过分地夸大，我只是一个坐享其成者，所经历的艰险不足千万分之一，但毕竟亲见过极地特有的奇丽景物，也领教过南极可怕的地况和气候，所以书中所述的情景常常会历历在目地呈现在眼前。

1910 年 6 月，当"陆地之星"号轮船离开英国港口驶向南极时，已经有先行者包括斯科特本人曾经到达南极的一些地区，人们对南极并非一无所知了。但是，就危险而言，南极永远是一片未知的大陆。人们可以描绘出南极的地图和气象图，却永远无法测量出积雪和薄冰掩盖下的无数条巨大冰缝，茫茫冰原上来去无常的暴风雪，以及会吞噬人的生命的其他各种突发险情。在彻里的叙述中，我们看到，从接近南极大陆的那一刻起，危险便已无处不在。在登陆时，随后在补给站之旅中，队伍在海冰区行进，队员们必须带着马、狗、装备在漂流的浮冰上跳跃，从一块跳向另一块，用这个办法向陆地和目的地靠近。脚下的浮冰随时可能因不胜重负而碎裂，不仅如此，请看这个惊心动魄的场面："十二条巨大的鲸鱼排着完美的队形，头全冲着我们所在的那块浮冰。"海冰区有无数这种被称作杀人鲸的可怕动物，它们会潜到站有人畜的浮冰下拱动，企图把冰块击碎，美餐一顿。有时真把冰块击碎了，只是靠了侥幸，上面的人马才没有落水。

对于彻里来说，在全部历险中，冬季之旅是最可怕的经历，其可怕没有语言能表达。南极的冬季是极夜，连续四个月的黑夜加上零下五十度的严寒，使得任何野外活动都变得近乎不可能。然而，在这样的季节，包括彻里在内的三人组离开驻扎在哈特岬的大本营，向遥远的克罗泽角出发了，那里是皇企鹅的聚集地，他们要去解开皇企鹅冬季繁殖之谜。旅途果然苦不堪言：黑暗中盲目的摸索；严寒把汗冻成冰，衣服和头套被凝固在身体上；狂风中帐篷的门帘刹那间迸裂成千百块小碎片，发出震耳的巨响，接着整个帐篷被吹走……以至于在绝望的时候，彻里只求一死了之，渴望掉下冰缝，想不再保暖快快冻死，想使用药箱里的吗啡。他当时的感受是：人并不怕死，通往地狱的路未必坎坷。但是，他们终于活着回来了，收获是三只企鹅蛋。

如果以为在南极探险只有苦难，没有欢乐，那就大错了。事实上，探险者们会品尝到许多不寻常的快乐，并且不只是与苦难做斗争的意义上的快乐，更多的是完全正面性质的轻松的快乐。快乐的一个重要源泉是别的地方所看不到的景物。彻里常常情不自禁地描绘他所看见的美景：在阳光普照的日子，由于光影作用和大海、天空、云彩、积雪、冰峰之间的互相映射，万物都染上了奇妙的色彩。他说得对：南极绝非一片纯白，到处呈现的是亮蓝、翠绿和紫红。到过南极的人也一定会熟悉他的这一感受：面对眼前的奇丽景色，人们很难回想起也许昨天还支配着自己的沮丧心情了。他对企鹅的生活习性观察得特别细致，在书中有极为有趣的描述，很值得一读。在南极生活还有另一种特殊的快乐，便是摆脱了对现代社会中所谓必需品的需要，不为物所累，真正做到无忧无虑。由于这个原因，彻里把在哈特岬度过的日子视为他一生中最快乐的时光之一。

不过，有时候代价未免过于惨重。斯科特的极点之旅无疑是全书中最悲惨的一章，这次探险活动就是因此闻名于世的。极点是整个探险活动的真正目的地，但全队二十四名队员中，只有五人参加了这最后的远征，其余人对此的贡献是后勤，在沿途建立补给站，使极点组在返回时能够得到必要的食品、燃油等物资。彻里不是极点组成员，他参加了搜寻之旅，在极点组遇难六个月后找到了遇难的地点。根据斯科特等人留下的日记，不难判断当时的情形和遇难的原因。最致命的是南极夏秋季节罕见的坏天气，导致了行进缓慢，进而导致了食品和燃油短缺。体格最棒的埃文斯最先垮掉，死于营养不良。接着，严重冻伤的奥茨为了不拖累别人，自己离开帐篷，消失在暴风雪里了。在最后宿营地的帐篷里，躺着斯科特、威尔逊、鲍尔斯的尸体。他们的死亡和一个微小的细节直接相关：油箱冻裂，燃油告罄。这个地点离最近的补给站只有十一里，可是，因为连续九天的暴风雪，也因为体况极差，他们已经无力到那里去取燃油了。他们是活活冻馁而死的。

最感人的是这些遇难者在临终时日的表现。斯科特大约是最后一个死去的，他的日记坚持写到1913年3月29日。3月17日，在奥茨走进暴风雪之后，他写道："我们都希望自己能以相似的大无畏精神去迎接末日的到来，并且我们确信，终了之日已经不远了。"写完最后一日的日记，他加上一条补充："看在上帝的面上，照顾好我们的家人。"他还分别给两位难友的夫人写了热情的慰问信，给英国公众写了沉痛的告别信。在后一封信中，他表示："我并不后悔进行这次远征，它展示出英国人能够承受苦难，互相帮助，即便在面临死亡时也可以一如既往地保持坚忍和刚毅。"搜寻组看到的情景是：帐篷内十分整洁，三具尸体的表情和姿势都显得平静，各人的日记本以及气象日志、地质标本、摄影底片等物件安放得井井有条。一切迹象表明，他们是安详从容地离去的。

比起斯科特来，阿蒙森的运气实在太好。他找到了一条新路线，既近又好走，没有牺牲一个人，几乎是轻松地到达了极点。据说他在出发时玩了一个声东击西的小花招，宣布去北极而实际上驶向了南极。他的抢先使得斯科特既愤怒又沮丧，以至于在到达极点后，斯科特也兴奋不起来，在日记上写下了一句评价："上帝啊，这真是一个可怕的地方。"单从竞争的角度看，斯科特探险队未免输得太惨了。很自然地，一个疑问折磨着彻里：这次探险到底值得吗？他的结论基本上是肯定的。他想明白了一点：他们的主要目的不是竞赛，而是对南极进行科学研究，以填补空白。这的确是事实，他们这个探险队有一半成员是科学家，沿途都在兢兢业业地工作。更重要的理由是，驱使人们去南极的真正动力是精神上的需要，包括对新知识的渴望，也包括战胜自身弱点的愿望。世上并无天生的勇士，恐惧之心人皆有之，而正是在各种形式的探险活动中，人们以向恐惧挑战的行动证明了自己的勇敢。彻里在全书的结束语中说："探险是精神动力在身体上的体现。"我想把这句话稍做改变，来表达我对探险的理解：探险是一项用身体实现的精神事业。

2002 年 6 月

上帝眼中无残疾

——在《上帝在哪里》出版座谈会上的发言

我很高兴能够参加今天的活动，见到了《上帝在哪里》一书的作者琼尼·厄尔克森女士和译者张桐先生。我愿乘此机会把我读这本书的感想告诉他们，我要对他们说，读完了这本书，我的心情诚然有同情，更有感动和钦佩，但最后占据了优势的却是骄傲，为人的内在生命的高贵和伟大而感到骄傲。

在这个世界上，每天都在发生许多预料不到的灾祸，这些灾祸落在谁的头上完全是偶然的，是个人不能选择也不能抗拒的。事实上，我们每个人都始终是候选人，谁也不能排除明天灾祸落到自己头上的可能性。琼尼只是比我们早一些被选上了，在那一个瞬间由一个充满活力的少女突然变成了一个四肢瘫痪的残疾人。她的故事从那个瞬间开始，人们可以从各个角度来读这个故事，例如把它读做一个堪称典范的康复故事，一个战胜苦难的英雄故事，一个令人惊叹的奇迹故事，如此等等。这一切都符合事实，然而，我认为，这个故事的含义要超过这一切。

在我看来，琼尼的故事给我们的最深刻启示是使我们看到，虽然我们的外在生命即我们的躯壳是脆弱的，它很容易受伤，甚至会严重地残缺不全，但是，无论在怎样不幸的情况下，我们始终有可能保有一个完整的、健康的内在生命。这个内在生命的通俗名称叫作精神或者灵魂。实际上，心理康复的过程就是逐步发现和真切感受到自己的内在生命仍然是完整的，从而克服身体残疾所造成的沮丧和自卑。也正是这个坚不可摧的内在生命具有在苦难中创造奇迹的能力，使表面上似乎失去了任何意义的生命又被意义的光芒照亮。

其实，残疾与健康的界限是十分相对的。从出生那一天起，我们每一个人的身体就已经注定要走向衰老，会不断地受到损坏。由于环境的限制和生活方式的片面，我们的许多身体机能没有得到开发，其中有一些很可能已经萎缩。严格地说，世上没有绝对健康的人，而这意味着人人在一定意义上都是残疾，区别只在明显或不明显。用这个眼光看，明显的残疾反而提供了一个机会，使人比较容易觉悟到外在生命的不可靠，从而更加关注内在生命。许多事例告诉我，残疾人中不乏精神的圣徒。除了在座的琼尼和张桐，此刻我还想起了英国科学家霍金和中国作家史铁生。相比之下，我们这些身体表面上没有残疾的人却很容易沉湎在繁忙的外部活动中，使得内在生命因为被忽视而日益趋于麻痹，这是比身体残疾更加可悲的心灵瘫痪。

　　作为一个基督徒，琼尼相信她的康复奇迹来自上帝的恩惠。在整个康复过程中，她不断地和上帝对话，由怀疑而终于走向坚定的信仰。我不是基督徒，但是我觉得我能够在广义上理解她的信念。她在书中引用了她的传教士朋友史蒂夫的话，大意是说，身体是一幅肖像画，真正有价值的是这幅画的内在特点和风格。我十分欣赏这个譬喻的含义，因为我也坚信内在生命具有超越于外在生命的神圣价值。上帝在哪里？在我们真正发现了我们的完整的内在生命的地方。如果说我们的易损的外在生命或多或少都是残疾，那么，当我们用上帝的眼光来看自己，就会发现我们的内在生命永远是完整的，是永远不会残缺的。是的，在上帝的眼中没有残疾，每一个人都能够生活得高贵而伟大。我相信，把琼尼和张栩，把所有勇敢的残疾人连结起来的不是身体的残疾，而恰恰是灵魂的健康。如果我经过努力也拥有一颗这样健康的灵魂，从而成为他们的同志，我将感到莫大的光荣。

2000 年 10 月

| 临终的尊严 |

——山崎章郎《最后的尊严》中译本序

本书的作者山崎章郎是一位有深切人文关怀的日本医生，在多年治疗癌症末期病人的实践中，他积累了很多的经验，也积累了很多的疑问。于是有一天，当他翻开柯波拉·罗丝的"死亡学"开拓之作《死亡与死亡过程》时，他的认识很自然地发生了一个转折，用他的话说，他到那时为止所认同的医学常识被轻易地推翻了。他的这个转折，简单地说，就是把对于临终病人的态度由徒劳的救治变成了有效的关怀。在书中，他给我们讲述了他亲自治疗过的十个病人的故事，转折发生前后的病例各占一半，通过对照令人信服地证明了这个转折的合理性。

对于一个患了绝症并且确实救治无望的病人，要不要把真相告诉他？这是医生以及病人的亲属首先会遇到的问题。在多数情况下，人们采取的是隐瞒和欺骗的策略，并辅以空洞的鼓励。山崎章郎一开始也是这样做的。这在一定程度上是情有可原的，因为病人自己也往往害怕知道真相，不肯接受近在眼前的死亡。但是，随着病情实际上的恶化，病人必然会对专门给他准备的虚假的说明产生怀疑，并且终于完全不相信。最后，一个没有人相信的谎言横在病人和世界之间，阻碍着真实的交流，笼罩在病人四周的这种虚伪的氛围每每把病人逼入至深的孤独之中。事情的确古怪：一个人要死了，周围的人都知道这件事和讨论着这件事，唯有当事人被排除在了外面。一个不能不问的问题：那个即将死亡的人究竟是谁？山崎章郎确实不断地向自己问了这个问题，他终于得出结论：病人有权知道与自己的生命有关的重要信息，有权决定怎样度过生命最后的时光。在被告知了真相以后，病人诚然会感到绝望，但这种绝望要比那种因为被欺骗然后又识破欺骗所感到的绝望好得多，他至少可以由于受到信任而产生出自己面对死亡的尊严感和勇气，并且有可能在坦诚的气氛中与医生和家人进行正面的交流了。

面对患了绝症的垂死病人，医生遇到的另一个问题是要不要尽一切努力来延长其生命，哪怕只是延长一分一秒？现代医学对此的回答是肯定的，它也确实拥有这方面的手段。然而，经历过许多给临终病人做复苏术场面的山崎章郎越来越确信这种做法的无意义，他甚至批评说，这是在对一个全无意志的躯体进行迫害，把患者与家人之间最富有人性的死别时刻变成了医务人员一展雄风的战场，侵犯了濒死者的最后的尊严。复苏术只是一种极端的情形，扩大开来说，就是人们至今仍在争论的安乐死问题。当绝症患者生命的延续只成了无法解除的持续痛苦之时，在患者自愿的前提下，是否允许使用医学手段帮助他提前结束生命？山崎章郎没有直接讨论这个问题，不过他的原则是清楚的，就是主张每个人在拥有做人的尊严的情况下去迎接死亡。作为一个医生，他特别关心除痛对策。他观察到，难以忍受的剧烈疼痛往往会导致患者的人格崩溃。使他愤慨的是，某些医生对病人的兴趣仅限于病人身上的癌细胞，一旦癌细胞的发展超出了他们的能力后，他们对病人越来越剧烈的身体疼痛表现出令人震惊的冷漠，病人在他们眼里就成了一个光会喊痛的麻烦家伙了。事实上，医学应该也能够替癌症末期病人做的最好的事情恰恰是尽量替他们解除疼痛，而不是让他们在疼痛的折磨中尽量苟延残喘。

很显然，山崎章郎关心的问题围绕着一个中心，就是当医学对于绝症末期患者在救治上确实已经无能为力之时，如何使患者获得临终的尊严。当死亡仍有可能抵御之时，医生和患者自己当然应该与死亡搏斗，而当死亡已经明显地不可抵御之时，就应该停止这个搏斗，共同来面对死亡。在这种情形下，患者自己的任务是怎样以尊严的方式度过生命的最后时光，医生的任务是为此创造条件，包括肉体上的解除疼痛和心理上的克服恐惧，这就是临终关怀的要义。然而，要把立场从救治转变到临终关怀上来，不是单靠医生改变认识就能做到的，更重要的是必须改变现有的医疗体制。山崎章郎原著的书名是《在医院死亡》，他在书中反复申述的论点是：现有的一般医院根本不是适合于人们迎接死亡的地方。一般医院的医疗体系是为救治而设的，它的全部忙碌都是围绕着那些可以治愈、至少可以活着走出医院的病人，那些无法救治、注定要死在医院里的末期病人就往往被打入了冷宫。因此，有必要为这样的病人专门设置安宁病房或安宁医院，其唯一的任务就是临终关怀。在山崎章郎以及给了他启示的柯波拉·罗丝看来，更为可取的选择是居家死，让病人在临终前回到自己熟悉的环境中，在亲人的爱护下走向安息。在过去的时代，居家死曾经是常规，现代医学把这个常规打破得如此彻底，使得相反的情形成了常规。现在，也许是到回归传统的时候了。

由于本书的研究对象是临终病人，读这样一本书当然不会是一件轻松愉快的事情。但是，我觉得，让自己为读它而沉重一些时间是非常值得的。一个不幸的事实是，我们一生中会不止一次地面对临终的亲人。另一个不幸的事实是，我们自己也迟早会成为一个临终病人。因此，我们每个人和书中讨论的问题都有逃不脱的干系。譬如说，如果我们的亲人患了绝症，要不要告知真相？如果绝症到了末期并且造成极大痛苦，是否采取安乐死？或者反过来，我们自己处于这种境地，我们希望亲人怎么做？对于这类问题，我们通常采取回避的态度，潜意识里是把它们的解决交给了大难临头时的本能反应。然而，由于没有认识上和精神上的准备，本能的反应往往是盲目和混乱的。也许较好的法子是预先把这些揪心的问题想清楚了，在亲人之间讨论清楚了，心里有了一个底，到时候反而会感觉一种踏实。我相信这是向除了医疗体制的决策者和医生之外的普通读者推荐本书的一个理由。我要顺便指出，本书文笔流畅，繁简得体，加之字里行间透出的体贴和智慧，所以虽然故事本身是伤心的，却仍然很能吸引我们读下去。

本书所讨论的问题仅涉及"死亡学"的某些课题。在西方和日本，"死亡学"的研究已经十分兴旺，内容包括安宁照顾、安乐死、医疗伦理学、医疗体制改革、末期患者心理、濒死体验、精神解脱等等。死亡是生命的重要阶段，一种文化越是关注整体的生活质量和生命意义，就必然会越重视对死亡问题的研究。这一研究涉及面很广，需要哲学家、宗教家、心理学家、社会学家、医学家等等都加入进来。我期望本书的出版能够起一个推动作用，促使我们把更多的有关著作翻译过来，同时把我们自己这方面的研究开展起来。

2000 年 10 月

| 神圣的交流 |

——《亲历死亡丛书》总序

　　一个人患了绝症，确知留在世上的时日已经不多，这种情形十分普通。我说它十分普通，是因为这是我们周围每天都在发生的事情，也是可能落到我们每一个人头上的命运。然而，它同时又是极其特殊的情形，因为在一个人的生命中，还有什么事情比生命行将结束这件事情更加重大和不可思议呢？

　　在通常情况下，我们会发现，这时候在患者与亲人、朋友、熟人之间，立即笼罩了一种忌讳的气氛，人人都知道那正在发生的事情，但人人都小心翼翼地加以回避。这似乎是自然而然的。可是，这种似乎自然而然形成的气氛本身就是最大的不自然，如同一堵墙将患者封锁起来，阻止了他与世界之间的交流，把他逼入了仿佛遭到遗弃似的最不堪的孤独之中。

　　事实上，恰恰是当一个人即将告别人世的时候，他与世界之间最有可能产生一种非常有价值的交流。这种死别时刻的精神交流几乎具有一种神圣的性质。中国古语说："人之将死，其言也善。"我是相信这句话的。一个人在大限面前很可能会获得一种不同的眼光，比平常更真实也更超脱。当然，前提是他没有被死亡彻底击败，仍能进行活泼的思考。有一些人是能够凭借自身内在的力量做到这一点的。就整个社会而言，为了使更多的人做到这一点，便有必要改变讳言死亡的陋习，形成一种生者与将死者一起坦然面对死亡的健康氛围。在这样的氛围中，将死者不再是除了等死别无事情可做，而是可以做他一生中最后一件有意义的事，便是成为一个哲学家。我这么说丝毫不是开玩笑，一个人不管他的职业是什么，他的人生的最后阶段都应该是哲学阶段。在这个阶段，死亡近在眼前，迫使他不得不面对这个最大的哲学问题。只要他能够正视和思考，达成一种恰当的认识和态度，他也就是一个事实上的哲学家了。如果他有一定的写作能力，那么，在他力所能及的时候，他还可以把他走向死亡过程中的感觉、体验、思想写下来，这对于他自己是一个人生总结，对于别人则会是一笔精神遗产。

　　值得欢迎的是，在中国大陆，也已经有人在这方面做出了榜样。一般来说，我不赞成在生前发表死亡日记一类的东西，因为媒体的介入可能会影响写作者的心态，损害他的感受和思想的真实性。这种写作必须首先是为了自己的，是一个人最后的灵魂生活的方式。当然，它同时也是一种交流，但作为交流未必要马上广泛地兑现，而往往是依据其真实价值在作者身后启迪人心。不过，如果作者确实是出自强烈的内在需要而写作的，那么，他仍能抵御外来的干扰而言其心声。我相信陆幼青就属于这种情况，并对他的勇气和智慧怀着深深的敬意。

中国城市出版社选择类似题材中近些年来比较有影响的德语著作翻译出版，编成《亲历死亡丛书》，嘱我写序，我便写了以上的想法。我读了所选书籍的部分内容，觉得德语民族不愧是哲学民族，一些普通人在面对死亡时的态度和思索也富有哲学意味。那么我想，这套书不但能够推动我们深入思考死亡问题，而且可能会帮助我们中间的一些人在人生最后阶段也写出有哲学深度的著作，给人间留下高质量的精神遗产的吧。

2001 年 5 月

平凡生命的绝唱

——《我们在天堂重逢》中文版序言

　　一个充满青春活力的少女突然患了肺癌，发现时已是晚期，死于十六岁半。十年后，她的母亲写了这本书，回忆了女儿从发现患病到去世的一年中的经历。作者不是一个作家，只是一个母亲，也许这正是本书的一个优点，用拉家常一样朴素的笔触来叙述一个悲伤的家庭故事，自有一种震撼人心的力量。事实上，我们平凡生活中的一切真实的悲剧都仍然是平凡生活的组成部分，平凡性是它们的本质，诗意的美化必然导致歪曲。

　　读完这本书，最使我难忘的是伊莎贝尔临终前的表现。自从知道自己患了绝症以后，这个十六岁的少女怀着最热烈的求生的渴望，积极配合治疗，经受了多次化疗的痛苦折磨，但未能阻止病情的恶化。有一天，她接受了一次肺部透视检查，结果表明肿瘤已进一步扩散。她当即平静地做出了安乐死的决定，并要求立即执行。医生把针头插进了她的血管，点滴瓶里的药物将使她逐渐睡去，不再醒来。在神志还清醒的几十分钟里，她始终平静而又风趣地和守在周围的亲人交流。她告诉弟弟，当他第一次幽会的时候，她会坐在他的肩膀上悄悄耳语，替他出谋划策。她祝愿家人幸福，并且许诺说，如果他们的生活中出现什么问题，她会跟亲爱的上帝稍微调调情，让上帝通融一下。她分别向爸爸和妈妈约定每天会面的时刻。她问妈妈，她到了天堂，从未见过面的外公外婆是否会认识她。她的声音越来越微弱，终于沉入寂静，而她的生命是在两天后结束的。

　　这个临终的场面是感人至深的。年仅十六的伊莎贝尔能够如此尊严地走向死亡，她的勇气从何而来？以她的年龄，她不可能对生死问题作过透彻的思考。她也不是一个虔诚的基督徒，并不真正相信死后的生命。在她弥留期间，有人送来几本关于死后生命的书，她不屑一顾，在日记里写道："我才不会去读那些破书呢。"她还叮嘱过母亲，在她死后，倘若牧师想安慰他们，就给他读她的日记，因为"这样可以免去一些废话"。书中收录了这些日记，而我们读到，直到实施安乐死的当天，她在日记里表达的仍是对治愈的盼望和对死的恐惧。不，她没有找到任何理由使自己乐于接受死。然而，当她看清死的不可避免时，仿佛在一瞬间，她坦然了。关于她的最后的勇气的来源，作者分析得对："你的坦然之所以成为可能，是因为受了那个最重大的决定的影响：我们一直生活在真实中。"在整个过程中，医生和家人没有向病人隐瞒任何事情，彼此有着最深的沟通。我相信，正是在这样一种信任氛围的鼓励下，在伊莎贝尔的内心深处，有一种伟大的自尊悄悄地、以她自己也觉察不到的方式生长起来了，并在最后的时刻放射光芒。

书中还有一个情节是必须提一下的。在准备实施安乐死之时，伊莎贝尔的弟弟从外地赶到了医院。他无论如何不能接受眼前的事实，请求医生继续对姐姐进行治疗。这时候，做母亲的心痛欲碎，但却用异常坚定的口气说："凡是不尊重伊莎贝尔自己的决定的人，一律不准进入她的病房。"读到这里，我不由得对这位母亲充满敬意。毫无疑问，在女儿的血管中流着这位平凡母亲的高贵的血。

这本书讲述的是一个德国故事，我在读时常常想到，在中国的许多家庭里，也曾经或者正在上演类似的故事。多么年轻美丽的生命，突然遭遇死症的威胁，把全家投入惊慌和悲痛之中，这是人世间最平常也最凄怆的情景之一。无论谁遭此厄运，本质上都是无助的，在尽人力之后，也就只能听天命了。想到这一点，我真是感到无奈而又心痛。

2001 年 11 月

第三辑

读《圣经》札记

不可发誓

古训说："不可违背誓言；在主面前所发的誓必须履行。"耶稣针对此却说："你们根本不可以发誓。你们说话，是，就说是，不是，就说不是；再多说便是出于那邪恶者。"

只听真话，除此之外的多一句也不听，包括誓言，——这才是我心目中的上帝。

同样，一个人面对他的上帝的时候，他也只需要说出真话。超出于此，他就不是在对上帝说话，而是在对别的什么说话，例如对权力、舆论或市场。

有真信仰的人满足于说出真话，喜欢发誓的人往往并无真信仰。

发誓者竭力揣摩对方的心思，他发誓要做的不是自己真正想做的事情，而是他以为对方希望自己做的事情。如果他揣摩的是地上的人的心思，那是卑怯。如果他揣摩的是天上的神的心思，那就是亵渎了。

有时候，一个人说了真话，他仍然可能会发誓。他担心听的人不相信或者不重视他说了真话这件事，所以要就此发誓，加以强调。他把别人的相信和重视看得比说真话本身更加重要，仿佛说真话的价值取决于别人是否相信和重视似的。因此，如果得不到预期的效果，他就随时可能放弃说真话。一个直接面对上帝的人是不会这样的，因为他无论对谁说话，都同时是在对上帝说话，上帝听见了他说的真话，他就问心无愧了。

耶稣反对复仇，提倡博爱。针对"以眼还眼，以牙还牙"的旧训，他主张："有人打你的右脸，连左脸也让他打吧。"针对"爱朋友，恨仇敌"的旧训，他主张："要爱你们的仇敌。"他的这类言论最招有男子气概或斗争精神的思想家反感，被斥为奴隶哲学。我也一直持相似看法，而现在，我觉得有必要来认真地考查一下他的理由——

"因为，天父使太阳照好人，也同样照坏人；降雨给行善的，也给作恶的。假如你们只爱那些爱你们的人，上帝又何必奖赏你们呢？……你们要完全，正像你们的天父是完全的。"

从这段话中，我读出了一种真正博大的爱的精神。

人与人之间，部落与部落之间，种族与种族之间，国家与国家之间，为什么会仇恨？因为利益的争夺，观念的差异，隔膜，误会，等等。一句话，因为狭隘。一切恨都溯源于人的局限，都证明了人的局限。爱在哪里？就在超越了人的局限的地方。

只爱你的亲人和朋友是容易的，恨你的仇敌也是容易的，因为这都是出于一个有局限性的人的本能。做一个父亲爱自己的孩子，做一个男人爱年轻漂亮的女人，做一个处在种种人际关系中的人爱那些善待自己的人，这有什么难呢？作为某族的一员恨敌族，作为某国的臣民恨敌国，作为正宗的信徒恨异教徒，作为情欲之人恨伤了你的感情、损了你的利益的人，这有什么难呢？难的是超越所有这些局限，不受狭隘的本能和习俗的支配，作为宇宙之子却有宇宙之父的胸怀，爱宇宙间的一切生灵。

有人打了你的右脸，你就一定要回打他吗？你回打了他，他再回打你，仇仇相生，冤冤相报，何时了结？那打你的人在打你的时候是狭隘的，被胸中的怒气支配了，你又被他激怒，你们就一齐在狭隘中走不出来了。耶稣要你把左脸也送上去，这也许只是一个比喻，意思是要你丝毫不存计较之心，远离狭隘。当你这样做的时候，你已经上升得很高，你真正做了被打的你的肉躯的主人。相反，那计较的人只念着自己被打的右脸，他的心才成了他的右脸的奴隶。我开始相信，在右脸被打后把左脸送上去的姿态也可以是充满尊严的。

天上的财宝

耶稣说：不可为自己积聚财宝在地上，要为自己积聚财宝在天上，因为前者会虫蛀、生锈、遭窃，后者不会。

也就是说，物质的财宝不可靠，精神的财宝可靠，应该为自己积聚可靠的财宝。

那么，何时能够享用天上的财宝呢？是否如通常所宣传的，生前积德，死后到天堂享用？

耶稣又说："你的财宝在哪里，你的心也在哪里。"

看来这才是耶稣的见解：当你为自己积聚财宝在天上时，你的心已经在天上；当你的灵魂富有时，你的灵魂已经得救了。

耶稣说："没有人能够伺候两个主人。你们不可能同时作上帝的仆人，又作金钱的奴隶。"

我把这段话理解为：一个人的人生目标只能定位在一个方向上，或者追求精神上的伟大、高贵、超越，或者追逐世俗的利益，不可能同时走在两个方向上。

当然，在实际生活中，一个精神上优秀的人完全可能在物质上也富裕。判断一个人是金钱的奴隶还是金钱的主人，不能看他有没有钱，而要看他对金钱的态度。正是当一个人很有钱的时候，我们能够更清楚地看出这一点来。一个穷人必须为生存而操心，金钱对他意味着活命，我们无权评判他对金钱的态度。

耶稣接着强调，我们不应该为日常生活所需而忧虑。他说了一个比喻：显赫的所罗门王的衣饰比不上一朵野花的美丽，野花朝开夕落，上帝还这样打扮它，你们为什么要为衣服操心呢？他的意思是说，在物质生活上应当顺其自然，满足于自然所提供的简朴条件，如此才能专注于精神的事业。

行淫的女人

有一天，耶稣在圣殿里讲道，几个企图找把柄陷害他的经学教师和法利赛人带来了一个女人，问他："这个女人在行淫时被抓到。摩西法律规定，这样的女人应该用石头打死。你认为怎样？"耶稣弯着身子，用指头在地上画字。那几个人不停地问，他便直起身来说："你们当中谁没有犯过罪，谁就可以先拿石头打她。"说了这话，他又弯下身在地上画字。所有的人都溜走了，最后，只剩下了耶稣和那个女人。这时候，耶稣就站起来，问她："妇人，他们都哪里去了？没有人留下来定你的罪吗？"

女人说："先生，没有。"

耶稣便说："好，我也不定你的罪。去吧，别再犯罪。"

《约翰福音》记载的这个故事使我对耶稣倍生好感，一个智慧、幽默、通晓人性的智者形象跃然眼前。想一想他弯着身子用指头在地上画字的样子，既不看恶意的告状者，也不看可怜的被告，他心里正不知转着怎样愉快的念头呢。他多么轻松地既击败了经学教师和法利赛人陷害他的阴谋，又救了那个女人的性命，而且，更重要的是，还破除了犹太教的一条残酷的法律。

在任何专制体制下，都必然盛行严酷的道德法庭，其职责便是以道德的名义把人性当作罪恶来审判。事实上，用这样的尺度衡量，每个人都是有罪的，至少都是潜在的罪人。可是，也许正因为如此，道德审判反而更能够激起疯狂的热情。据我揣摩，人们的心理可能是这样的：一方面，自己想做而不敢做的事，竟然有人做了，于是嫉妒之情便化装成正义的愤怒猛烈喷发了，当然啦，决不能让那个得了便宜的人有好下场；另一方面，倘若自己也做了类似的事，那么，坚决向法庭认同，与罪人划清界线，就成了一种自我保护的本能反应，仿佛谴责的调门越高，自己就越是安全。因此，凡道德法庭盛行之处，人与人之间必定充满残酷的斗争，人性必定扭曲，爱必定遭到扼杀。耶稣的聪明在于，他不对这个案例本身作评判，而是给犹太教传统的道德法庭来一个釜底抽薪：既然人人都难免人性的弱点，在这个意义上人人都有罪，那么，也就没有人有权充当判官了。

经由这个故事，我还非常羡慕当时的世风人心。听了耶稣说的话，居然在场的人个个扪心自问，知罪而退，可见天良犹在。换一个时代，譬如说，在我们的文化大革命中，会出现什么情景呢？可以断定，耶稣的话音刚落，人们就会立刻争先恐后地用石头打那个女人，以此证明自己的清白，那个女人会立刻死于乱石之下。至于耶稣自己，也一定会顶着淫妇的黑后台和辩护士之罪名，被革命群众提前送上十字架。

精神领域里的嫉妒

一个葡萄园主雇工人整理葡萄园，说好每人一天的工资是一块银币。这一天，他先后雇了五批工人，有清晨就雇来的，也有傍晚才雇来的。结算工资的时候，他给每个人都是一块银币。清晨来的工人因此而提出了抗议。他的回答是："我并没有占你便宜。你不是同意每天一块银币的工资的吗？我也给最后来的这么多，难道我无权使用自己的钱吗？为了我待人慷慨，你就嫉妒吗？"

耶稣用这个故事说明，在天国里，不论信教早晚，上帝都是一视同仁的。对于那些因为早来而嫉妒晚来者的人，他毫不掩饰蔑视之意，断然宣布："那些居后的，将要在先；那些在先的，将要居后。"

的确，在精神领域里，包括宗教信仰、思想探索、艺术创造等等，资格是完全不起作用的。倘若有人因为资格老而嫉妒后来者的成就，那么，他越是嫉妒，就越是表明他在精神上的低下，他的地位就越要居后。

本乡人眼中无先知

耶稣回到家乡宣讲，人们惊讶地说："他不是那个木匠的儿子吗？他的母亲不是玛利亚吗？雅各、约瑟、西门和犹大不都是他的弟弟吗？他的妹妹们不是住在我们这里吗？他这一切究竟从哪里来的呢？"于是他们厌弃他。

耶稣就此议论说："在本乡本家以外，先知没有不受人尊敬的。"（《马太福音》）或者："先知在自己的家乡是从不受人欢迎的。"（《路加福音》）

其实，何止不受欢迎，在本乡人眼中根本就不存在先知。在本乡人、本单位人以及一切因为外在原因而有了日常接触的人眼中，不存在先知、天才和伟人。在这种情形下，人们对于一个精神上的非凡之人会发生两种感想。第一，他们经常看见这个人，熟悉他的模样、举止、脾气、出身、家庭状况等等，就自以为已经了解他了。在他们看来，这个人无非就是他们所熟悉的这些外部特征的总和。在拿撒勒人眼里，耶稣只是那个木匠的儿子，雅各等人的哥哥，仅此而已。第二，由于生活环境相同，他们便以己度人，认为这个人既然也是这个环境的产物，就必定是和自己一样的人，不可能有什么超常之处。即使这个人的成就在本乡以外发生了广泛的影响，他们也仍然不肯承认，而要发出拿撒勒人针对耶稣发出的疑问："他这一切究竟从哪里来的呢？"

当然，先知在本乡受到排斥，嫉妒也起了很大作用。一个在和自己相同环境里生长的人，却比自己无比优秀，对于这个事实，人们先是不能相信，接着便不能容忍了，他们觉得自己因此遭到了贬低。直到很久以后，出于这同样的虚荣心，他们的后人才会把先知的诞生当作本乡的光荣大加宣扬。

可是，一切精神上的伟人之诞生与本乡何干？他们之所以伟大，正是因为他们从来就不属于本乡，他们是以全民族或者全人类为自己的舞台的。所以，如果要论光荣，这光荣只属于民族或者人类。这一点对于文明人来说应该是不言而喻的，譬如说，倘若一个法兰克福人以歌德的同乡自炫，他就一定会遭到全体德国人的嘲笑。也所以，地方与地方之间为伟人出生地发生的那些争执都是可笑的，常常还是可耻的，因为它们常常带有借死去的伟人牟利的卑鄙意图。

耶稣对门徒授奥秘，对群众说比喻。门徒问原因，他答："因为那已经有的，要给他更多，让他丰足有余；那没有的，连他所有的一点点也要夺走。为了这缘故，我用比喻对他们讲；因为他们视而不见，听而不闻，又不明白。"

这个回答十分费解，本身像是隐喻，却是向门徒说的。

事情本来似乎应该是：无论对门徒，还是对群众，都说比喻，使那已经有慧心的能听懂，从而得到更多，丰足有余，使那没有慧心的愈加听不懂，把他自以为是的一点点一知半解也夺走。

其实，存在的一切奥秘都是用比喻说出来的。对于听得懂的耳朵，大海、星辰、季节、野花、婴儿都在说话，而听不懂的耳朵却什么也没有听到。所以，富者越来越富，贫者越来越贫，是精神王国里的必然法则。

一天的难处一天担当

"你们不要为明天忧虑，明天自有明天的忧虑；一天的难处一天担当就够了。"耶稣有一些很聪明的教导，这是其中之一。

中国人喜欢说：人无远虑，必有近忧。这当然也对。不过，远虑是无穷尽的，必须适可而止。有一些远虑，可以预见也可以预作筹划，不妨就预作筹划，以解除近忧。有一些远虑，可以预见却无法预作筹划，那就暂且搁下吧，车到山前自有路，何必让它提前成为近忧。还有一些远虑，完全不能预见，那就更不必总是怀着一种莫名之忧，自己折磨自己了。总之，应该尽量少往自己的心里搁忧虑，保持轻松和光明的心境。

一天的难处一天担当，这样你不但比较轻松，而且比较容易把这难处解决。如果你把今天、明天以及后来许多天的难处都担在肩上，你不但沉重，而且可能连一个难处也解决不了。

对于新的真理的发现者，新的信仰的建立者，舆论是最不肯宽容的。如果你只是独善其身，自行其是，它就嘲笑你的智力，把你说成一个头脑不正常的疯子或呆子，一个行为乖僻的怪人。如果你试图兼善天下，普度众生，它就要诽谤你的品德，把你说成一个心术不正、妖言惑众的妖人、恶人、罪人了。

耶稣对此深有体会，他愤怒地对群众说："约翰来了，不吃不喝，你们说他是疯子；我来了，也吃也喝，你们却说我是酒肉之徒，是税棍和坏人的朋友！"

无论是否吃喝，舆论都饶不了你。问题当然不在是否吃喝。舆论很清楚它的敌人是思想，但它从来不正面与思想交锋，它总是把对手抓到自己的庸俗法庭上，用自己的庸俗法律将其定罪。

小孩、富人和天国

门徒问耶稣："在天国里谁最伟大？"耶稣叫来一小孩，说："除非你们改变，像小孩一样，你们绝不能成为天国的子民。像这小孩那样谦卑的，在天国里就是最伟大的。"

为什么像小孩一样才能进入天国呢？我一直以为是因为单纯，耶稣在这里却说是因为谦卑。小孩谦卑吗？他们不是一个个都骄傲如天生的王公贵人，不把人世间的权势、财富和规矩放在眼里吗？

我忽然想到，骄傲与谦卑未必是反义词。有高贵的骄傲，便是面对他人的权势、财富或任何长处不卑不亢，也有高贵的谦卑，便是不因自己的权势、财富或任何长处傲视他人，它们是相通的。同样，有低贱的骄傲，便是凭借自己的权势、财富或任何长处趾高气扬，也有低贱的谦卑，便是面对他人的权势、财富或任何长处奴颜婢膝，它们也是相通的。真正的对立存在于高贵与低贱之间。

现在好理解了。小孩刚刚从天国来到人间，一切世俗的价值尚未在他的身上和心中堆积，他基本上是一无所有。在这意义上，小孩的谦卑正缘于他的单纯，等同于他的单纯。随着年龄增长，涉世渐深，各种世俗的价值就越来越包围他的身体，占据他的灵魂了。一个人的心灵越是被权力、金钱、名声之类身外之物所占据，神在其中就必定越没有容身之地。因为身外之物而藐视他人，这已是狂妄，因为身外之物而藐视上帝，岂不是更大的狂妄？变成和小孩一样谦卑，就是要觉悟到一切身外之物皆属虚幻，自己仍是那个一无所有的小孩。这样的人就好像永远是刚刚从天国来到人间一样，能够用天国的眼光看出尘世中一切功名利禄的渺小。正因为如此，他不但在活着时离神较近，而且死时也比较容易割断尘缘，没有牵挂地走向天国。

对于我的这个理解，《马太福音》里的另一则故事可作印证。一个富人问耶稣怎样才能得到永恒的生命，耶稣劝他把财产全部捐给穷人，那富人听了垂头丧气而离去。于是，耶稣对门徒说："富人要进入天国，比骆驼穿过针眼还要困难。"富人之所以难以进入天国，其原因正与小孩之所以容易进入天国相同。对耶稣所说的富人，不妨作广义的解释，凡是把自己所占有的世俗的价值，包括权力、财产、名声等等，看得比精神的价值更宝贵，不肯舍弃的人，都可以包括在内。如果心地不明，我们在尘世所获得的一切就都会成为负担，把我们变成负重的骆驼，而把通往天国的路堵塞成针眼。

狂妄者最无信仰

耶稣说了一个比喻：一个人有一百只羊，其中一只迷失了，他找到了时的高兴，比有那没有迷失的九十九只更强烈。

为什么呢？看重财产的人一定会说：这还不简单，因为他避免了这一只羊的损失，而那九十九只羊反正没有迷失，就不存在损失的问题。如果是这个看重财产的人丢失了一只羊，你送给他两只羊，让他不再去寻找那一只迷失的羊，他一定会喜出望外的。

着眼于财产的得失，当然完全不能领会耶稣的这个比喻。耶稣接着告诉我们："一个罪人的悔改，在天上的喜乐会比已经有了九十九个无需悔改的义人所有的喜乐还要大呢。"原来，耶稣的意思是说，上帝喜欢迷途的羊要远胜于从不迷途的羊，喜欢悔改的罪人要远胜于无需悔改的义人。一句话，上帝喜欢会犯错误的人，不喜欢一贯正确的人。

不喜欢一贯正确的人——这是耶稣心目中的上帝的鲜明特征。因为所谓一贯正确，不过是自以为一贯正确罢了，不过是狂妄罢了。在祷告时，法利赛人向上帝夸耀自己的功德，收税的人（古罗马时代最为一般民众所厌恶的人）向上帝忏悔自己的罪孽。耶稣评论道：上帝眼里的义人是后者。他再三宣布："上帝要把自高的人降为卑微，又高举甘心自卑的人。"耶稣还特别讨厌那些喜欢以道德法官自居的人，警告说："不要评断人，上帝就不审断你们；不要定人的罪，上帝就不定你们的罪；要饶恕人，上帝就饶恕你们。"也就是说，在上帝的法庭上，好评断他人、定人之罪的人将受到最严厉的审判，不宽容的人将最不能得到宽恕。

基督教的原罪说强调人生而有罪，这个教义有消极的作用，容易导向对生命的否定。不过，我觉得对之也可以做积极的理解。人之区别于动物，在于人有理性和道德。然而，人的理性是有限度的，人的道德是有缺陷的，这又是人区别于神的地方。所谓神，不一定指宇宙间的某个主宰者，不妨理解为全知和完美的一个象征。看到人在理性上并非全知，在道德上并非完人，这一点非常重要。苏格拉底正因为知道自己无知，所以被阿波罗神宣布为全希腊最智慧的人。如果说认识到人的无知是智慧的起点，那么，觉悟到人的不完美便是信仰的起点。所谓信仰，其实就是不完美者对于完美境界的永远憧憬和追求。无知并不可笑，可笑的是有了一点知识便自以为无所不知。缺点并不可恶，可恶的是做了一点善事便自以为有权审判天下人。在一切品性中，狂妄离智慧、也离虔诚最远。明明是凡身肉胎，却把自己当作神，做出一付全知全德的模样，作为一个人来说，再也不可能有比这更加愚蠢和更加渎神的姿势了。所以，耶稣最痛恨狂妄之徒，我认为是很有道理的。

| 不见而信 |

《新约》记载，耶稣也常显示一些奇迹，例如顷刻之间治愈麻风病人、瘫子、瘸腿、瞎子，让死人复活，用五张饼喂饱了五千人，等等。不过，耶稣自己好像并不赞成把信仰建立在奇迹的基础之上。法利赛人要求他显示奇迹，便遭到了他的痛斥。法利赛人问上帝的主权何时实现，他回答说："上帝主权的实现不是眼睛所能看见的，因为上帝的主权是在你们心里。"

俗话说："眼见为实。"在物质事实的领域内，这个标准基本上是成立的。譬如说，我没有看见耶稣所显示的上述奇迹，我就不能相信它们是事实。当然，即使在事实的领域内，我们也不可能只相信自己的亲眼所见，而拒不相信未见的一切。不过，我们对于自己未见的事实的相信，终归是以自己亲见的事实为基础的，所谓间接经验以直接经验为基础，就是这个意思。

可是，在精神价值的领域内，"眼见为实"的标准就完全不适用了。理想，信仰，真理，爱，善，这些精神价值永远不会以一种看得见的形态存在，它们实现的场所只能是人的内心世界。毫无疑问，人的内心有没有信仰，这个差异必定会在外在行为中表现出来。但是，差异的根源却是在内心，正是在这无形之域，有的人生活在光明之中，有的人生活在黑暗之中。

据我理解，耶稣是想强调，一个人以看见上帝显灵甚至显形为相信上帝的前提，这个前提本身就错了，是违背信仰的性质的。这样的人即使真的自以为看见了某种神迹从而信了神，也不算真有了信仰。相反，唯有钟爱精神价值本身而不要求看见其实际效果的人，才能够走上信仰之路。在此意义上，不见而信正是信仰的前提。所以，耶稣说："那些没有看见而信的是多么有福啊！"

耶稣说："光来到世上，为要使信它的人不住在黑暗里。它来的目的不是要审判世人，而是要拯救世人。那信它的人不会受审判，不信的人便已受了审判。光来到世上，世人宁爱黑暗而不爱光明，而这即已是审判。"

说得非常好。光，真理，善，一切美好的价值，它们的存在原不是为了惩罚什么人，而是为了造福于人，使人过一种有意义的生活。光照进人的心，心被精神之光照亮了，人就有了一个灵魂。有的人拒绝光，心始终是黑暗的，活了一世而未尝有灵魂。用不着上帝来另加审判，这本身即已是最可怕的惩罚了。

一切伟大的精神创造都是光来到世上的证据。当一个人自己从事创造的时候，或者沉醉在既有的伟大精神作品中的时候，他会最真切地感觉到，光明已经降临，此中的喜乐是人世间任何别的事情不能比拟的。读好的书籍，听好的音乐，我们都会由衷地感到，生而为人是多么幸运。倘若因为客观的限制，一个人无缘有这样的体验，那无疑是极大的不幸。倘若因为内在的蒙昧，一个人拒绝这样的享受，那就是真正的惩罚了。伟大的作品已经在那里，却视而不见，偏把光阴消磨在源源不断的垃圾产品中，你不能说这不是惩罚。有一些发了大财的人，他们当然有钱去周游世界啦，可是到了国外，对当地的自然和文化景观毫无兴趣，唯一热中的是购物和逛红灯区，你不能说他们不是一些遭了判决的可悲的人。

人心中的正义感和道德感也是光来到世上的证据。不管世道如何，世上善良人总归是多数，他们心中最基本的做人准则是任何世风也摧毁不了。这准则是人心中不熄的光明，凡感觉到这光明的人都知道它的珍贵，因为它是人的尊严的来源，倘若它熄灭了，人就不复是人了。世上的确有那样的恶人，心中的光几乎或已经完全熄灭，处世做事不再讲最基本的做人准则。他们不相信基督教的末日审判之说，也可能逃脱尘世上的法律审判，但是，在他们的有生之年，他们每时每刻都逃不脱耶稣说的那一种审判。耶稣的这一句话像是对他们说的："你里头的光若熄灭了，那黑暗是何等大呢。"活着而感受不到一丝一毫做人的光荣，你不能说这不是最严厉的徒罚。

不可试探你的上帝

据《路加福音》记载，耶稣在旷野里住了四十天，其间曾经受魔鬼的刁难。刁难之一是，魔鬼把他带到耶路撒冷圣殿顶上，对他说："如果你是上帝的儿子，就从这里跳下去吧，因为上帝会保护你的。"耶稣拒绝了，引《圣经》的话答道："不可试探你的上帝。"

耶稣很聪明，他不说跳下去会不会死，上帝会不会保护他，而是否定了跳下去的动机。只要跳下去，就是在试探上帝是否真的会保护他。他不是怕死，不是怕上帝不保护他，而是根本就不可试探上帝。他用这个理由挫败了魔鬼的刁难。

我想离开这个故事作一些发挥。我要说的是，"不可试探你的上帝"是信仰的题中应有之义，谁若试探他的上帝，他就不是真有信仰。

真理有两类。一类关乎事实，属于科学领域，对它们是要试探的，看是否合乎事实。另一类关乎价值，归根到底属于宗教和道德领域，不可试探的是这个领域里的真理。人类的一些最基本的价值，例如正义、自由、和平、爱、诚信，是不能用经验来证明和证伪的。它们本身就是目的，就像高尚和谐的生活本身就值得人类追求一样，因此我们不可用它们会带来什么实际的好处评价它们，当然更不可用违背它们会造成什么具体的恶果检验它们了。

信仰要求的是纯粹，只为所信仰的真理本身而不为别的什么。凡试探者，必定别有所图。仔细想想，试探何其普遍，真信仰何其稀少。做善事图现世善报，干坏事存侥幸之心，当然都是露骨的试探。教堂里的祈祷，佛庙里的许愿，如果以灵验为鹄的，也就都是在试探。至于期求灵魂升天或来世转运，则不过是把试探的周期延长到了死后。这个问题对于不信教的人同样存在。你有一种基本的生活信念，在现实的压力下或诱惑下，你发生了动摇，觉得违背一下未必有伤大节，——这正是你在试探你的上帝的时刻。

可是，当今世上，有一些人没有任何信仰，没有任何上帝，他们根本不需要试探，百无禁忌地为所欲为。比起他们，有上帝要试探的人岂不好得多。

　　摩西领以色列人出埃及，在旷野中跋涉了四十年。开始时，因食物匮乏，饥饿难忍，以色列人怨声载道。上帝听见了怨言，便在每天清晨让营地周围的地面上长满一层像霜一样的白色的东西，以色列人未尝见过，彼此询问："这是什么？"摩西告诉他们，这就是上帝给他们的食物。以色列人吃了，味道像蜜饼，因为不知其名，就称之为"吗哪"，希伯来语的意思即"这是什么"。他们靠吗哪活命，终于走出了旷野。到达终点后，摩西生命垂危，在约旦河东岸的摩押向以色列人发表最后的训示。他在训示中提及了这件事，说："上帝使你们饥饿，然后把吗哪赐给你们，以此教导你们：人的生存不仅是靠食物，而是靠上帝所说的每一句话。"

　　这是《旧约》中的记载。摩西的意思很清楚：上帝神力无边，能在没有食物的地方变出食物来，因此，对于人的生存来说，最重要的不是食物，而是遵守上帝的律法，如此上帝自会替我们解决食物的问题的。

　　《新约》所记载的耶稣最早的活动是受洗，随后即被圣灵带到旷野去，受魔鬼的试探。禁食四十昼夜后，他饿了，魔鬼说："如果你是上帝的儿子，命令这些石头变成面包吧。"这时耶稣便引用摩西的话回答道："人的生存不仅是靠食物，而是靠上帝所说的每一句话。"请注意，这同一句话，从耶稣口中说出，已经有了不同的含义。他没有诉诸上帝的无边神力，让石头变成面包，从而解除自己的饥饿，相反是拒绝这样做，宁愿继续挨饿。他以此择清了信仰与食物的瓜葛，捍卫了信仰的纯粹性，也澄清了"人的生存不仅是靠食物"这句箴言的准确含义。他所强调的是，对于人的生存来说，信仰比食物更重要，精神生活比物质生活更重要。这是耶稣出道之初就确立的基本信念，贯穿于他后来的全部活动之中。

　　我在这里并非对《旧约》和《新约》的短长做全面评判，而只是举一例证解说信仰的实质。不过，这一例证的确也说明，耶稣提高了基督教信仰的精神性品格。正因为如此，基督教才得以超越犹太民族而成为更加个人性也更加世界性的宗教。

　　"人的生存不仅是靠食物"——这个信念是一切信仰生活的起点。一般地承认人有比食物更高的欲望，这并不难，但在我看来，这还不能算是确立了这个信念。深刻的分歧在于，是否承认精神价值本身具有独立的价值。常见的情形是，人们往往用所谓效用的尺度来衡量精神价值。例如，他们可以承认真理的价值，但前提是真理必须有用，可以承认科学的价值，但前提是科学必须成为生产力，可以承认艺术的价值，但前提是艺术必须符合时代的需要。他们实际上仍是在用物质评断精神，用食物评断上帝，信奉的是这同一逻辑：上帝的价值在于能在旷野上变出吗哪，能把石头变成面包。把这个逻辑贯彻到底，必然的结果是，一旦上帝与食物发生冲突，就舍上帝而取食物，为了物质利益而抛弃精神价值。在现实生活中，为了金钱而放弃理想，为了当前经济建设而毁坏千古文化遗产，这样的事还少吗？

所以，信仰的实质在于对精神价值本身的尊重。精神价值本身就是值得尊重的，无须为它找出别的理由来，这个道理对于一个有信仰的人来说是不言自明的。这甚至不是一个道理，而是他内心深处的一种感情，他真正感觉到的人之为人的尊严之所在，人类生存的崇高性质之所在。以对待本民族文化遗产的态度为例，是精心保护，还是肆意破坏，根本的原因肯定不在是否爱国，而在是否珍爱凝结在其中的人类精神价值。我不把毁坏阿富汗大佛的塔利班看作有信仰的人，而只认为他们是一群蒙昧人。信仰愈是纯粹，愈是尊重精神价值本身，必然就愈能摆脱一切民族的、教别的、宗派的狭隘眼光，呈现出博大的气象。在此意义上，信仰与文明是一致的。信仰问题上的任何狭隘性，其根源都在于利益的侵入，取代和扰乱了真正的精神追求。我相信，人类的信仰生活永远不可能统一于某一种宗教，而只能统一于对某些最基本价值的广泛尊重。

神圣的休息日

上帝在西奈山向摩西传十诫，其第四诫是：周末必须休息，守为圣日。他甚至下令，凡安息日工作者格杀勿论。

未免太残忍了。

不过，我们不妨把这看作寓言，其寓意是：闲暇和休息也是神圣的。

在《旧约·创世记》中，我们确实发现有这一层意思。其中说：上帝在六日内创造了世界万物，便在第七日休息了。"他赐福给第七日，圣化那一日为特别的日子；因为他已经完成了创造，在那一日歇工休息。"可以想象，忙碌了六个工作日的上帝，在第七日的休憩中一定领略到了另一种不寻常的快乐。所以，他责令他的子民仿效他的榜样，不但要勤于工作，而且要善于享受闲暇。

时至今日，《创世记》中上帝的日程表已经扩展成了全世界通用的日历，七日为一星期，周末为休息日，已经成为万民的习俗。我们真应该庆幸有一个懂得休息的上帝，并且应该把周末的休息日视为人类历史上的伟大发明之一。试想一下，如果没有周末的休息日，人类永远埋头劳作，会成为怎样没头脑的一种东西。周末给川流不息的日子规定了一个长短合宜的节奏，周期性地把我们的身体从劳作中解脱出来，同时也把我们的心智从功利中解脱出来，实为赐福人生之美事。

休息是神圣的，因为闲暇是生命的自由空间。只是劳作，没有闲暇，人会丧失性灵，忘掉人生之根本。这岂不就是渎神？所以，对于一个人人匆忙赚钱的时代，摩西第四诫是一个必要的警告。

当然，工作同样是神圣的。无所作为的懒汉和没头没脑的工作狂乃是远离神圣的两极。创造之后的休息，如同创世后第七日的上帝那样，这时我们最像一个神。

安息日是为人而设的

然而，上帝的十诫毕竟不是寓言，而是不容违背的律令，一旦违背，便会遭到吓人的惩处。有一个人在周末捡柴，上帝就真的吩咐摩西，让信徒们用石头把这人砸死了。

还是太残忍了。

《旧约》中有许多严苛的戒律，谨守安息日是其中之一。我们在《新约》中看到，耶稣对于这些戒律往往持相当灵活的态度，事实上是巧妙地将它们破除了。

譬如说，在某个周末休息日，有一个门徒路过麦田时摘了麦穗，法利赛人要求严惩。根据第四诫，这个门徒是必死无疑了。然而，这时耶稣说了一句非常智慧的话，救了他的命。耶稣如此说："安息日是为人而设的，人不是为安息日而生的。所以，人子也是安息日的主。"

对于上帝设立安息日的本意，其实是可以做不同的解释的。在《旧约·出埃及记》中，上帝宣布十诫时强调的不是休息的神圣，而是戒律的神圣。他责令子民谨守这一日，是要子民把这一日献给他，在这一日全心全意地供奉他，不忘他创世的神恩。在传统的宗教实践中，人们也是这样来理解安息日的神圣性之所在的。在这一日，教徒们必须进教堂做礼拜，所以俗称礼拜日。耶稣并没有要把安息日废除掉的意思，但他把安息日与人的关系做了根本的调整。按照他的解释，安息日诚然是上帝所设的，要紧的却是，上帝不是为自己、而是为人设这个日子的。因此，人们虽然可以也应该在安息日休息或礼拜，但不必把这当作绝对的戒律，完全有权酌情变通。事实上，耶稣自己就常常在安息日为人治病，为此而遭法利赛人攻击，但仍坚定不移。我不禁想，倘若没有耶稣带头破戒，恐怕直到今天，医院在周末还不能开急诊，不知有多少病人会因耽误治疗而死呢。

我们可以把耶稣的名言变换成普遍性的命题：规则是为人而设的，人不是为规则而生的。人世间的一切规则，都应该是以人为本的，都可以依据人的合理需要加以变通。有没有不许更改的规则呢？当然有的，例如自由、公正、法治、人权，因为它们体现了一切个人的根本利益和人类的基本价值理想。说到底，正是为了遵循这些最一般的规则，才有了不断修正与之不合的具体规则的必要，而这就是人类走向幸福的必由之路。

种子和土壤

耶稣站在一条船上，向聚集在岸上的众人讲撒种的比喻，大意是：有一个人撒种，有些种子落在没有土的路旁，种子被鸟吃掉了，有些落在只有浅土的石头上，幼苗被太阳晒焦了，有些落在荆棘丛里，幼苗被荆棘挤住了，还有些落在好土壤里，终于长大结实，得到了好收成。

这个比喻的意思似乎十分浅显，可以用一句话概括：种子必须落在好的土壤里，才会有好的收成。按照耶稣随后向门徒的解释，含义要复杂一些，每个能指都有隐义。例如，种子指天国的信息，没有土的路旁指听不明白的人，只有浅土的石头指立刻接受但领悟不深的人，鸟指邪恶者，太阳指困难和迫害，荆棘指生活的忧虑和财富的诱惑，好土壤指有深刻领悟的人。不过，基本意思仍不外乎是：信仰的种子唯有在好的心灵土壤中才能成功地生长。

首先应该肯定一个事实：在人类的精神土地的上空，不乏好的种子。那撒种的人，也许是神，大自然的精灵，古老大地上的民族之魂，也许是创造了伟大精神作品的先哲和天才。这些种子的确有数不清的敌人，包括外界的邪恶和苦难，以及我们心中的杂念和贪欲。然而，最关键的还是我们内在的悟性。唯有对于适宜的土壤来说，一颗种子才能作为种子而存在。再好的种子，落在顽石上也只能成为鸟的食粮，落在浅土上也只能长成一株枯苗。对于心灵麻木的人来说，一切神圣的启示和伟大的创造都等于不存在。

基于这一认识，我相信，不论时代怎样，一个人都可以获得精神生长的必要资源，因为只要你的心灵土壤足够肥沃，那些神圣和伟大的种子对于你就始终是存在着的。所以，如果你自己随波逐流，你就不要怨怪这是一个没有信仰的时代了吧。如果你自己见利忘义，你就不要怨怪这是一个道德沦丧的时代了吧。如果你自己志大才疏，你就不要怨怪这是一个精神平庸的时代了吧。如果你的心灵一片荒芜，寸草不长，你就不要怨怪害鸟啄走了你的种子，毒日烤焦了你的幼苗了吧。

那么，一个人有没有好的心灵土壤，究竟取决于什么呢？我推测，一个人的精神疆土的极限，心灵土质的特异类型，很可能是由天赋的因素决定的。因此，譬如说，像歌德和贝多芬那样的古木参天的原始森林般的精神世界，或者像王尔德和波德莱尔那样的奇花怒放的精巧园艺般的精神世界，决非一般人凭努力就能够达到的。但是，心灵土壤的肥瘠不会是天生的。不管上天赐给你多少土地，它们之成为良田沃土还是荒田瘠土，这多半取决于你自己。所以，我们每一个人都应当留心开垦自己的心灵土壤，让落在其上的好种子得以生根开花，在自己的内心培育出一片美丽的果园。谁知道呢，说不定我们自己结出的果实又会成为新的种子，落在别的适宜的土壤上，而我们自己在无意中也成了新的撒种人哩。

耶稣说："不要把神圣的东西丢给狗，它们会转过头来咬你们；不要把珍珠扔给猪，它们会把珍珠践踏在脚底下。"

在这里，狗应是指邪恶之人，他们害怕和仇恨神圣的东西，猪应是指愚昧之人，他们不识珍珠的价值。

可是，反过来问一下，一个人倘若崇敬神圣的东西，怎么会把它丢给狗呢？倘若知道珍珠的价值，怎么会把它扔给猪呢？

有两种可能。其一，他太轻信，看不清邪恶者和愚昧者的真面目，把狗和猪当作了人。其二，他太自信，认定真理的力量足以立刻感化邪恶者，启迪愚昧者，一下子把狗和猪改造成人。这正是虔信者容易犯的两个错误。

虔诚不是目的

察看《新约》中记载的耶稣的言行，一个鲜明特点是漠视律法。律法在犹太教中处于核心的地位，以《旧约》中的摩西十诫为基础，后来发展出了极其庞大烦琐的清规戒律体制。耶稣不但自己带头破除了许多戒律，而且常常无情地抨击那些死守律法的人。他把信仰的重点从遵守律法转移到精神修养，从外在的虔诚转移到内在的觉悟，这大约是他对他所继承的那一宗教传统所作的最重大的改造。

从传播新教义的立场看，耶稣的主要敌人是经学教师和法利赛人，即坚守律法体制的顽固派。他一生都在与他们斗争，最后实际上死于他们之手。他最痛恨的是他们的伪善，揭露道："他们无论做什么事情都是给别人看的。"这些人佩戴着大的经文袋，在教堂里总是坐在最显眼的位置上，以此夸耀自己的虔诚。律法在他们手中成了压迫教众的工具。"他们捆扎难背的重担搁在别人的肩膀上，自己却不肯动一根手指头去减轻他们的负担。"他们热中于仪式的细节，其实并无真正的信仰，拘泥于律令的条文，内心却极其肮脏。耶稣愤怒地谴责道："你们连调味的香料都献上十分之一给上帝，但是法律上真正重要的教训，如正义、仁慈、信实，你们反而不遵守。""你们把杯盘的外面洗得干干净净，里面却盛满了贪欲和放纵。"针对犹太教的食物禁忌，他指出："那从外面进到人里面的不会使人不洁净；相反，那从人里面出来的才会使人不洁净。"

在我看来，耶稣实际上提出了一个对于任何一种信仰来说都十分重要的问题：信仰的实质是什么？一个人有无信仰的界限在哪里，根据什么来判断？凡真正的信仰，那核心的东西必是一种内在的觉醒，是灵魂对肉身生活的超越以及对最高精神价值的追寻和领悟。信仰有不同的形态，也许冠以宗教之名，也许没有，宗教又有不同的流派，但是，都不能少了这个核心的东西，否则就不是真正的信仰。正因为如此，我们可以发现，一切伟大的信仰者，不论宗教上的归属如何，他们的灵魂是相通的，往往具有某些最基本的共同信念，因此而能成为全人类的精神导师。

另一方面，我们也可看到，不论在何种信仰体制下，许多人并无内在的觉悟，只是以遵守纪律和参加仪式来表明自己的信徒身份，他们事实上是盲目的。至于那些以虔诚的外表自夸和唬人的人，几乎一定是伪善之徒。歌德说得好："虔诚不是目的，而是手段，是通过灵魂的最纯洁的宁静达到最高修养的手段。"从本义来说，虔诚是面对神圣之物的一种恭敬谦卑的态度。这种态度本身还不是信仰，而只是信仰的一个表征，真正的信仰应是对神圣之物有所领悟。一个人倘若始终停留在这个表征上，对神圣之物毫无领悟却竭力维持和显示其虔诚的态度，我们就有理由怀疑他的这种态度是否装出来的。所以，我认为歌德接下来说的话是一针见血的："凡是把虔诚当作目的和目标来标榜的人，大多是伪善的。"

耶稣的命运

耶稣之死的经过很耐人寻味。

他的门徒之一犹大出卖了他，带着一群犹太人来抓他，最后扭送到了罗马派遣的总督彼多拉那里。群众要求判他死刑。彼多拉审问后一再说，他查不出这人有什么罪。但是，在群众的起哄下，他还是把耶稣交给群众去钉十字架了。

这就是说，事实上并没有给耶稣定罪名，他死得不明不白。

彼多拉明明知道，按照罗马法律，耶稣是无罪的，为什么仍同意判他死刑呢？因为怕犹太民众暴动，那样罗马当局会追究他的责任，罢他的官。

在刚把耶稣扭送到他那里时，有一段有趣的对话。耶稣说："我的使命是为真理作证，我为此而生，也为此来到世上。"他反问："真理是什么？"他当时的口吻是怎样的呢？有两种可能。也许是困惑不解的，因为他确实不知道世上有真理这种东西。也许是油腔滑调的，因为他压根儿不把真理放在眼里。总之，在他看来，反正真理是一种奇怪的或可笑的东西。

人们常说，邪恶者是真理的敌人。我忽然觉得，这么说真是抬高了他们。他们根本不知真理为何物，怎么懂得反对和仇恨真理呢？在许多时候，他们不过是出于自己极狭隘的私利而下毒手的，至于那牺牲者是一个先知还是一个愚夫，他们不知道也不在乎。我相信，仔细查一查历史，必能发现遭到与耶稣同样命运的伟人决不是少数。

2000 年 12 月—2002 年 5 月

在维纳斯脚下哭泣

在维纳斯脚下哭泣

1848年5月，海涅五十一岁，当时他流亡巴黎，贫病交加，久患的脊髓病已经开始迅速恶化。怀着一种不祥的预感，他拖着艰难的步履，到罗浮宫去和他所崇拜的爱情女神告别。一踏进那间巍峨的大厅，看见屹立在台座上的维纳斯雕像，他就禁不住号啕痛哭起来。他躺在雕像脚下，仰望着这个无臂的女神，哭泣良久。这是他最后一次走出户外，此后瘫痪在床八年，于五十九岁溘然长逝。

海涅是我十八岁时最喜爱的诗人，当时我正读大学二年级，对于规定的课程十分厌烦，却把这位德国诗人的几本诗集拿在手里翻来覆去地吟咏，自己也写了许多海涅式的爱情小诗。可是，在那以后，我便与他阔别了，三十多年里几乎没有再去探望过他。最近几天，因为一种非常偶然的机缘，我又翻开了他的诗集。现在我已经超过了海涅最后一次踏进罗浮宫的年龄，这个时候读他，就比较懂得他在维纳斯脚下哀哭的心情了。

海涅一生写得最多的是爱情诗，但是他的爱情经历说得上悲惨。他的恋爱史从他爱上两个堂妹开始，这场恋爱从一开始就是无望的，两姐妹因为他的贫寒而从未把他放在眼里，先后与凡夫俗子成婚。然而，正是这场单相思成了他的诗才的触媒，使他的灵感一发而不可收拾，写出了大量脍炙人口的诗歌，奠定了他在德国的爱情诗之王的地位。可是，虽然在艺术上得到了丰收，屈辱的经历却似乎在他的心中刻下了永久的伤痛。在他诗名业已大振的壮年，他早年热恋的两姐妹之一苔莱丝特意来访他，向他献殷勤。对于这位苔莱丝，当年他曾献上许多美丽的诗，最有名的一首据说先后被音乐家们谱成了二百五十种乐曲，我把它引在这里——

你好像一朵花，
这样温情，美丽，纯洁；
我凝视着你，我的心中
不由涌起一阵悲切。

我觉得，我仿佛应该
用手按住你的头顶，
祷告天主永远保你
这样纯洁，美丽，温情。

真是太美了。然而，在后来的那次会面之后，他写了一首题为《老蔷薇》的诗，大意是说：她曾是最美的蔷薇，那时她用刺狠毒地刺我，现在她枯萎了，刺我的是她下巴上那颗带硬毛的黑痣。结语是："请往修道院去，或者去用剃刀刮一刮光。"把两首诗放在一起，其间的对比十分残忍，无法相信它们是写同一个人的。这首诗实在恶毒得令人吃惊，不过我知道，它同时也真实得令人吃惊，最诚实地写下了诗人此时此刻的感觉。

对两姐妹的爱恋是海涅一生中最投入的情爱体验，后来他就不再有这样的痴情了。我们不妨假设，倘若苔莱丝当初接受了他的求爱，她人老珠黄之后下巴上那颗带硬毛的黑痣还会不会令他反感？从他对美的敏感来推测，恐怕也只是程度的差异而已。其实，就在他热恋的那个时期里，他的作品就已常含美易消逝的忧伤，上面所引的那首名诗也是例证之一。不过，在当时的他眼里，美正因为易逝而更珍贵，更使人想要把它挽留住。他当时是一个痴情少年，而痴情之为痴情，就在于相信能使易逝者永存。对美的敏感原是这种要使美永存的痴情的根源，但是，它同时又意味着对美已经消逝也敏感，因而会对痴情起消解的作用，在海涅身上发生的正是这个过程。后来，他好像由一个爱情的崇拜者变成了一个爱情的嘲讽者，他的爱情诗出现了越来越强烈的自嘲和讽刺的调子。嘲讽的理由却与从前崇拜的理由相同，从前，美因为易逝而更珍贵，现在，却因此而不可信，遂使爱情也成了只能姑妄听之的谎言。这时候，他已名满天下，在风月场上春风得意，读一读《群芳杂咏》标题下的那些猎艳诗吧，真是写得非常轻松潇洒，他好像真的从爱情中拔出来了。可是，只要仔细品味，你仍可觉察出从前的那种忧伤。他自己承认："尽管饱尝胜利滋味，总缺少一种最要紧的东西"，就是"那消失了的少年时代的痴情"。由对这种痴情的怀念，我们可以看出海涅骨子里仍是一个爱情的崇拜者。

在海涅一生与女人的关系中，事事都没有结果，除了年轻时的单恋，便是成名以后的逢场作戏。唯有一个例外，就是在流亡巴黎后与一个他名之为玛蒂尔德的鞋店女店员结了婚。我们可以想见，在他们之间毫无浪漫的爱情可言。海涅年少气盛时曾在一首诗中宣布，如果他未来的妻子不喜欢他的诗，他就要离婚。现在，这个女店员完全不通文墨，他却容忍下来了。后来的事实证明，在他瘫痪卧床以后，她不愧是一个任劳任怨的贤妻。在他最后的诗作中，有两首是写这位妻子的，读了真是令人唏嘘。一首写他想象自己的周年忌日，妻子来上坟，他看见她累得脚步不稳，便嘱咐她乘出租车回家，不可步行。另一首写他哀求天使，在他死后保护他的孤零零的遗孀。这无疑是一种生死相依的至深感情，但肯定不是他理想中的爱情。在他穷困潦倒的余生，爱情已经成为一种遥远的奢侈。

即使在诗人之中，海涅的爱情遭遇也应归于不幸之列。但是，我相信问题不在于遭遇的幸与不幸，而在于他所热望的那种爱情是根本不可能实现的。在他的热望中，世上应该有永存的美，来保证爱的长久，也应该有长久的爱，来保证美的永存。在他五十一岁的那一天，当他拖着病腿走进罗浮宫的时候，他在维纳斯脸上看到的正是美和爱的这个永恒的二位一体，于是最终确信了自己的寻求是正确的。但是，他为这样的寻求已经筋疲力尽，马上就要倒下了。这时候，他一定很盼望女神给他以最后的帮助，却瞥见了女神没有双臂。米罗的维纳斯在出土时就没有了双臂，这似乎是一个象征，表明连神灵也不拥有在人间实现最理想的爱情的那种力量。当此之时，海涅是为自己也为维纳斯痛哭，他哭他对维纳斯的忠诚，也哭维纳斯没有力量帮助他这个忠诚的信徒。

2001 年 1 月

能使男人受孕的女人

这个题目是从萨尔勃（L.Salber）所著莎乐美（Lou Salome）传中的一段评语概括而来，徐菲在《一个非凡女人的一生：莎乐美》中引用了此段话。不过，现在我以之为标题，她也许会不以为然。徐菲是一位旗帜鲜明的女性主义者，她对文化史上诸多杰出女性情有独钟，愤慨于她们之被"他的故事"遮蔽，决心要还她们以"她的故事"的本来面貌，于是我们读到了由她主编的"永恒的女性"丛书，其中包括她自己执笔的《莎乐美》这本书。

我承认，我知道莎乐美其人，一开始的确是通过若干个"他的故事"。在尼采的故事中，她正值青春妙龄，天赋卓绝，使这位比她年长十八岁的孤独的哲学家一生中唯一一次真正堕入了情网。在里尔克的故事中，她年届中年，魅力不减，仍令这位比她小十五岁的诗人爱得如痴如醉。在弗洛伊德的故事中，她以知天命之年拜师门下，其业绩令这位比她年长六岁的大师刮目相看，誉为精神分析学派的巨大荣幸。单凭与这三位天才的特殊交往，莎乐美的名字在我的心中就已足够辉煌了。所以，当我翻开这第一本用汉语出版的莎乐美传记时，不由得兴味盎然。

莎乐美无疑极具女性的魅力，因而使许多遇见她的男子神魂颠倒。但是，与一般漂亮风流女子的区别在于，她还是一个对于精神事物具有非凡理解力的女人。正因为此，她便能够使得像尼采和里尔克这样的天才男人在精神上受孕。尼采对她的不成功的热恋只维持了半年，两人终于不欢而散。然而，对于尼采来说，与一个"智性和趣味深相沟通"（尼采语）的可爱女子亲密相处的经验是非同寻常的。这个孩子般天真的姑娘一眼就看到了他的深不可测的孤独，他心中的阴暗的土牢和秘密的地窖，同时却又懂得欣赏他的近于女性的温柔和优雅的风度。莎乐美后来在一部专著中这样评论尼采："他的全部经历都是一种如此深刻的内在经历"，"不再有另一个人，外在的精神作品与内在的生命图像如此完整地融为一体。"虽然这部专著发表时尼采已患精神病，因而不能阅读了，可是，其中所贯穿着的对他的理解想必是他早已领略过且为之怦然心动的。如果说他生平所得到的最深刻理解竟来自一个异性，这使他感受到了胜似交欢的极乐，那么，最后所备尝的失恋的痛苦则几乎立即就转变成了产前的阵痛，在被爱情和人寰遗弃的彻底孤独中，一部最奇特的作品《查拉图斯特拉如是说》脱胎而出了。

里尔克的情形有很大不同。与里尔克相遇时，莎乐美已是一个成熟的妇人，她便把这成熟也带给了初出茅庐的诗人。同为知音，在尼采那里，她是学生辈，在里尔克这里，她是老师辈了。她与里尔克延续了三年的情人关系，友谊则保持终身，直到诗人去世。从年龄看，他们的情人关系几近于乱伦，但她自己对此有一个合理的解释，说他们是"乱伦还不算是犯下渎神罪的世纪前的兄弟姐妹"。在某种意义上，她对里尔克在精神上的关系也像是一位年长的性爱教师，她帮助他克服感情上的夸张，与他一起烧毁早期那些矫揉造作的诗，带领他游历世界和贴近生活，引导他走向事物的本质和诗的真实。里尔克自己说，正是在莎乐美的指引下，他变得成熟，学会了表达质朴的东西。如果没有莎乐美，尼采肯定仍然是一个大哲学家，但里尔克能否成长为20世纪最优秀的德语诗人就不好说了。

我们也许要问，莎乐美对尼采和里尔克如此心有灵犀，为何却始则断然拒绝了尼采的求爱，继而冷静地离开了始终依恋她的里尔克？作者在引言中有一句评语，我觉得颇为中肯："莎乐美对男人们经久不衰的魅力在于：她懂得怎样去理解他们，同时又保持自己的独立性。"心灵相通，在实际生活中又保持距离，的确最能使彼此的吸引力耐久。当然，莎乐美这样做不是故意要吊男人们的胃口，而是她自己也不肯受任何一个男人支配。一位同时代人曾把她的独立不羁的个性喻为一种自然力，一道急流，汹涌向前，不问结果是凶是吉。想必她对自己的天性是有所了解的，因此，在处理婚爱问题时反倒显得相当明智。她的婚姻极其稳定，长达四十三年之久，直到她的丈夫去世，只因为这位丈夫完全不干涉她的任何自由。她一生中最持久的性爱伴侣也不是什么哲学家或艺术家，而是一个待人宽厚的医生。不难想象，敏感如尼采和里尔克，诚然欣赏她的特立独行，但若长期朝夕厮守，这同样的个性就必定会成为一种伤害。两个独特的个性最能互相激励，却最难在一起过日子。所以，莎乐美之离开尼采和里尔克，何尝不也是在替他们考虑。

写到这里，我发现自己已难逃男性偏见之讥。在作者所叙述的"她的故事"之中，我津津乐道的怎么仍旧是与"他的故事"纠缠在一起的"她"呢？让我赶快补充说，莎乐美不但能使男人受孕，而且自己也是一个多产的作家，写过许多小说和论著。她有两部长篇小说的主人公分别以尼采（《为上帝而战》）和里尔克（《屋子》）为原型，她的论著的主题先后是易卜生、尼采、里尔克、弗洛伊德的思想或艺术……唉，又是这些男人！看来这是没有办法的：男人和女人互相是故事，我们不可能读到纯粹的"他的故事"或"她的故事"，人世间说不完的永远是"她和他的故事"。我非常赞赏作者所引述的莎乐美对两性的看法：两性有着不同的生活形式，要辨别何种形式更有价值是无聊的，两性的差异本身就是价值，藉此才能把生活推进到最高层次。我相信，虽然莎乐美的哲学和文学成就肯定比不上尼采和里尔克，但是，莎乐美一生的精彩却不亚于他们。我相信，无须用女性主义眼光改写历史，我们仍可对历史上的许多杰出女性深怀敬意。这套丛书以歌德的诗句命名是发人深省的。在《浮士德》中，"永恒的女性"不是指一个女人，甚至也不是指一个性别。细读德文原著可知，歌德的意思是说，"永恒的"与"女性的"乃同义语，在我们所追求的永恒之境界中，无物消逝，一切既神秘又实在，恰似女性一般圆融。也就是说，正像男人和女人的肉体不分性别都孕育于子宫一样，男人和女人的灵魂也不分性别都向往着天母之怀抱。女性的伟大是包容万物的，与之相比，形形色色的性别之争不过是一些好笑的人间喜剧罢了。

2000 年 1 月

| 欣赏另一半 |

一个女精神分析学家告诉我们：精子是一个前进的箭头，卵子是一个封闭的圆圈，所以，男人好斗外向，女人温和内向。她还告诉我们：在性生活中，女性的快感是全身心的，男性的快感则集中于性器官，所以，女性在整体性方面的能力要高于男性。

一个男哲学家告诉我们：男人每隔几天就能产生出数亿个精子，女人将近一个月才能产生出一个卵子，所以，一个男人理应娶许多妻子，而一个女人则理应忠于一个丈夫。

都是从性生理现象中找根据，结论却互相敌对。

我要问这位女精神分析学家：精子也很像一条轻盈的鱼，卵子也很像一只迟钝的水母，这是否意味着男人比女人活泼可爱？我还要问她：在性生活中，男人射出精子，而女人接受，这是否意味着女性的确是一个被动的性别？

我要问这位男哲学家：在一次幸运的性交中，上亿个精子里只有一个被卵子接受，其余均遭淘汰，这是否意味着男人在数量上过于泛滥，应当由女人来对他们加以筛选而淘汰掉大多数？

我真正要说的是：性生理现象的类比不能成为性别褒贬的论据。

在日常生活中，我们也常常会听到在男女之间分优劣比高低的议论，虽然不像这样披着一层学问的外衣。两性之间在生理上和心理上的差异是一个明显的事实，否认这种差异当然是愚蠢的，但是，试图论证在这种差异中哪一性更优秀却是无聊的。正确的做法是把两性的差异本身当作价值，用它来增进共同的幸福。

超出一切性别论争的一个事实是，自有人类以来，男女两性就始终互相吸引和寻找，不可遏止地要结合为一体。对于这个事实，柏拉图的著作里有一种解释：很早的时候，人都是双性人，身体像一只圆球，一半是男一半是女，后来被从中间劈开了，所以每个人都竭力要找回自己的另一半，以重归于完整。我曾经认为这种解释太幼稚，而现在，听多了现代人的性别论争，我忽然领悟了它的深刻的寓意。

寓意之一：无论是男性特质还是女性特质，孤立起来都是缺点，都造成了片面的人性，结合起来便都是优点，都是构成健全人性的必需材料。譬如说，如果说男性刚强，女性温柔，那么，只刚不柔便成脆，只柔不刚便成软，刚柔相济才是韧。

寓意之二：两性特质的区分仅是相对的，从本原上说，它们并存于每个人身上。一个刚强的男人也可以具有内在的温柔，一个温柔的女人也可以具有内在的刚强。一个人越是蕴含异性特质，在人性上就越丰富和完整，也因此越善于在异性身上认出和欣赏自己的另一半。相反，那些为性别优劣争吵不休的人（当然更多是男人），容我直说，他们的误区不只在理论上，真正的问题很可能出在他们的人性已经过于片面化了。借用柏拉图的寓言来说，他们是被劈开得太久了，以至于只能僵持于自己的这一半，认不出自己的另一半了。

2000 年 10 月

爱使人富有

那是在一个边疆省会的书店里，一个美丽而羞怯的女孩从陈列架上取下最后一本《妞妞》，因为书店经理答应把这本仅剩的样书卖给她，她激动得脸蛋绯红，然后请求我为她写一句话。当时，我就在书的扉页上写下了这句话——

爱使人富有。

这句话写在我的著作《妞妞》上，是对其中讲述的我的人生体验的概括。妞妞是一个昙花一现的小生命，她的到来使我比以往任何时候都更深切地领悟了爱的实质和力量，现在她虽然走了，但因她而获得的爱的体验已经成为我的永远的财富。

这句话写给这个美丽的女孩，又是对她以及许多和她一样的年轻女性的祝愿。在每一个年轻女性的前方，都有长长的爱的故事等待着她们，故事的情节也许简单，也许曲折，结局也许幸福，也许不幸，不论情形如何，我祝愿她们的心灵都将因爱而变得丰富，成为精神上的富有者。

常常听人说：年轻美貌是财富。这对于女性好像尤其如此，一个漂亮女孩有着太多的机会，使人感到前途无量。可是，我知道，如果内心没有对真爱的追求和感悟，机会就只是一连串诱惑，只会引人失足，青春就只是一笔不可靠的财富，很容易被挥霍掉。

常常听人说：爱情会把人掏空。这在遭遇挫折的时候好像尤其如此，倾心相爱的那个人离你而去了，你会顿时感到万念俱灰。可是，我知道，只要你曾经用真心去爱，爱的收获就必定会以某种方式保藏在你的心中，当岁月渐渐抚平了创伤，你就会发现最主要的珍宝并未丢失。

爱是奉献，但爱的奉献不是单纯的支出，同时也必是收获。正是通过亲情、性爱、友爱等等这些最具体的爱，我们才不断地建立和丰富了与世界的联系。深深地爱一个人，你藉此所建立的不只是与这个人的联系，而且也是与整个人生的联系。一个从来不曾深爱过的人与人生的联系也是十分薄弱的，他在这个世界上生活，但他会感觉到自己只是一个局外人。爱的经历决定了人生内涵的广度和深度，一个人的爱的经历越是深刻和丰富，他就越是深入和充分地活了一场。

如果说爱的经历丰富了人生，那么，爱的体验则丰富了心灵。不管爱的经历是否顺利，所得到的体验对于心灵都是宝贵的收入。因为爱，我们才有了观察人性和事物的浓厚兴趣。因为挫折，我们的观察便被引向了深邃的思考。一个人历尽挫折而仍葆爱心，正证明了他在精神上足够富有，所以输得起。在这方面，耶稣是一个象征，拿撒勒的这个穷木匠一生宣传和实践爱的教义，直到被钉上了十字架仍不改悔，因此而被世世代代的基督徒信奉为精神上最富有的人，即救世主。

2000 年 11 月

爱情是一条流动的河

"一个人只要领略过爱情的纯真喜悦，那么，不论他在精神和智力生活中得到过多么巨大的乐趣，恐怕他都会将自己的爱情经历看作一生旅程中最为璀璨耀眼的一个点。"这段话不是出自某个诗人之手，而是引自马尔萨斯的经济学名著《人口论》。一位经济学家在自己的主要学术著作中竟为爱情唱起了赞歌，这使我倍觉有趣。

可是，我仍然要提出一个异议：爱情经历仅是一个人一生旅程中的一个点吗？它真的那么确定，那么短促？

这个问题换一种表达便是：当我们回顾自己的爱情经历时，我们有什么理由断定哪一次或哪一段是真正的爱情，从而把其余的排除在外？

毫无疑问，热恋的经历是令人格外难忘的。然而，热恋往往难于持久，其结局或者是猝然中止，两人含怨分手，或者是逐渐降温，转变为婚姻中的亲情或婚姻外的友情。在现实生活中，这种情况造成了许多困惑。一些人因为热恋关系的破裂而怀疑曾有的热恋是真正的爱情，贬之为一场误会，就像一首元曲中形容的那样彼此翻脸，讨回情书"都扯做纸条儿"。另一些人则因为浪漫激情的消逝而否认爱情在婚姻中继续存在的可能性，其极端者便如法国作家杜拉斯所断言，夫妻之间最真实的东西只能是背叛。

究竟什么是真正的爱情？如果它是指既不会破裂也不会降温的永久的热恋，那么，世上究竟有没有真正的爱情？如果没有，那么，我们是否应该重新来给它定义？正是这一系列疑问促使我越来越坚定地主张：在给爱情划界时要宽容一些，以便为人生中种种美好的遭遇保留怀念的权利。

在最宽泛的意义上，爱情就是两性之间的相悦，是在与异性交往中感受到的身心的愉快，是因为异性世界的存在而感觉世界之美好的心情。一个人的爱情经历并不限于与某一个或某几个特定异性之间的恩恩怨怨，而且也是对于整个异性世界的总体感受。因此，不但热恋是爱情，婚姻的和谐是爱情，而且一切与异性之间的美好交往，包括短暂的邂逅，持久而默契的友谊，乃至毫无结果的单相思，留在记忆中的定睛的一瞥，在这最宽泛的意义上都可以包容到一个人的爱情经历之中。

爱情不是人生中一个凝固的点，而是一条流动的河。这条河中也许有壮观的激流，但也必然会有平缓的流程，也许有明显的主航道，但也可能会有支流和暗流。

除此之外，天上的云彩和两岸的景物会在河面上映出倒影，晚来的风雨会在河面上吹起涟漪，打起浪花。让我们承认，所有这一切都是这条河的组成部分，共同造就了我们生命中的美丽的爱情风景。

2000 年 12 月

| 可能性的魅力 |

世上再动人的爱情，再美满的婚姻，也都是偶然性的产物。在茫茫人海里，两人相遇了，这相遇是靠了不知多少人力无法支配的因素凑成的，只要其中一个因素变化，你们很可能就失之交臂。而如果你没有遇到这个她（他），你一定还会遇到另一个她，生发出另一段也许同样美好甚至更美好的因缘来。

那么，现在，在你们已经相遇之后，你就不会遇到另一个她了吗？当然不。从理论上讲，在另一性别的广阔世界里，适合于你的异性肯定不是少数，而你始终有着与她们之中某一个或某一些人相遇的可能性。那么，真相遇了怎么办？

我是一个爱情至上论者，深信两性的结合唯以爱情为最高原则，当然不反对较差的爱情给新的更好的爱情让位。可是，问题在于，你怎么知道新的爱情就一定更好？那种震撼心灵的热恋如同天意，或许谁也抗拒不了，另当别论。在多数情形下，新鲜本身就构成了巨大的诱惑，但新鲜总是暂时的，到不新鲜了的时候你怎么办？无休止地更换性伴侣诚然也是一种活法，然而，在这种活法里已经没有了爱情的位置，所以不合我的原则。

可能性是人生魅力的重要源泉。如果因为有了爱侣，结了婚，就不再可能与别的可爱的异性相遇，人生未免太乏味了。但是，在我看来，如果你真正善于欣赏可能性的魅力，你就不会怀着一种怕错过什么的急迫心理，总是想要把可能性立即兑现为某种现实性。因为这样做的结果，你表面上似乎得到了许多，实际上却是亲手扼杀了你的人生中的一切可能性。我的意思是说，在你与一切异性的关系之中，不再有产生真正的爱情的可能性，只剩下了唯一的现实性——上床。

就我自己来说，我是宁愿怀着对既有爱情的珍惜之心，而将与别的可爱异性的关系保持在友谊的水平上的。我不否认这样的友谊中有性吸引的成分，但是，让这成分含蓄地起作用，岂不别有一种情趣？男人谁没有放纵一下的欲望，我不喜欢的是那后果，包括必然会造成的对爱我的人的伤害。除去卖淫和变相的卖淫不说，我不相信一个女人和你在肉体上发生亲昵关系而在感情上却毫无所求。假定一个女人爱上了一个出色的男人，而这个男人譬如说有一百个追求者，那么，她是愿意他与一百个女人都有染，从而她也能占有一份呢，还是宁愿他只爱一人，因而她只有百分之一的获胜机会呢？我相信，在这个测验题目上，绝大多数女人都会做出相同的选择。

2001 年 5 月

我一直主张，相爱的人要亲密有间，不要亲密无间。即使结了婚，两个人之间仍应保持一个必要的距离。所谓必要的距离是指，各人仍应是独立的个人，并把对方作为独立的个人予以尊重。

一个简单的道理是，两个人无论多么相爱，仍然是两个不同的个体，不可能变成同一个人。另一个稍微复杂一点的道理是，即使可能，两个人变成一个人也是不可取的。我们常常发现，在比较和谐的结合中，由于长时间的耳鬓厮磨，互相熏陶，夫妻二人的思想方式和行为方式会日益趋同，甚至长相也会变得相像。这当然不一定是坏事，可以视为婚姻稳固的表征。不过，如果你的心灵足够敏感，你就会对这种情形产生一点儿警惕。个人的独特是一切高质量的结合的基础，差异的磨灭也许意味着某些重要价值在不知不觉中被损失掉了。

家庭生活本身具有一种把两个人捆绑在一起的自然趋势，因此，要保持那个必要的距离谈何容易。我能够想出的对策是，套用政治学的术语，在家庭中也划分出一个双方一致同意的私域。也就是说，在必须共同承担的家庭责任之外，各人都拥有一个属于自己的领域，在此领域中享有个人自由，彼此不予干涉。这个私域的范围，不外乎两个方面，一是个人的精神生活，例如独处、写私人日记、发展个人爱好，另一是个人的社会交往，例如交共同朋友圈子之外的朋友，包括交异性朋友。当然，个人在私域中必须遵守一般规则，政治学的这个原理在这里也是适用的。所以，诸如养小蜜、包二奶之类的自由是不能允许的，因为它们违背了婚姻的一般规则。

我曾设想，如果条件许可，最好是夫妻二人各有自己的住宅，居住有分有合，在约定的分居时间里互不打扰。这个办法能够有效地保证各人的自由空间。听到我的这一设想，有人表示担忧：它会不会导致家庭关系的松散乃至解体？我当即申明，我的设想有一个前提，就是婚姻的爱情基础良好，并且双方均具备自律的自觉性。然而，尽管如此，我的确不能否认可能出现的危险。问题在于，在任何情形下，都不存在万无一失的办法以确保一个婚姻绝对安全。在一切办法中，捆绑肯定是最糟糕的一种，其结果只有两种可能：或者是成全了一个缺乏生机的平庸的婚姻，或者是一方或双方不甘平庸而使婚姻终于破裂。

其实，爱侣之间用什么方式来保持必要的距离，分寸如何掌握，都是因人而异的，不存在一个普遍适用的方案。我想强调的仅是，一定要有这个保持距离的觉悟。从根本上说，这也就是互相尊重对方的独立人格的觉悟。唯有亲密有间，家庭才能既成为一个亲密生活的共同体，又成为一个个性自由发展的场所。我相信，这样的家庭是更加生机勃勃、更加令人心情舒畅的，因而在总体上也必然是更加稳固的。

2002 年 3 月

| 婚姻如何能长久 |

忽然想到，朋友中或熟人中一些当初堪称模范的婚姻，现在几乎硕果无存了。我不由得为之唏嘘，恍然觉得普天下的婚姻都处在风雨飘摇之中。婚姻如何能长久，实在是令现代人大伤脑筋的难题。当然，长久也不是什么了不起的成就。可是，长久终究是婚姻的题中应有之义。如果只是浪漫一场，不想长久，就完全没有必要结婚。结婚意味着两人不但相爱，而且决心天长地久地相爱下去，永不分离。在这意义上，婚姻就不只是一纸法律证书，更是一个神圣的誓约。

可惜的是，多么神圣的誓约也仅是愿望的表达，却并不具有保证愿望实现的力量。据我观察，越是因热烈相爱而结婚的伴侣，就越容易轻信誓约，而这就隐藏着危险。一些质量较高的婚姻之所以终于破裂，原因是多方面的，其中之一恰恰是双方对于彼此感情的牢不可破过于自信。在性情不同的人身上，这种过于自信有不同的表现方式。

有一种夫妇，他们相信他们相爱到了这种程度，以至于在全部异性世界里，对方眼中都只有自己，不可能对任何别的异性发生好感。在这一信念支配下，各人都自觉或不自觉地克制自己对别的异性的兴趣，并且不允许对方表现出这种兴趣，争相互示忠诚并且引以自豪。这种太封闭的结构至少会造成两个恶果。一是由于缺少新鲜的刺激和活泼的交流，使得他们的感情生活趋于僵化和枯竭。二是丧失了对于诱惑的免疫力和对于事件的承受力，外来的轻轻一击就会使绷紧的弦断裂。

还有一种夫妇，同样非常自信，但思路恰好相反。他们相信他们的爱情坚固到了这般地步，以至于无论各人与别的异性发生怎样的交往，包括有限度的婚外恋，包括上床，都不会使他们的爱情发生实质性的动摇。他们在观念上和行为上都是富有现代性的人，愿意试验一种开放的婚姻形式，在婚姻中仍然享有充分的性自由。然而，事实证明，这类试验最后往往都以婚姻的破裂告终。

看来，太封闭和太开放都不利于婚姻的维护。要使婚姻长久，就应该在忠诚与自由、限制与开放之间寻找一种适当的关系。难就难在把握好这个度，我相信它是因人而异的，不存在一个统一的尺度。总的原则是亲密而有距离，开放而有节制。最好的状态是双方都以信任之心不限制对方的自由，同时又都以珍惜之心不滥用自己的自由。归根结底，婚姻是两个自由个体之间的自愿联盟，唯有在自由的基础上才能达到高质量的稳定和有创造力的长久。

2001 年 3 月

恋家不需要理由

我发现，男人对家的眷恋并不逊于女人，顾家的男人决不少于顾家的女人。我承认，我也是一个比较恋家和顾家的男人。我尝自问：大千世界，有许多可爱的女人，生活有无数种可能性，你坚守着与某一个女人组成的这个小小的家，究竟有什么理由？我给自己一条条列举出来，觉得都不成其为充足理由。我终于明白了：恋家不需要理由。只要你在这个家里感到自由自在，没有压抑感和强迫感，摩擦和烦恼当然免不了，但都能够自然地化解，那么，这就证明你的生活状态是基本对头的，你是适合于过有家的生活的。

相当一些男人在人生中的某个阶段好像会面临一个选择：结婚还是独身，要不要一个家？不过，在大多数情形下，这个问题的解决权并不掌握在思考者手中，抽象的决定往往会在个人支配不了的生活实践中改变或放弃。据我观察，不管是因为本性还是因为习俗，坚定的独身主义者是很少的，实际生活中的独身者多半并非出于信念自觉地选择了独身，而是由于机遇不佳无奈地接受了独身。

当然啦，的确有极少数男人在本性上与家庭生活格格不入。这主要是两类，我称之为极端风流型的男人和极端事业型的男人。多数男人（姑且不论女人）的天性中都有风流的因子，但常常能够自觉地（因为珍惜现有的婚爱）或被迫地（因为实际的利害关系）加以克制。当今一种时髦的做法是顾家和风流两不误，一旦发生冲突，如果办得到的话，就暂时牺牲风流而保全家庭。如果一个男人风流到了妻离子散在所不惜的地步，并且只是风流成性而不是因为堕入了新的情网，那么，他就可以称作极端风流型的男人，他应该看清自己的天性，永远断绝成家的念头。

至于所谓极端事业型的男人，我是指事业上的迷狂者，这种人只有一根筋，除了他所醉心的事业之外，对人生中的其余内容一概不感兴趣，并且极其无能。这样的人很可能是某一领域的天才，我们无权用常识来衡量他。但他毕竟不适合过普通的家庭生活，却也是事实。要他担负起一个丈夫或一个父亲的责任，等于是巨大的灾难。当然，倘若有可敬的女性甘愿献身，服侍他的起居，于他也许是幸事。可惜的是，很少有女人甘愿只当丈夫的保姆，哪怕她的丈夫是一个天才。

写到这里，我可以对自己下一断定了：我不是一个极端的男人。换一句话说，我是一个比较中庸的男人。如果要找恋家的理由，这算是一个吧。

2002 年 2 月

夫妻间是否应该有个人隐私？我的看法是：应该有，——应该尊重对方的隐私权；不应该有，——不应该有太多事实上的隐私。

隐私是指一个人不愿意向他人公开的隐秘经历。所谓隐私权是指，只要这种经历不包含损害他人的情节，任何与此经历无关的人包括政府都无权过问，更无权强行公开。尊重隐私权意味着把一个人当作独立的人格予以尊重，在夫妻之间同样应该有这样一种文明意识和教养。当然，夫妻间的情况要微妙得多，因为夫妻间最敏感的隐私往往涉及一方与其他异性的关系，而这种关系是否构成对另一方的损害，从而赋予了另一方以过问的权利，不是很容易判断的。有一些情形可以明确地归入应受尊重的隐私的范围，例如婚前的性爱经历和婚后的异性间友谊。这些情形对于现有的婚爱不发生直接的影响，因此原则上应当看作当事人的私事。并不是说你一定不能知道，但是如果你的爱人不管出于何种考虑不想告诉你，你就不应该强求知道。比较难以确定的是，如果发生了可能直接损害现有婚爱的情形，例如一方有了外遇，另一方是否还应该把这当作隐私予以尊重呢？我对此原则上持否定的回答，除非双方像萨特和波伏瓦那样订有性自由的协定，否则任何一方有权知道有关事实，以便做出自己的判断和决定。不过也有例外，例如，一方的外遇是偶然的和短暂的，并且双方都依然珍视和希望维护现有的婚爱，那么，在这种情形下，另一方最好仍把对方的这一段经历当作应予尊重的隐私，保持谅解的沉默。

严格意义上的隐私是指外部经历，不过我们不妨理解得宽泛一些，把内心经历也包括进去。我想借此强调的是，一个人内心生活的隐秘性是在任何情况下都应该受到尊重的，因为隐秘性是内心生活的真实性的保障，从而也是它的存在的保障，内心生活一旦不真实就不复是内心生活了。所以，托尔斯泰才会为了写私人日记的权利而与他的夫人苦苦斗争。有时候，一个人会有向人倾诉内心的愿望，但这种愿望的发生往往取决于特殊的情境和心境，尤其强求不得。夫妻间最严重也最可笑的侵犯莫过于以爱情的名义，强求对方向自己敞开心灵中的一切。可以断定，凡这样做的人皆不知心灵为何物。真正称得上精神伴侣的是那样的夫妻，他们懂得个人心灵的自由空间的重要，因此譬如说，不会要求互相公开日记或其他的私人通信。不排除这样的情况：自己的配偶向别人甚至向别的异性所倾诉的某种隐秘的内心经历，竟然不曾向自己倾诉过。遗憾吗？也许有一些，然而是可以理解的。其实，在总体上册须遗憾，因为对于灵魂的相知来说，最重要的是两颗灵魂本身的丰富以及由此产生的互相吸引，而决非彼此的熟稔乃至明察秋毫。

我承认，夫妻间有太多的事实上的隐私决非好事，它证明了疏远和隔膜。好在隐私有一个特别的性格：它愿意向尊重它的人公开。所以，在充满信任氛围的好的婚姻中，正因为夫妻间最尊重对方的隐私权，事实上的隐私往往最少。

1999 年 12 月

母亲八十三岁了，依然一头乌发，身板挺直，步伐健稳，人都说看上去也就七十来岁。父亲去世已满十年，自那以后，她时常离开上海的家，到北京居住一些日子。不过，不是住在我这里，而是住在我妹妹那里。住在我这里，她一定会觉得寂寞，因为她只能看见这个儿子整日坐在书本或电脑前，难得有一点别的动静。母亲也是安静的性格，但终归需要有人跟她唠唠家常，我偏是最不善此道，每每大而化之，不能使她满足。母亲节即将来临，《家庭博览》杂志向我约稿，我便想到为她写一点文字，假如她读到了，就算是我痛改前非，认真地跟她唠了一回家常罢。

在我的印象里，母亲的一生平平淡淡，做了一辈子家庭主妇。当然，这个印象不完全准确，在家务中老去的她也曾有过如花的少女时代。很久以前，我在一本家庭相册里看见过她早年的照片，秀发玉容，一派清纯。她出生在上海一个职员的家里，家景小康，住在钱家塘，即后来的陕西路一带，是旧上海一个比较富裕的街区。现在回想起来，那时母亲还年轻，喜欢对我们追忆钱家塘的日子。她当年与同街区的一些女友结为姐妹，姐妹中有一人日后成了电影明星，相册里有好几张这位周曼华小姐亲笔签名的明星照。看着照片上的这个漂亮女人，少年的我暗自激动，仿佛隐约感觉到了母亲从前的青春梦想。

曾几何时，那本家庭相册失落了，母亲也不再提起钱家塘的日子。在我眼里，母亲作为家庭主妇的定位习惯成自然，无可置疑。她也许是一个有些偏心的母亲，喜欢带我上街，买某一样小食品让我单独享用，叮嘱我不要告诉别的子女。可是，渐渐长大的儿子身上忽然发生了一种变化，不肯和她一同上街了，即使上街也偏要离她一小截距离，不让人看出母子关系。那大约是青春期的心理逆反现象，但当时却惹得她十分伤心，多次责备我看不起她。再往后，这些小插曲也在岁月中淡漠了，唯一不变的是一个围着锅台和孩子转的母亲形象。后来，我到北京上大学，然后去广西工作，然后考研究生重返北京，远离了上海的家，与母亲见面少了，在我脑中定格的始终是这个形象。

最近十年来，因为母亲时常来北京居住，我与她见面又多了。当然，已入耄耋之年的她早就无须围着锅台转了，她的孩子们也都已经有了一把年纪。望着她皱纹密布的面庞，有时候我会心中一惊，吃惊她一生的行状过于简单。她结婚前是有职业的，自从有了第一个孩子，便退职回家，把五个孩子拉扯大成了她一生的全部事业。我自己有了孩子，才明白把五个孩子拉扯大哪里是简单的事情。但是，我很少听见她谈论其中的辛苦，她一定以为这种辛苦是人生的天经地义，不值得称道也不需要抱怨。作为由她拉扯大的儿子，我很想做一些能够使她欣慰的事，也算一种报答。她知道我写书，有点小名气，但从未对此表现出特别的兴趣。直到不久前，我有了一个健康可爱的女儿，当我的女儿在她面前活泼地戏耍时，我才看见她笑得格外欢。自那以后，她的心情一直很好。我知道，她不只是喜欢小生命，也是庆幸她的儿子终于获得了天伦之乐。在她看来，这是比写书和出名重要得多的。母亲毕竟是母亲，她当然是对的。在事关儿子幸福的问题上，母亲往往比儿子自己有更正确的认识。倘若普天下的儿子们都记住母亲真正的心愿，不是用野心和荣华，而是用爱心和平凡的家庭乐趣报答母爱，世界和平就有了保障。

2000 年 2 月

沟通、隔膜和关爱

我越来越倾向于认为，人与人之间有隔膜是最正常的现象，没有隔膜倒是例外，甚至是近乎不可能的奇迹。不过，虽然隔膜是普遍的，我们在许多时候却未必会感觉到它们，它们经常是以潜在的形态存在着的。

所谓隔膜，是指沟通有障碍。因此，你感觉到隔膜，前提应该是你有沟通的愿望，你对那些你不曾想到要与之沟通的人是不会感觉到隔膜的。我这里所说的不包括你一接触就反感的那种人，因为那种隔膜太直接，你的本能立刻替你做出了判断，阻止你产生任何与之沟通的愿望。在与人交往时，人们会有一种嗅觉，嗅出眼前这个人的气味是否适合于自己，区别只在灵敏的程度。但是，在多数情况下，你对你泛泛接触到的人不会有如此强烈的好恶，你的态度是中性的，你对他们还谈不上什么隔膜之感。只有那些因为机缘而程度不等地进入了你的生活之中、构成了你的人际关系的人，你才会程度不等地产生和他们沟通的愿望，于是便有可能发现彼此之间隔膜的存在了。

事实上，无论是谁，只要扪心自问都会承认，在自己的亲人、朋友、同事、熟人中间，真正能够与自己心灵契合的究属少数，不，哪怕只有一个也已经够幸运的了。这意味着人们完全意识到，在自己的各种交往中，隔膜是或多或少存在着的。不过，据我观察，大多数人并不为此苦恼，至少并不长久苦恼，多半是把这作为一个无法改变、许多时候也就无须改变的事实接受下来，渐渐安之若素了。我觉得这种心态是健康而合理的。仔细追溯起来，一个人在这个世界上的交往范围带有很大的偶然性，不是自己可以选择的。你之所以与这些人有了比与其他人多的来往，是因为你出生在这个家族里，你从事着这个职业，你进入了这个圈子，如此等等。在你和他们打交道的时候，他们已经是一些有着自己的性格和阅历的人了，倘若你竟要求这些原本与你不同并且因为偶然的原因进入你的生活的人能够与你息息相通，就未免太不近情理了。

在什么情况下，我们才会因为发现了隔膜的存在而真正感到痛苦呢？当然是在我们内心非常在乎那个人、非常在乎彼此的关系的时候。这就是在爱情和亲密的私人友谊中发生的情况。这时候我们不但有强烈的沟通愿望，而且往往自以为已经有了沟通的事实，可是突然，不和谐音出现了，也许是对方的一句话使我们感觉不是滋味，也许是对方的一个行为使我们受了伤害，裂痕出现了。昨天我们越是感觉心心相印，今天的裂痕就越是使我们疼痛，我们的隔膜感就越是尖锐鲜明。正是对于这种情况，我们最有必要做一番分析。

排除掉那种纯粹因为误会产生的龃龉不说，这种亲密者之间的隔膜感缘何而生？我认为只有一个答案，就是隔膜本来就存在着，只是现在才被发现了而已。这有两种情形。其一是原来的沟通基本上是错觉，实际上彼此心灵的差距非常大，大到完全不足以成为情人和朋友，而现在不过是因了某种刺激，原来闭着的眼睛一下子睁开了。作为当事人，这时候必定会感到异常的失望和沮丧，但我认为不必太惋惜，唯一令人惋惜的是你曾经为之浪费了宝贵的感情和光阴。只要你的确认清了巨大隔膜的存在，就千万不要试图去挽救什么，那样只会造成更大的浪费。当然，也用不着从此成为仇人，再大的隔膜也构不成敌对。相反，如果有一方偏不肯正视事实，仍然强求一种亲密的关系，倒很可能在对方的心中激起厌恶，在自己的心中激起仇恨。

另一种情形是随着彼此了解的深入，原来隐藏着的某些不大不小的差距显露出来了。这并不表明原来的沟通是误解，应该说沟通基本上是事实，但是，与此并存的还有另外一个事实，便是：因为人类心灵的个别性和复杂性，沟通必然是有限度的。我们不妨假定，人的心灵是有质和量的不同的。质不同，譬如说基本的人生态度和价值取向格格不入，所谓"道不同不相与谋"，沟通就无从谈起。质相同，还会有量的差异。两个人的精神品质基本一致，灵魂内涵仍会有深浅宽窄之别，其沟通的深度和广度必然会被限制在那比较浅窄的一方的水平上。即使两个人的水平相当，在他们心灵的各个层次上也仍然会存在着不同的岔路和拐角，从而造成一些局部的沟通障碍。

我的这个描述无疑有简单化的毛病。我只是想说明，人与人之间的完全沟通是不可能的，因而不同程度的隔膜是必然存在的。既然如此，任何一种交往要继续下去，就必须是能够包容隔膜的。首先，高质量的交往应该是心灵最深层次的相通，同时对那些不能沟通的方面互相予以尊重。其次，在现实生活中，两个人即使无法有深层的沟通，也未必意味着不能在一起相处。博大精深如歌德，不是与后来成为他妻子的比较平庸的克里斯蒂娜基本上相安无事，彼此厮守了一辈子吗？当然，歌德一生中不乏深层的沟通，例如与席勒，与贝蒂娜，以及通过他的作品而与一切潜在的知音。歌德显然懂得，居家过日子与精神交流是两回事，隔膜的存在并不妨碍日常生活。你可以说他具备智者的胸怀，也可以说他具备凡人的常识。与歌德相反，荷尔德林用纯粹精神的尺度衡量世俗的人际关系，感觉到的是与整个外部世界的不可穿透的隔膜，结果在自闭中度过了凄凉的一生。

现在人们提倡关爱，我当然赞成。我想提醒的是，不要企图用关爱去消除一切隔膜,这不仅是不可能的,而且会使关爱蜕变为精神强暴。在我看来,一种关爱不论来自何方,它越是不带精神上的要求,就越是真实可信,母爱便是一个典型的例证。关爱所给予的是普通的人间温暖,而在日常生活中,我们真正需要并且可以期望获得的也正是这普通的人间温暖。至于心灵的沟通,那基本上是一件可遇而不可求的事情,因而对之最适当的态度是顺其自然。

2000 年 9 月

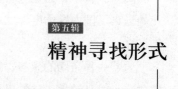

第五辑

精神寻找形式

写作的理由和限度

　　一个十八岁少女，最心爱的中国作家是曹雪芹、张爱玲，行李里放着一部书页发黄的《红楼梦》，怀着中文写作的愿望，却随父母移居到了美国。十年过去了，她现在的年龄应该属于所谓"新新人类"这一代，可是，读着她这本题为《夜宴图》的集子，我发现她和国内那些佩带日新月异的另类标签的文学新宠儿属于完全不同的人。我不禁为她庆幸，侨居异国虽然不是一个有利于母语写作的环境，但也使她远离了国内媒体的浮嚣和虚假成功的诱惑，得以在更深的层次上保护了写作的纯洁性。

　　凭着一种亲切的感应，我信任了孙笑冬的写作。她的这本处女作在体裁上难以定位，小说、散文、诗的界限被模糊了，还有一些像是从笔记本里摘出的断片，然而，这恰好向我们呈现了一种原初的写作状态，一个不是职业作家的人的经典写作方式。她不是在给出版商写书，而是在搜集自己生命岁月里的珍珠。"我们熟知的日常生活世界突然被一道情感的光芒照亮"——这是她对文学的理解。在书中，我们看到了突然被照亮的日常生活世界的这个或那个小角落：一席谈话，一则故事，一个场景，一尊面容……她的女性情感无比细腻温柔，但这柔和的光芒所照亮的是极其深邃的东西，那隐藏在黑夜中的存在之秘密，日常生活最为人熟视无睹的惊心动魄之处。

　　我之信任孙笑冬还有一个原因，便是她和一切认真的写作者一样，也被写作的理由和限度的问题苦恼着。她懂得，除了写作，也就是一次又一次地尝试叙述我们生活的故事，我们别无办法把握和超越我们必死的命运。但是，同时她又懂得，生活中有些故事，也许是那些最美丽或最悲痛的故事，是不能够进入我们的叙述的，因为在叙述的同时我们也就歪曲、贬低和彻底失去了它们。我们试图通过写作来把不可挽留的生活变成能够保存的作品，可是，一旦变成作品，我们所拥有的便只是作品而不复是生活了。

　　心爱的作家中在世的那一个也走了，在获悉张爱玲死讯的第二天，她写了《绛唇珠袖两寂寞》。我觉得它是全书中最见功力的一篇，写得沉痛却又异常从容。张爱玲是在一间没有家具的公寓的地毯上孤单地死去的，死后七天才被警察发现。报道这则消息的报纸就压在那一部从北京带到普林斯顿的《红楼梦》下面。与现世的情感联系早早地断绝了，心已经枯萎，可是，在死之前还必须忍受最不堪的几十年的沦落和孤寂。这是在说与胡兰成离异后的爱玲，还是在说黛玉死后的宝玉？应该都是。作者由此悟到，续四十回中她曾经如此欣赏的一个描绘，宝玉出家前在雪野上披一袭大红猩猩毡斗篷向贾政大拜而别，这个场面实在过于美了，因而不可能是真实的结局。的确，真实的结局很可能也是几十年的孤寂。我想对孙笑冬说的是，即使曹雪芹自己写，几十年的孤寂是写得出来的么？所以，我们也许只好用大拜而别的优美场面把宝玉送走，从而使自己能够对人生不可说的那一部分真相保持沉默了。这是否也是对写作的限度的一种遵守呢？

2000 年 6 月

| 在失语和言说之间 |

翻开《沉重的睡眠》，读了开头的几首诗，我就赶紧把书合上了。我意识到，这不是一本寻常的诗集，我不能用寻常的方式来读它。作者必定有一些极其重要的事情要讲述，这些事情对于他是性命攸关的，他首先和主要是在向自己讲述，所以必须用最诚实的语言，没有一个字是为所谓修辞的效果准备的。这是一个沈阳人或一个中国人写的诗吗？当然不是。天地间有一种纯粹的诗，它们的作者是没有国别的，它们的语言也是不分语种的。在存在的至深处，人和语言都回到了本质，回到了自身，一切世俗的区分不再有意义。然而，作者毕竟是一个中国人，这在我的阅读经验中属于例外，我又不能不感到惊奇。

那么，是不是脑出血和由之导致的失语症创造了这个奇迹呢？我无法猜度命运之神的诡谲的心思，只知道它在降予灾难时十分慷慨，在显示奇迹时却非常吝啬。同样的疾病夺去了许多人的聪明，而并没有给他们灵感。我相信，发生在苗强身上的事情很可能是，一个一直在进行着的内在过程被疾病加速和缩短了，一下子推至极端，得到了辉煌的完成。不然的话，这个过程也许会很漫长，甚至会在外在生活的干扰下转向和终止。

人们也许会在苗强的诗中读出哲理，但是，他写的决不是哲理诗。他的表达是超越于所谓抽象思维和形象思维的二分法的，——顺便说说，这个二分法绝对是那些与哲学和诗都无缘的头脑臆造出来的。他的表达同时是抽象和形象，玄思和想象，思辨和视觉。他的构思往往十分奇特，但同时你会惊讶于它的准确。一个人唯有在自己内心发现了存在的真理或存在的荒谬，才能这样表达。在他的诗里，你找不到一个生僻的词，他用那些普通的词有力地表达了独特的思绪和意象。他的语言富有质感和节奏感，你能感到这种特质不是外在的，而是来自一个沉浸于内在生活的人的执著和陶醉，他分明是在自吟自唱，享受着他对存在和语言的重大发现。

苗强的诗的主题，他所关注的问题，都是纯粹精神性的。他的确是一个纯粹的诗人。我在这里略举几例——

诗人是什么？是一个盲人旅行家，他"被某种无限的观念所驱使，不知疲倦地周游世界"，同时又"鄙夷一切可见的事物，一切过眼烟云的东西"。（第十一首）诗人当然不能逃避现实，但可以忽略它，"就像一个穿过一片树林的人，他一棵树也没有看到……他也许更关心脚下的道路，但在那一刻，谁也不能阻止他走在空中。"（第十七首）

因为诗人生活在另一个世界里，有着另一个自我。作者患病后，朋友说他以前的诗像谶语。他的感觉是：只是现实中的我中了谶，"而诗中的另一个我，照例在虚构的精神生活中沉沦或者上升，根本不受影响"。只要诗能长存于世间，"那么是不是谶语，以及作者是谁，都不重要了，这些诗选中我做它们的作者，纯属偶然"。（第七十二首）

自我之谜是作者经常表达的一个主题。比如：没完没了地下着雪，我躲在玻璃窗后，看见有个邮差上路了（这个邮差是我），去报告雪的消息，让那患有怀乡病的人立刻赶回家乡（那患有怀乡病的人是我）。（第一首）不但有另一个自我，而且有许多个自我，这许多个自我之间的陌生和关切令人迷茫。

可是，自我又是虚无，自我的本质令人生疑。疾病使作者更强烈地感受到了这一点，因为"几乎是一夜之间，另一个人完全取代了我"（第一百零一首）。"我只是我自己的一部分，甚至可能是最小的一部分"，我的大部分"是虚无，或者是抵御虚无的欲望"。（第三十六首）虚无居住在我身上，所谓康复就是它不断地缩小自己，隐藏起来，逐渐被遗忘。"事实上，我就像一枚硬币，虚无始终占据其中的一面，另一面的我以前对此一无所知。"（第八十二首）

与虚无相关的是时间："我的家就像一个钟表匠的家，到处陈列着残酷流逝的时间。""我也是一种流逝的途径"，但在众多陈列的时间中，我又是"在残酷流逝中的诘问"。（第十三首）

对疾病的感受：一个不会走路的人，把目光长久地停留在空中，和候鸟成为远亲，成为地上受伤的石头。（第六首）春天来了，整个的我打开了，"而病人是折叠的，即使打开了，也显露出折叠久了的痕迹。"（第四十五首）可是，疾病又是一个据点，是最后的隐身处。（第十八首）疾病使"我进入一种紧张的内心生活"，"生命停泊在疾病里日益壮大"。（第五十七首）

失语症使作者更加明白了语言的价值："那些与事物一一对应的词语都被一一瓦解，因此事物太孤单，太虚幻，不真实。"（第九首）"我好像是个残缺不全的词语，不知道意义何在，而那些完好无损的语词，既熟悉又陌生，仿佛有了它们，我的一生会殷实而富足。"（第六十八首）对于诗人来说，语言构成了世界的另一极，是对抗自我之虚无和事物之虚幻的力量："我一遍遍地穿过虚空，就像一个渔民，怀着巨大的喜悦慢慢地拉起渔网，我总是从虚空中拉出某种宝物。"（第六十六首）

苗强在病后总结说："对我来说，失语症和语言炼金术构成了语言对立的两极。"其实这话对于一切纯粹的诗人都是适用的。诗人并不生活在声色犬马的现实世界里，他在这个世界里是一个异乡人和梦游者，他真正的生活场所是他的内在世界，他孜孜不倦地追寻着某种他相信是更本质也更真实的东西。这种东西在现成的语言中没有对应之物，因此他必然常常处于失语的状态。可是，他不能没有对应之物，而语言是唯一的手段，他只能用语言来追寻和接近这种东西。所以，他又必然迷恋语言炼金术，试图自己炼制出一种合用的语言。在这意义上，诗人每写出一首他自己满意的诗，都是一次从失语症中的恢复，是从失语向言说的一次成功突进。

在中国当代诗坛上，苗强的诗是一个例外，但这个例外证明了诗的普遍真理。

2002 年 6 月

我基本上不读新的小说，不是因为顽固，而是因为精力有限。我真的不顽固，其证据是，有时候偶然有一些新人的作品落到我的鼻尖下，我能够嗅出其中的好东西，并且情不自禁地叫起好来。就凭着这种偶然的经验，我形成了一个印象，觉得对70年代出生的人不可等闲视之，那里面有些人玩文学玩得相当漂亮。和比他们年长的人相比，他们拥有一种更加轻松自由的心态，的确是在玩文学，而不是在搞文学。搞文学是很严肃的，要以文载道，还要以文安身立命，青史留名。相反，玩文学可以不理睬这一切，只把文学当作一件好玩的事情，玩出许多花样来，玩得让自己高兴。也许就在这样的玩之中，更容易有文学的创新。

王猫猫的作品也是非常偶然地落到我的鼻尖下的。一开始，是画家刘彦把一些打印稿拿给我，说是一个女孩写的，希望我看一看。我相信刘彦的鉴赏力，所以，虽然对以猫为笔名不太以为然，仍在某一天空闲的时候翻开来看了。我的嗅觉起作用了，立刻闻到了一种新鲜。让我喜欢的，一是文字的拙和语气的幽默，使我想起老舍，二是场景的荒诞和内涵的真实，使我想起卡夫卡。后来我知道，王猫猫最喜欢的作家正是老舍和卡夫卡。那么，这便是潜移默化的作用了。

的确是潜移默化，而不是刻意模仿，你们读一读《毛虫》这个短篇就会同意我的判断的。那是一条毛虫的自述：我费力地把身躯顺着房檐往下放，突然看到一颗硕大的脑袋在面前晃，定神看，那是一个人的脑袋，他正站在窗前扭动他肥胖的脖子。他也发现了我，我们互相瞪视了一会儿，他转身走掉了。可是，老天，那个异类又回来了，手里拿着一个花花的瓶子，我来不及反应，他就冲我一喷，我昏倒了，掉在了地上。我决心报复。异类白天不在家，我花费了一整天把一片毒树叶放在他的咖啡杯子里。晚上，男人回到家里，看到躺在桌上的奄奄一息的毛虫，吃了一惊，用卫生纸把毛虫拈起来扔了，顺手把茶杯里的水也倒了。这个故事当然会使我们想起卡夫卡的《变形记》，但我们同时也一定感到，这是一篇情节和内涵都不同的新的作品。

读王猫猫的小说，第一个感觉是不费力，能够轻松地读下去。现在有些新潮作家努力把句子写得生涩玄妙，如同奇装异服，她恰好相反，她的作品都穿着家常的衣服。她的看法是："语言是用来沟通的，而不是用来构筑壁垒的。"所以她把功夫下在让语言明白而有趣，使人易懂又爱读。她还喜欢并且善于编故事，我能感觉到她的想象力在编故事时所享受的那份快感。但是，她又知道生活的平凡，因此，她的故事有一个特点，便是情节之突兀和结局之平凡都同样出人意料，戏剧性的叙事最后往往画上了一个日常性的句号，使你若有所失又若有所思。

有一天，王猫猫来访问我了，要我给她的集子写一个序。她告诉我，她读我的作品不多，觉得一般。我问，那你为什么还让我写序呢，她说，因为你是名人呀。听到这里，我决定给她写了。我可不是一个小心眼儿的人，有求于人还这么坦率，我觉得挺难得。我一直认为名声是一个不公平的东西，现在我能够利用它来做一件公平的事情，何乐而不为呢。然而，不等我的序写出，她的集子就出版了。好吧，这样更公平，她的作品本来无须别人的吆喝就应能获得自己的知音的。她的小说集用一篇同名短篇命名，题为《景色无限》，我觉得可以借用来描述 70 年代出生的文学新人的创作给我的印象，我朦胧地感到：这里的景色无限。

2001 年 10 月

1. 您是什么时候开始阅读《诗刊》的? 现在还读吗?

坦率地说,我从来没有认真地读过《诗刊》,最多只是偶然地碰到了,就翻一翻。不只是《诗刊》,别的文学杂志我也很少读。因为精力有限,我不是搞中国当代文学研究的。我的阅读分两部分,一部分是专业阅读,围绕我所从事的哲学研究,另一部分是出于兴趣的广泛涉猎,以中外人文经典为主。至于杂志,只限于翻看一下赠阅的,那已经很费时间了。

2. 您对《诗刊》办刊有何建议和希望? 认为应从哪些方面进行改革?

由于我读得太少,所以提不出什么具体看法,只能笼统地说一说。中国是一个诗歌大国,写诗的人很多,《诗刊》应该大有可为。我认为,最重要的是要打破门户之见,别管老诗人还是新诗人,传统还是前卫,知识分子味还是乡土味,这个圈子还是那个圈子,眼睛只盯着好诗。要有一个野心,就是把各个角落正在产生的最好的诗都抓到手。办好任何刊物的前提是自爱,有以发表佳作为荣、以发表平庸之作为耻的荣誉心。《诗刊》本应成为中国诗歌界的权威刊物,得到不同风格和流派的优秀诗人的公认,人们以在其上发表作品为荣。现在离这个标准差得很远。当然,这不是光靠编辑的努力就能达到的,还必须改革现有的体制。

3. 您最早接触的新诗作品是什么? 在中国新诗领域里,您最喜欢哪些诗人的作品?

我最早读的是郭沫若的《女神》等作品,那是在中学里。后来读了戴望舒,很喜欢。上大学时,通过郭世英认识了张鹤慈,他那时不到二十岁,在小圈子里以诗见长,写的诗朦胧而唯美,与当时的主流诗歌截然不同,给我以全新的感觉。我保留着他的几首短诗,即使用现在的眼光看,他也是很有诗才的。可惜的是,不久后他就被打成"反动学生",送去劳教,他的创作生涯从此中断。70年代后期,朦胧诗浮出,我有一种似曾相识的惊喜之感。北岛、顾城的诗,我都喜欢,但最喜欢的是芒克。后来读诗就少了,韩东、于坚的若干作品给我留下了好印象。

4. 在翻译成中文的外国诗作中,您最喜欢哪些诗人的作品?

上大学时,我喜欢海涅、莱蒙托夫、普希金、雪莱、洛尔伽、马雅可夫斯基,他们的作品始终放在我的手边。后来还喜欢过庞德、茨维塔耶娃等等,最喜欢的则是里尔克。

5. 有哪些中外诗人对你的创作发生了影响?

我不是诗人,写诗只是在某一时期里受某种心情的驱使,可以说是偶尔为之。

读诗也往往是受心情的驱使，在诗歌中寻找一种莫名的寄托或感应。当然，潜移默化的影响是有的，但难以抒清。有些专业诗人也许会有意识地向某一位大师学习，我肯定不是这样。通常是在读诗的时候，会有某一句诗跳了出来，我看到了一种表达的可能性，过后甚至那一句诗也遗忘了，但那种可能性留下了。这样日积月累，诗的感觉就越来越丰富了。从诗艺的角度看，我最欣赏的是，极新奇同时却让你感到是唯一准确的表达，极含蓄同时却让你感到是本质的完整呈现。

6. 您的第一首诗是什么？创作时有怎样的感觉？

忘记了。幼儿常常口吐妙语，但都随风飘逝，没有人长大后能够回忆起来。等到在老师家长的教诲下开始写分行的句子时，写出的多是幼稚的模仿。自发的写诗也是始于模仿，但不再是按照老师家长的教诲，而是缘于自己的阅读。最有意义的模仿不是对技巧的模仿，而是产生了一种冲动，渴望像正在阅读的诗人那样，用诗歌来说自己的心事。在这个时刻，一个可能的诗人诞生了。我的这个时刻发生在中学时期，在一个暑假里，读了唐诗宋词之后，心醉神迷地写了许多悲观的诗词。

7. 您是研究哲学的，您认为诗歌与哲学的关系是怎样的？

从历史上看，诗歌和哲学都诞生于神话的母腹，有亲密的血缘关系。在性格上，哲学近于男性，诗歌近于女性。后来，这兄妹（或姐弟）俩分了家，疏远了，甚至互不相认。但是，在所有大诗人和一部分大哲学家身上，我们仍可辨认出鲜明的血缘联系。一切伟大的诗歌作品必有哲学的深度，都以独特的方式对存在有所言说。不过，在诗歌中，哲学是含而不露的，是底蕴而不是姿态。在我看来，凡在诗歌中从事说教、玩弄玄虚、堆积概念的都是坏诗人，而没有一个坏诗人会是一个好哲学家。

8. 我们缺乏大诗人的原因何在？您对中国新诗的未来有何估计？

我们不只缺乏大诗人，也缺乏大哲学家、大科学家、大作曲家等等，所以，原因恐怕不能只从诗坛上寻找。我认为，原因很可能在于我们的文化传统的实用品格，对纯粹的精神性事业不重视、不支持。一切伟大的精神创造的前提是把精神价值本身看得至高无上，在我们的氛围中，这样的创造者不易产生，即使产生了也是孤单的，很容易夭折。现在的开放是一个契机，我希望我们不要只看到经济上的挑战，更深刻长远的挑战是在文化上。中国要真正成为有世界影响的文化大国，就必须改变文化的实用品格。一个民族拥有一批以纯粹精神创造为乐的人，并且以拥有这样一批人为荣，在这样的民族中最有希望产生出世界级的文化伟人。

2002 年 3 月 7 日

诗歌创新和诗人使命

——在一次研讨会上的书面发言

一 创新不是主要目标

我相信曾经有诗歌创新这样的事发生，文学史家和文艺理论家不妨对之进行研究。我也相信还会有诗歌创新这样的事发生，但无论什么专家都无法对之预作设计。诗歌中一种新的形式、风格、流派的诞生，总是事实在先，个别人已经做出来了，然后才成为讨论的对象。诗歌史上也有结派造势的情形，但和诗歌的关系不大。最后起作用的是诗歌本身，许多热闹一时的潮流烟消云散了，唯有真正的好作品才能长久流传。

艺术当然要创新，但是，把创新当作主要的甚至唯一的目标，就肯定有问题。对于一个真正的诗人来说，诗歌是灵魂的事业，是内在的精神过程的表达方式。一个人灵魂中发生的事情必是最个性、最独特的，不得不寻求相对应的最个性、最独特的表达，创新便有了必要。所以，首要的事情是灵魂的独特和丰富。

在我看来，中国当代诗人的主要问题是灵魂的平庸和贫乏。这个批评同样适用于其他的文化从业者，包括小说家、画家、理论家、学者等等。人们都忙于过外在生活，追求外在目标，试问有多少人是有真正的内在生活的？这个问题不解决，所谓创新不过是又一个外在目标而已，是用标新立异来掩盖内在的空虚，更坏的是，来沽名钓誉。

二 诗人没有社会使命

我不怕危言耸听，宁愿把话说得极端一些：我认为诗人没有社会使命。当然，一个人除了做诗人之外，还可以有别的抱负，例如做革命家、改革家、社会批评家等等。但是，在那种情况下，他所承担的社会使命属于他的后面这些角色，而不属于他的诗人角色。当然，一个诗人也可以把诗作为武器，用来唤起民众，打击敌人，或者捍卫道统，迫害异端。但是，在那种情况下，他已经不是在写诗，而是在做别的事情了。

之所以要把界限划得这样清楚，是为了给诗留出属于它自己的位置。中国的传统是"文以载道"、"诗言志"，诗和一切艺术没有独立的地位。在今天，"文以载道"好像不太香了，"诗言志"却仍被视为天经地义。其实，诗所言之"志"和文所载之"道"是一回事，都是指儒家的道德理想，区别仅在于，"志"侧重于主观态度，"道"侧重于客观秩序。我的怀疑是，今日之强调诗人的社会使命，背后都有强烈的道德动机。可是，诗是超越于善恶的，诗人不是道德教师。

如果一定要说使命，诗人只有精神使命和艺术使命。在精神上，是关注灵魂，关注存在，关注人生最根本的问题。在艺术上，是锤炼和发展语言的艺术。简言之，诗人的使命就是写出有深刻精神内涵和精湛语言艺术的好作品。毫无疑问，这样的作品一定能在社会上发生有益影响，但是，这不是诗人刻意追求的目的，而只是自然的结果。而且，这种影响决非局限于狭义的道德教化。

2002 年 6 月

答上海美术出版社《创意》杂志问

1. 您是否认为男性崇尚读书也是当今的时尚？

我从来不认为读书可以成为时尚，并且对一切成为时尚的读书持怀疑态度。读书属于个人的精神生活，必定是非常个人化的。可以成为时尚的不是读书，而是买书和谈书，譬如说，在媒体的影响下，某一时期有某一本书特别畅销，谈论它显得特时髦，插不上嘴显得特落伍。当然，这丝毫不能说明读书成了时尚，倒是能够从中看出有别的东西成了时尚，比如炒股之类。至于说当今男性是否比过去更崇尚读书，对不起，我看不出来。当然，在任何时代，终归有一些男人是酷爱读书的，而他们一定不是时尚中人。

2. 目前男性读书的潮流和走向是什么？

我真的不知道，也不关心。

3. 最近您读了什么书？喜欢和不喜欢的书主要是哪些？为什么？

最近我读了哈耶克的《自由秩序原理》、《法律、立法与自由》以及《哈耶克论文集》，基本上都是邓正来译的。我读它们不是为了赶时髦——学界那一阵哈耶克热早已过去了罢，而是因为我正在研究的一个课题旁涉到自由主义问题。我读得津津有味，一则是因为哈耶克本身的思想魅力，二则是因为译文非常棒，是学术译著中的精品。我还非常喜欢史铁生的新作《病隙碎笔》，我仿佛看到了最纯正状态中的智慧和信仰。我不读我不喜欢的书，我凭嗅觉就能避开那种东西。

4. 您过去读书的小故事。

大故事和小故事都没有。没有凿壁偷光，也没有红袖添香。读书读得入迷时物我两忘，哪里还会有故事。

5. 希望您推荐当今时尚男性必读的十本书，并且请作简短的说明。

时尚男性读什么书，该去问媒体。如果天下真有必读书，也未必分性别。甚至女性生理类的书，男性也应该读一读，否则难免在某些场合尴尬。不过，为了不缴白卷，我不妨说一说我心目中的十个最酷男性作家：庄周，李白，苏东坡，曹雪芹，荷马，柏拉图，歌德，尼采，托尔斯泰，海明威。这只是随口说的，明天你再来问我，我开出的名单肯定会有出入。

2002 年 3 月

外行的点评

我自己只是散文的一个业余作者，与文学评论更是不沾边，首届老舍散文奖让我来点评获奖作品，大约是要听一听外行的意见。外行的意见，不妨姑妄说之听之，说者听者都放松。

《病隙碎笔》是史铁生患了双肾功能衰竭之后的新作，共六章，参评和获奖的是其中第六章。我读过全文，就实际写作过程说，它确是疾病间隙的零碎笔录，就作品本身说，却丝毫不让人感到病和碎，呈现在我面前的仍是一个健康灵魂的完整的思考。在这部作品中，作者那种无师自通的哲学悟性更加成熟，我仿佛看到了人世间智慧和信仰的本来状态。在第六章中，作者涉及了一个他以往作品中很少涉及的话题——法律，通过讨论平等与平均、尿毒症患者的生的权利、安乐死诸现实问题，深入浅出地阐明了法律以神命为根据的道理。我在此处又一次感到惊讶，法律哲学的复杂命题，包括法律下的自由，成文法以自然法为依据，他都凭借自己的悟性达到了，并使之直接显现为简单明了的真理。我举这个例子是想说明，作者的悟性已经引他走到了多么远。

我以前没有读过刘燕燕的作品，《谁是我们的敌人？》是第一篇。一万字左右的长文，我读得毫不费力。一个三十二岁的不怎么出名的女作家要向我们倾诉她的人生经历了，面对她岂非需要一点勇气和耐心？可是我发现我的紧张纯属多余。我眼前放映的这些镜头好像是信手拈来的，其实剪辑得很好，画外音也相当精辟。往事生动而个性化，但人们能从中看到自己所熟悉却未必去细想的时代及其变迁。叙述的语气轻松自由，漫不经心地道出了肺腑之言。在自嘲和反讽的背后，有严肃的自省和反思，更有对自省和反思的结论的置疑。成长有数不清的敌人，永远不可能把敌人消灭光，所以，严格说来，我们永远不可能摆脱成长。出路何在？"我写作，因为生活不完美。所以我不怕我们的敌人，因为我们已经和我们的敌人拥抱在一起，不分彼此。"十分精彩。写作是和敌人——生活中的一切不完美以及生活本身的不完美——斗争与和解的方式。

王雁的《鼓神》栩栩如生地描绘了陕西某地的一个民俗场景，修辞丰富，很有气势。对人物的出场烘托得好，以壮汉烘托老头的瘦弱邋遢，以老头的外形烘托他的鼓神之威，给人印象强烈。文章的题材和技法皆是传统的，有人誉为主旋律，应非戏言。

写名人不好写，容易雷同，容易献媚，张曼菱的《我心中的季羡林》似无此毛病。通篇是赞美，但你仍感到亲切，因为作者的感情是真挚的，取材是有根据的，观察也是细致入微的。这篇文章让我看到了一个生活中的季先生，我觉得比媒体上的可敬可爱。

游子写故乡是常见的题材，易落俗套，朱琦的《故乡黄河中原》却给人清新之感。全文三节，视角各异。第一节写童年记忆，黄泛之灾不掩童趣，当年的泛滥又衬托出今日断流的触目惊心。第二节写历史，脉络清晰，繁简得当，把中原的兴衰描写得很生动，没有书卷气。第三节以杨二爷的个案为由头，揭示中原衰败的根源在于封闭保守，透露出在开放时代中原复兴的希望。可以看出，布局颇具匠心。

刘嘉陵的《我的教唱生涯》用教人唱歌这样的小事情为线索，讲述时代变迁和人生经历，算得别开生面。叙述绘声绘色，不乏风趣。

徐迅的《一个人的河流》举重若轻地描写了一个平凡而特别的人，传达了一个朴素而深刻的真理。首尾呼应好，皆由河及人，似在写人与河的关系，其实蕴涵着人生的道理。文字也好，简洁、隽永、老到。

好了，打住吧，再写下去该八股连篇了。但我不能不提一下那一篇未入等级的征文，读吕义国的《重读父亲》时，我受了感动。看见父亲大病时的软弱，作者震惊了，回忆起了父亲过去遭强权欺凌时的沉默，他一直恨父亲太懦弱，现在却读出了这貌似懦弱背后的隐忍，和隐忍背后的坚强。我曾在农村工作过多年，我知道作者所刻画的这个农民父亲的形象有多么真实。

读一篇散文时，我首先寻找的是独特——不论思想、感觉、眼光、表达，有一样独特就行，如果找不到，我对它就不感兴趣了。独特的东西是真正属于作者自己的，不是重复别人而别人也无法重复，能一下子把人击中。这样被击中是多么愉快的经历啊，可惜这样的作品还是太少了。我不擅长也不喜欢从语文学角度讲评文章，做语文老师肯定不合格。

2002 年 3 月

纯粹艺术：精神寻找形式

2001年3月5日至6日，我在德国参加了由波恩艺术博物馆主办的中德跨文化研讨会，这个研讨会是围绕 Juergen Partenheimer（帕腾海默）的绘画作品展开的。此前，我曾参观过 2000 年 1 月在北京举办的 Partenheimet 艺术展。在这篇文章里，我想结合研讨会所涉及的话题，谈一谈 Partenheimer 艺术给予我的若干启发。

一 抽象绘画：作为精神图像的抽象形式

在中国，我常常听到一些当代画家的悲叹，他们说，艺术的一切形式几乎已被西方的大师们穷尽了，创新近乎不可能了。但是，尽管如此——更确切地说，正因为如此——他们越发竭尽全力地在形式上追求新奇。于是，我们有了许多好新鹜奇的前卫制作品，给我的基本印象是热闹，躁动不安，但缺乏灵魂。所以，Partenheimer 艺术展在中国美术馆开幕的那天，因为听说 Partenheimer 是一位西方著名的当代画家，我差不多是抱着一种成见走进展厅的。

然而，出乎意料地，我获得了一种完全不同的感受。站在这一幅幅色彩单纯和线条简洁的构图面前，我感觉到的是一种内在的宁静和自信。如果说，中国某些前卫画家的画是在喧哗，在用尖叫和怪声引人注意，那么，Panenheimer 的画则是在沉思，在心平气和地说出自己深思熟虑过的某种真理。他的画的确令人想起蒙德里安，但是，从色块的细微颤动和线条的偏离几何图形可以看出，他更多地是在用蒙德里安的形式语言进行质疑，描绘了一种与蒙德里安很不同的精神图像。我不禁想，如果换了某个中国前卫画家，为了躲避模仿的嫌疑，将会怎样夸张地渲染自己对于蒙德里安的反叛啊。事情往往如此：越是拥有内在的力量，在形式的运用上就越表现出节制，反之也一样。

对于一切艺术来说，形式无疑是重要的。可是，我赞同康定斯基的看法：内在需要是比形式更重要的、第一重要的东西，对形式的选择应该完全取决于内在需要。康定斯基所说的内在需要究竟指什么，似乎不易说清，但肯定是一种精神性的东西。按照我的理解，它应指艺术家灵魂中发生的事情，是他对世界和人生的独特感受和思考，在一定意义上可以说，是他看存在的新的眼光和对存在的新的发现。正是为了表达他的新的发现，他才需要寻找新的形式。西方绘画之从具象走向抽象，是因为有感于形式的实用性目的对审美的干扰，因此而要尽可能地排除形式与外部物质对象的联系，从而强化其表达内在精神世界的功能。但是，一种形式在失去了其物质性含义之后，并不自动地就具有了精神性意义。因此，就抽象绘画而言，抽象本身不是目的，也不是标准，艺术家的天才在于为自己的内在精神世界寻找最恰当的图像表达，创造出真正具有精神性含义的抽象形式。

我手头有一本 Partenheimer 赠送的题为《色彩试验》（Versuch ueber die Farben）的书，在这本书中，Partenheimer 把色彩分为红、黄、蓝和黑、白、灰两组，对每一种色彩各用一篇短文和一首诗进行解说。在他的解说中，贯穿着一个明确的认识：色彩所表达的不是与自然客体的一致，而是与精神表象（die geistige Vorstellung）的一致，并非由物理属性得到论证，而是由心灵状态（Psychische Zustaende）得到论证。我本人觉得，对于纯粹形式包括纯粹色彩与精神表象之间的关系的论证是一个极大的难题，困难在于难以彻底排除掉与经验对象的联系，尽管这种联系多半是被象征化了。不过，我在这里要强调的是另一个问题：Partenheimer 之所以能够成功地拓展抽象绘画的丰富的可能性，前提之一是内心拥有丰富的精神表象，这为他寻求形式上的突破提供了有力的动机。我很喜欢他关于色彩写的那几首诗，例如黄色："在岸的弧棱中／天空弯下身子。／洞口大开。／收容我吧。／把我留在／天国快乐的彼岸！"（In den Rippen der Gestade/neigt sich der Himmel./Wei toeffnet sich der Mund./Fang mich auf,/halte mich/jenseits der himmlischen Freude!）白色："苍白的卵石滩上／驻着时间。"（In bleichen Kieseln／ruht die Zeit.）蓝色："时辰的衣裳。"（Stundengewand.）灰色："在不定型的／尘土之桥上／你领我们穿越岁月。"（Ueber gestaltlose Bruecken/yon Staub/fuehrst du uns zwischen den Zeiten.）红色："风暴焦躁地冲向／做着梦的额头。／无人应当在，／除了我。"（Unduldsam draengt der Sturm/zur traeumenden Stirn./Keiner soll sein,/ausser mir.）黑色："关于夜的来源／你知道什么？／谦卑的宝地，／深度记忆。"（Was weisst du/ueber die Quelle der Nacht?/Hort der Demut,/Mnemosyne.）这些意象离感性对象甚远，有着深刻的精神内涵。对照之下，我认为中国一些当代画家与西方同行的差距的确是在精神上的，当务之急是提高精神素质，首先成为真正具有内在需要的人。唯有如此，才能摆脱模仿与反叛的二难处境，才谈得上寻找最适当的形式的问题。

二 跨文化比较：相似点的不同

有的论者把 Partenheimer 的作品与中国书法或中国传统绘画进行比较，寻找其间的联系。我在总体上不太赞同这样的评论方式。毫无疑问，表面上的相似之处总是能够找出来的，例如两者都讲究画面的留有空白。但是，在这里正用得上一句中国古语："疑似之处，不可不察。"

在这种评论方式背后，起作用的也许是一种较为一般的见解，即认为抽象绘画是东方玄学对西方艺术发生影响的结果；甚至是一种更加一般的见解，即认为皈依东方文化是解救西方文化危机的出路之所在。至少在哲学领域里，类似的论调并不罕闻。譬如说，后期海德格尔之喜欢《老子》，这个例子常常被用做一个相关证据。始自柏拉图的西方传统形而上学从一开始就努力于以理性把握世界之整体，这一路径在康德之后越来越陷入了危机之中，于是，通过对理性的批判性反省，有些哲学家便试图另辟蹊径，以非理性的方式来领悟世界整体（海德格尔的 Sein）之意义。相反，中国的道家从一开始就放弃理性之路，把世界整体（"道"）看作不能被理性思维和语言所把握的朦胧（"恍兮惚兮"）的东西。这的确都是事实，但是，从中并不能引出西方哲学皈依中国哲学的结论，两者之间仍有着根本的区别。西方哲学由理性走向非理性，由清晰走向朦胧，这本身即是理性思维的产物。相反，道家的朦胧却在一定程度上表明了中国传统思维在形而上学问题上始终停留于非理性而未达到理性。也就是说，在现代西方哲学的非理性之中已经包含了理性的成果，我们诚然不能断言它一定比东方的原初性质的非理性高明，但至少不可把两者混为一谈。

绘画领域的情形与此十分相像，并且事实上也是以哲学上的差异为其根源和背景的。如果说中国传统绘画和书法的抽象是一种原初性质的抽象，与哲学上那种天人合一的混沌观念有着密切的联系，那么，西方绘画却经历了一个由写实到抽象的发展过程，正相应于西方哲学由实在论（Realismus）向现象学（Phaenomenologie）的转变。在这里，我是在比较广泛的意义上使用这两个术语的，用前者指那种相信在现象背后还存在着某种"物本身"（Dingansich）的观点，而用后者指那种确认在意识中显现为现象是事物存在的唯一方式的观点。按照后者，以反映实在之本来面目为宗旨的写实绘画便失去了根据，而侧重以意识建构精神图像的抽象绘画则获得了充分的理由。因此，由写实向抽象的转折源自对于作为意识把握世界的方式的绘画的反思，是属于整个西方文化对于传统形而上学的批判的总体范围的一个过程。对于中国传统文人来说，绘画和书法更多地是一种道德修养的手段，他们藉抽象而超脱具体人事的羁绊，在空白中寻求淡泊的心境。相反，在西方艺术家那里，从写实到抽象却主要地是对世界的认知方式和解释方式的变化。对于这一点，Partenheimer 本人也有着十分明确的认识。他在《色彩试验》的前言中写道：绘画"并不评注那被模写的东西的缺席，而是指示那被感受到的东西的在场，并且是作为切中原因和原则的意识而在场"（Bilder…kommentieren auch nicht die Abwesenheit dessen,was abgebildet ist,sondern sle zeigen die Anwesenheit dessen,was empfunden wurde und zwar als Anwesenheit des Bewusstseins,das die Ursachen und Prinzipien betrifft)，"向我们提供了一个所见所思之世界的理念"（geben uns eine Idee der geschauten und gedachten Welt）。艺术对于假设的确定之质的拒绝乃是"面对规范化世界的自我肯定的形式"（eine Form der Selbstbehauptung angesichts der normierten Welt）。由此可见，Partenheimer 是自觉地立足于西方理性传统及其现代反省之立场，而把抽象绘画当作一种对世界的革命性的认识手段的。在我看来，中国哲学以伦理为核心，西方哲学以对世界的认识方式为核心，这种根本性的差别同样也表现在绘画中，在比较中西绘画时尤其值得注意。

三 艺术家的个性和艺术的人类性：与全球化无关

这次研讨会的论题之一是全球化对于艺术的影响。在讨论这个问题时，Partenheimer 有一个即席发言，给我留下了深刻的印象。他用激烈的口吻表示，他对全球化不感兴趣，艺术家无须像大经理们那样每天跑一个国家，而应该毫不妥协地坚持自己的个性，用个人的力量来对抗全球化。我十分欣赏他所表达的这种纯粹艺术家的立场。他还谈到，美国的威廉斯、比利时的玛格洛特都是一辈子未尝离开所居住的小镇。在德国期间，我们曾到 Partenheimer 的家里做客，他的家位于一个名叫 Nuembrecht 的静的小镇，居室明净朴素，他自己也是在这样一个远离尘嚣的环境里潜心从事艺术创造的。

全球化主要是一个经济过程，这一过程对于不同文化之间的接触和交流当然是有促进的作用的。但是，我也倾向于认为，真正的艺术家对于全球化是不关心的。在一切文化形态之中，艺术是最不依赖于信息的，它主要依赖于个人的天赋和创造。艺术没有国别之分，只有好坏之分。一个好的中国艺术家与一个好的德国艺术家之间的距离，要比一个好的中国艺术家与一个坏的中国艺术家之间的距离小得多。真正的好艺术都是属于全人类的，不过，它的这种人类性完全不是来自全球化过程，而是来自它本身的价值内涵。人类精神在最高层次上是共通的，当一个艺术家以自己的方式进入了这个层次，为人类精神创造出了新的表达，他便是在真正的意义上推进了人类的艺术。

当我们谈论艺术家的个性之时，我们不是在谈论某种个人的生理或心理特性，某种个人气质和性格，而是在谈论一种精神特性。实际上，它是指人类精神在一个艺术家的心灵中的特殊存在。因此，在艺术家的个性与艺术的人类性之间有着最直接的联系，他的个性的精神深度和广度及其在艺术上的表达大致决定了他的艺术之属于全人类的程度。在这意义上可以说，一个艺术家越具有个性，他的艺术就越具有人类性。人们或许要在个性与人类性之间分辨出某些中间环节，例如民族性和时代性。当然，每一个艺术家都归属于特定的民族，都生活在一定的时代中，因此，在他的精神特性和艺术创作中，我们或多或少地可以辨认出民族传统和时代风格对他发生的影响。然而，这种影响一方面是自然而然的，不必回避也不必刻意追求，另一方面在艺术上并不具备重要的意义。我坚持认为，艺术的价值取决于个性与人类性的一致，在缺乏这种一致的情形下，民族性只是狭隘的地方主义，时代性只是时髦的风头主义。凡是以民族特点或时代潮流自我标榜的艺术家，他们在艺术上都是可疑的，支配着他们的很可能是某种功利目的。全球化过程倒是会给这样的伪艺术家带来商业机会，使他们得以到世界各个市场上推销自己的异国情调的摆设或花样翻新的玩具。不过，这一切与艺术何干？

　　我的结论是，对于艺术家来说，只有两件事是重要的：第一是要有丰富而深刻的灵魂生活，第二是为这灵魂生活寻找最恰当的表达形式。

2001 年 5 月

一个现代主义者对后现代主义的感想

一

我一直不喜欢所谓的后现代主义。我甚至不喜欢"后现代主义"这个词，在心中判定它是一个伪概念。世上哪里有"后现代"这样一个时代？即使你给现代乘上"后"的无限次方，你得到的仍然是现代。你永远只能生活在现在，如果你已经厌倦了现在，你不妨在想象中逃往过去或未来，可是，哪怕在想象中也不存在"后现在"这样一个避难所。我据此推断，后现代主义者是现代社会里的虚假的难民，他们在现代社会里如鱼得水，却要把他们的鱼游之姿标榜为一种流亡。

尼采的"上帝死了"宣告了一个时代的开始，我们把这个时代称作现代。这个名称是准确的，因为这个时代的确属于我们，我们至今仍生活在其中。上帝之死的后果是双重的。一方面，一切偶像也随之死了，人有了空前的自由。另一方面，灵魂也随之死了，人感到了空前的失落。灵魂死了，自由有何用？这是现代人的悲痛，是现代主义文化的不治的内伤。这时候，来了一些不速之客，他们对现代人说：你们的灵魂死得还不彻底，等到死彻底了，你们的病就治愈了。

如今，这样的不速之客已经形成一支壮大的队伍，他们每人的后颈上都插着一面"后"字旗。

当现代主义在无神的荒原上寻找丢失的灵魂之时，后现代主义却在一边嘲笑，起哄，为绝对的自由干杯，还仗着酒胆追击荒野里那些无家可归的游魂，用解构之剑把它们杀死并且以此取乐。

二

我的朋友李娃克，你竟然说你怀着"后现代主义激情"，我相信你一定用错了词汇。"后现代主义"与"激情"是势不两立的，"后现代主义激情"是一个自相矛盾的概念。

激情的前提是灵魂的渴望和追求。渴望和追求什么？当然是某种精神价值。重估一切价值不是不要价值，恰好相反，正是因为对价值过于看重和执著。现代主义是有激情的，哪怕它表现为加缪式的置身局外。现代主义不喜欢自欺和炫耀，所以不喜欢那种肤浅的、表面的激情，例如浪漫主义的激情。渴望而失去了对象，追求却找不到目标，这使得现代主义的激情内敛而暗哑，如同一朵无焰的死火。

后现代主义却以唾弃一切价值自夸，以消解灵魂的任何渴望和追求为能事，它怎么会有、怎么会是激情呢？

　　我不怀疑你拥有激情，但那肯定不是"后现代主义激情"。这个时代太缺少激情，你的激情无处着陆，于是你激情满怀地要做一个后现代主义者。这当然是一个误会。你为人们的不易激动而激动，可是你的激动仍然无人响应，你决定向这些麻木的人们扔出一枚炸弹。结果你扔出的是几个身穿寿衣的女孩子，她们走进麻木的人群，但没有爆炸。

三

　　在长城、天坛、故宫、天安门，若干身穿寿衣的人鱼贯而行，并排而行，成队形或不成队形而行，这些场景有何寓意？是警示芸芸众生思考死亡，还是讽喻世人如行尸走肉？是一声警世的呐喊，还是一纸病危的通知？在这些兼为历史遗产和风景名胜的场所，鬼魂和游人一齐云集，究竟谁是主人，谁是入侵者？

　　我注意到了这样两个镜头：在长城，当寿衣队伍走过时，几个金发碧眼视若无睹，游兴不减；在天安门广场，当寿衣人鱼贯"投票"时，几个同胞始终旁观，表情麻木而略带诧异。

　　我仅仅注意到了，不想以此说明什么。

　　今日的时代，艺术已成迂腐，艺术家们也渴望直接行动。但艺术家的行动永远不过是一个符号罢了。

　　即使让一切活人都穿上寿衣，你也不能使人们走近死亡一步，或者使死亡远离人们一步。你甚至无法阻止你设计的寿衣有一天真的成为时装流行起来。

　　我想起一幅耶稣画像，画中的耶稣站在圣保罗教堂的台阶上，拥挤的人群根本没有注意到他。人群中，几个牧师正为神学问题争辩不休，顾不上看耶稣一眼。

　　我还想起巴黎的蒙巴拿斯墓园，我曾经久久伫立在园中最简朴的一座墓前，它甚至没有墓碑，粗糙的石棺椁上刻着萨特和波伏瓦的名字。

　　与死亡相比，寿衣是多么奢侈。

1999 年 3 月

零度以下的辉煌

这是入冬以后的废园，城市的喧嚣退避到了远方，风中只有枯树，静谧的阳光中只有一个瘦削的身影和一只巨大的相机镜头。我们看不见镜头后面的一双迷醉的眼睛，但看到了镜头所摄下的令这双眼睛迷醉的景象。在北京的艺术家圈子里，刘辉对荷花的痴恋已经传为佳话。连续五个秋冬，这个来自东北的青年画家仿佛中了蛊一样，流连在京郊每一片凋败的荷塘边，拍摄下了数千张照片，现在摆在我们面前的便是其中的一小部分。

赏荷原是中国文人的雅趣，所赏的是那浮香圆影的精致，那出污泥不染的高洁，实际上是借荷花而孤芳自赏。所以，在古人的咏荷诗里，会屡闻"恨无知音赏"、"飘零君不知"一类的怨叹。刘辉的意境当然与这一文人传统毫不相干。他是来自一个完全不同的地方，我几乎要说他是来自荒野，他那北方汉子的粗犷性格中没有多愁善感，也不受多愁善感的文字的暗示。同时，作为一个画家，他对美的图像又有敏锐的感觉。这两者的结合，使他成为了一个壮美的颓荷世界的发现者。他诚然偏爱秋冬的荷塘，但是，他的作品表明，他对颓荷的喜爱不带一丝伤感，相反是欢欣鼓舞的。他之所以欢欣鼓舞是因为他看见了美，这美如此直接地呈现在眼前，不容否认，也无须分析。你甚至不能说这是一种飘零的美、颓败的美，因为飘零、颓败这些字眼仍然给人以病态的暗示，而在一个真正的艺术家眼里，凡美皆是健康的。在他的作品中，我们确实看到了飘零本身可以是一种丰富，颓败本身可以是一种辉煌，既然如此，何飘零颓败之有？

刘辉把自己的这个摄影集命名为《零度以下》，我觉得非常好。这个书名很中性，不标榜任何观念也不宣告任何态度，确切地表达了他的艺术立场。他只是在看，也让我们和他一起看，看世界从零度以上进入零度以下，看大自然的形态和颜色渐渐变化，看荷塘由柔蓝变成坚白，荷干由黄粗变得黑细。最后，世界凝固在零度以下，这些黑铁丝一样的枝干朝不同方向弯折成不同角度，在岩版一样的冰面上意味深长地交错密布，构成奇特的造型，像巫术，又像现代舞，像史前的岩画，又像新潮的装置作品。看到这些，我们不能不和刘辉一起惊喜。看并且惊喜，这就是艺术，一切艺术都存在于感觉和心情的这种直接性之中。不过，艺术并不因此而易逝，相反，当艺术家为我们提供一种新的看、新的感觉时，他同时也就为我们开启了一个新的却又永存的世界。刘辉的作品的确为我们展示了荷花的另一种存在，与繁花盛开相比，它也许更属于世界的本质。我由此想到，世上万事万物，连同我们的人生，也一定都有零度以下的存在，有浮华凋尽以后的真实，等待着我们去发现和欣赏。

　　其实，若干年前，我也曾在冬日到过刘辉常去的那座废园，当时也被颓荷的美震住了。然而，对于我来说，这个经验似乎只具有偶然性，只是我的日常生活中的一个小插曲，很快被我遗忘了。乍看到刘辉的摄影，记忆立刻苏醒，我心中不免羡慕，但是我不嫉妒。面对每一种特殊的美，常人未必无所感，却往往用心不专，浅尝辄止，事实上把它混同于一般的美了。只有极少数人，也许天地中唯有此一个人，会对之依依不舍，苦苦相恋，梦魂萦绕。我相信，这样一个人对于这一种特殊的美是拥有特权的，他是真正的知音，那个世界理应属于他。不久前，也是冬日，我随刘辉重游废园，他对那里一草一木的熟悉和自豪，真使我感到仿佛是在他家里访问一样。有一会儿，我在岸上，看他立在荷干之间的朴素的身影，几乎觉得他也成了一株荷干。于是我想，在一个艺术家和他所珍爱的自然物之间，冥冥中一定有着神秘的亲缘关系。那么，在这意义上，我应该说，刘辉看见并且让我们看的就不仅是瞬时的图像，更是他自己的古老而悠久的谱系。

2000 年 2 月

| 摇滚的真理 |

——《自由风格》序

一

我还清楚地记得与崔健第一次见面的情形。那是十多年前，他的《一无所有》刚刚开始被年轻人传唱，在我也是结识不久的梁和平家里，中央乐团的一间小小的宿舍。我先到达，他进门后，把与他同来的刘元向我作了介绍，我发现站在我面前的两伙伴年轻得还近乎是孩子。第一眼的印象是朴实，有些腼腆，话语不多。我也是话语不多的人，只问了一个有关写歌词的问题，他回答说他文化不高，写词比较费劲。后来，当我一再惊讶于他的歌词的异常表达力之时，我就会不由自主地想起他说的这话。他还告诉我，他不喜欢读书，却喜欢读我的《尼采：在世纪的转折点上》，他的搞摇滚的朋友们也都喜欢。那天晚上，他弹着吉他，低吟浅唱了几支歌，这些歌日后成了他的第一张专辑中的名曲。

在那以后，我作为一个观众出席过 1989 年 3 月在北京展览馆剧场举办的"新长征路上的摇滚"演唱会，还因若干偶然的机会和他见过几面。应该说，我和他的个人接触是十分有限的。但是，十多年来，他的艺术态度和精神立场的独特性始终引我关注。从他从事音乐创作的认真和推出新作的谨慎，从他每一部或引起轰动或引起争议的作品的内涵，从他无论面对轰动还是争议的冷静，从他在媒体面前的自重和低调，从偶尔读到或听到的他的片言只语，我都感觉到他是一个内心非常严肃的人。我越来越相信，虽然他被公认为中国摇滚第一人，但他的意义要超过摇滚，虽然他的出场比别的歌星更使观众激动，但观众对他的尊敬远非简单的偶像崇拜。我自己完全谈不上是歌迷，正因为如此，我也许能够从一个不同的角度体会到他在中国当代心灵史上的分量。

由于上述原因，我产生了与崔健进行思想对话的愿望。我的目标不只是个人的交流，我更想做的事情是用我的笔来传达他的思考。我的天性使我远离各种热闹，我不会想到要替任何别的演艺界名人做这样的事情。然而，崔健是一个例外。出于一种精神上的感应，我觉得我能够理解他在名声包围下的孤独，在沉默包围下的坚定。我确信他是当今时代不多的特例之一，既是世俗意义上的成功者同时又是精神上真正的优秀者。他始终行走在他自己的精神高度上，并且行走得那么自然，因为

115

支撑着他的不是某种观念，而是健康的本能和直觉。在今日的文化舞台上，凭借本能和直觉而直抵时代之核心的声音十分稀少，因而愈加可贵。崔健不只属于他的歌迷，他也应该属于我们时代一切关心自己的生存状态和精神生活水准的人。我相信，如果用另一种形式说出他在摇滚中说的东西，许多不习惯欣赏摇滚的人也会愿意倾听，并且受到鼓舞和启发。

使我感到幸运的是，尽管崔健一向对发表公开谈话持慎重的态度，但他欣然接受了我的建议。我感谢他对我的信任。

二

我眼中的崔健是一个执著的思想者，但首先是一个非常真实的人，他直接立足于生存状态，其间没有阻隔也不需要过渡，他的音乐和思想的力量都在于此。在他的思考中，始终占据着中心地位的是一个尖锐的问题，便是人怎样才活得真实。这个主题贯穿于他的音乐创作中，也贯穿于他的生活态度中，把他的艺术和人格统一了起来。

在甜歌蜜曲和无病呻吟泛滥的流行歌坛上，崔健是一个异样的存在。他的作品从来都言之有物，凝聚着那种直接源自健康本能的严肃思考。在他的作品中，我们一方面可以听到生命本能的热烈呼喊，另一方面可以听到对生命意义的倔强追问。他忠实于自己的灵魂，忠实于内心的呼声，在这一点上决不肯委屈自己，使他的作品有了内在的一贯性。由于这同一个原因，他对时代状况又是敏感的，随着社会转型的演进，他不停地反思和质疑，对于任何一种虚假的活法都不肯妥协。他的作品之所以具有人们常常谈论的那种批判性，根源不在某种世俗的政治关切，而恰恰在他对于人的生存状态的关注和寻求真实人生的渴望。

人怎样才活得真实？对于这样一个问题，无论谁都不可能找到一劳永逸的答案。不过，我们至少可以确认，任何一种真实的活法必定包含两个要素，一是健康的生命本能，二是严肃的精神追求。生命本能受到压制，萎靡不振，是活得不真实。精神上没有严肃的追求，随波逐流，也是活得不真实。这两个方面又是互相依存的，生命本能若无精神的目标是盲目的，精神追求若无本能的发动是空洞的。作为一个摇滚歌手，崔健在摇滚中找到了一种适合于他的方式，使他觉得可以把本能的自由和精神的严肃最佳地结合起来。当然，这种适合于他的方式未必适合于其他人。我认为，重要的是我们每一个人都应该去寻找一种适合于自己的方式，都应该倾听自己内在生命的呼声，关注自己的生存状态，不断地寻求一种既健康又高贵的人生，简言之，一种真实的活法。这就是崔健用他的作品所启示给我们的真理，我称之为摇滚的真理，实际上也就是生命的真理。

三

当我们坐下来进行本书由之形成的一系列交谈时，距最初的见面十多年了，崔健已不复是当年那个初出茅庐的小青年，而是一个功成名就的中年人了。他朴实依旧，多了一些沧桑感。然而，他依然是富有激情和活力的。平时沉默寡言的他，一旦谈论起感兴趣的话题，便江河滔滔，精彩纷呈，使在座的人都感觉到是一种享受。

我们先后进行了五次谈话，分别是在今年的2月1日、6月9日、6月21日、8月31日、12月2日。谈话的主角理所当然地是崔健，话题是广泛的，以音乐为重点，兼及他对艺术、文化、社会、人生的看法。每一次谈话都有录音，并整理出原始文字材料。然后，我根据原始材料按照主题再做整理。这样产生的初稿在我和崔健之间往返了许多次，分头进行了仔细的修改，最后才形成现在的定稿。这样一本小小的书，我们围绕它工作了将近一年。我想借此表明的是，我们的态度是十分认真的。对于崔健，这是他不愿意多用的一种方式，他更愿意用音乐来说话，在许多年里他不会再出另一本用文字表达自己的书了，因而必定格外慎重。对于我，我觉得自己负有一种责任，生怕自己不能充分而又准确地传达他的看法，留下长久的遗憾。可是，我知道遗憾是难免的，由于我不善音乐，不擅言谈，就未必能激发他把自己的宝藏都展现出来。因此，我虽可力求准确，却难以做到充分。不过，不管怎样，在完成了本书的时候，我想说，在我的生涯中，这是一次愉快和难忘的合作。

我自己从这次合作中确实获得了极大教益，它给我提供了一个机会，得以面对一个人生道路和事业领域与我完全不同的优秀者，聆听他对生活的认识。在谈话过程中，沟通令我欣慰，但差异更促我深思。作为一个一辈子与文字为伴的读书人，我尤能感觉到他对纯文字的批评的警策力量。我希望我有理由据此期待，本书将不但有助于喜欢崔健的人们进一步理解他和他的作品，而且有助于包括知识分子在内的各方人士进一步思考自己和自己的人生。

2000 年 12 月

灵魂似乎还活着

——读崔健的歌词

把崔健的歌词当作独立的文本解读，这是一个冒险，崔健自己也许会反对这种做法。在他看来，歌词是从音乐中生成的，音乐是源，歌词只是流，不能脱离他的音乐来谈他的歌词。但是，我只能做我力所能及的事，而把完善的评论留待行家们去做。我这样做也不无收获，结果我的发现是，这些在狂热的演唱中呼啸而过的句子有着丰富的思想含量，它们是值得在安静中仔细玩味的。

一

80年代中期，中国仿佛刚刚从漫长的冬天中苏醒过来，大地和人心开始回春，坊间流行的是来自港台和模仿港台的甜歌软曲，人们久被压抑的心灵在脉脉温情中品尝着解放的喜悦。就在这个时候，二十五岁的崔健带着一支苍凉激越的歌踏上歌坛，一举成名，从此开始了他的不断引起关注和争议的艺术生涯。

从歌词的内涵看，《一无所有》在当时之所以能够收振聋发聩之效，是因为它触及了解放的更本质的方面。当许多人陶醉于解放所带来的实惠之时，崔健站在解放的终点上极目四望，他看到的不是歌舞升平，而是失去传统之后的荒凉，荒凉中的自由，以及自由中的追求。

"一无所有"的含义是丰富的。它使人想到遭遇体制转变的一代青年的处境：没有了意识形态所规定好的现成的人生目标和理想，也已经或即将失去体制所安排好的现成的谋生手段和饭碗。在同期作品《出走》中，崔健更清楚地表达了这种因传统的断裂而产生的无所依凭之感："我闭上眼没有过去，我张开眼只有我自己。"但是，在崔健心目中，"一无所有"更是一种新的人格理想：真正的男子汉恰恰不愿意也不需要别人给他准备好现成的一切，他因此而有了自己的追求和自由。整支歌的基调既是在诉说自己一无所有，又是在反驳那个姑娘笑他一无所有，使得"一无所有"的含义更加不确定。

我要给你我的追求

还有我的自由

可你却总是笑我，一无所有

脚下这地在走

身边那水在流

可你却总是笑我，一无所有

在无所依凭中依凭自己，在一无所有中创造，在广阔的世界上走出自己的路来，这样的男人究竟是贫困还是富有？姑娘究竟是在笑他还是在爱他呢？

我要抓起你的双手

你这就跟我走

这时你的手在颤抖

这时你的泪在流

莫非你是在告诉我

你爱我一无所有

崔健从一开始就显示了他不可能是一个新的青春偶像，他用沙哑的嗓音吼出的是转型时期新一代人中那些富有男子气概和创造精神的人的人格宣言和爱情宣言。

二

可是，作为生长在红旗下的一代人，崔健对于他从小耳濡目染的传统并非可以简单了断的。在他的早中期作品中，反思与这一传统的关系是一个经常出现的主题。

从小接受老长征的教育，现在又听到了新长征的号令。把新时期的任务喻为新长征，当然明示了传统的继承。如果把人生也譬作一次长征，那么，一个刚刚踏上人生征途的青年如何来加入这个传统呢？在《新长征路上的摇滚》中，崔健唱道——

听说过，没见过，两万五千里

有的说，没的做，怎知不容易

埋着头，向前走，寻找我自己

走过来，走过去，没有根据地

半个世纪前的长征毕竟是一个"听说过，没见过"的遥远的传说，一个"有的说，没的做"的抽象的榜样。人生的长征之路怎样走，还得靠自己来思考。一个巧妙的置换发生了，长征由一个意识形态概念变成了一个人生哲学概念。长征的目的不是要寻找根据地吗？在这社会变动的时代，"走过来，走过去，没有根据地"是新一代人的真实处境，因此每一个人的首要使命正是寻找自己精神上的根据地，这个根据地就是他的真实的自我。这是一个艰难的使命，在寻找的过程中必定会常常发生困惑："怎样说，怎样做，才真正是自己？"但是，目标已经确定，不论多么艰难，都要"埋着头，向前走，寻找我自己"。

这个早期作品预示了作者后来的全部创作的基本主题，就是要寻求一种真实的活法。情况往往是，一个流行的句型被说得越多，就被想得越少。于是，在无人置疑之处发生困惑就成了罕见的诚实。作者在这个作品中已经表现出了构成他的艺术特色的一种技巧——解构和巧用流行话语，通过语境的转换给它们注入独特的个性内涵。

时轮转到了90年代中期，市场化进程在中国大地上急剧推进，社会场景为之一变。在拜金之风盛行的日子里，崔健又出人意料地审视起了自己这一代人与红色传统之间的割不断的血缘关系。《红旗下的蛋》贯穿着一种严肃的幽默感，这个独创的生动比喻是他对这一代人的定位，也是他的自我认知。在金钱和权力的双重笼罩下，这一代人的软弱（"虽然机会到了，可胆量还是太小"），幼稚（"挺胸抬头叫喊，是天生的遗传"），暂时迷失方向（"我们没有理想"，"看不见更远地方"），都可以追溯到这个血缘根源。

我们是"红旗下的蛋"，这是一个我们无法否认的事实，谈不上好坏。"我们的个性都是圆的，像红旗下的蛋。"这好像是在讽刺。"看那八九点钟的太阳，像红旗下的蛋。"这又好像是在勉励了，令人回想起一个曾经如此激动我们的声音："世界是你们的……"不过，在这里，甚至讽刺和勉励之间的界限也是模糊的，勉励似乎仍有一种讽刺的意味，而讽刺却似乎又有一种原谅的意味。最后，崔健用哲理的语言做出总结——

现实像个石头

精神像个蛋

石头虽然坚硬

可蛋才是生命

恰当的价值对比是在蛋和石头、精神和现实之间进行的。软弱、幼稚、迷惘都不足悲，只要你仍有一颗活的灵魂。崔健当然不是在提倡以卵击石，而是在提醒同代人保护好精神之蛋，不要让它被坚硬的现实之石击碎。

如果说《红旗下的蛋》是把自己置于传统之中的反省和自励，那么，《盒子》就是对同一传统的尖锐批判了。这支歌用诙谐的语调讲述了一个关于理想的寓言：我的理想在那个红旗包着的盒子里，骄傲的胜利者坐在那盒子上，盒子里装的是什么，人们从来没见过；为了找到我的理想，我咬破那个旗子钻了进去，才发现这些盒子是一个套着一个的；我踩破了所有这些盒子却一无所获，突然听见我的理想在背后叫我。这个寓言在叙述过程中带有卡夫卡式的冷峻和荒诞，但结尾却是温暖和光明的。这也许是因为，崔健从来不是一个虚无主义者，在否定了虚假的理想之后，他始终还相信真实的理想。

三

人们常常谈论崔健对于现实的不妥协的反抗立场，然而，在我看来，反抗本身不能构成为一种立场。一切为反抗而反抗的立场只能沦为一种姿态（如在某些自命的前卫艺术家身上），或者一种观念的演绎（如在某些文人身上）。任何有意义的反抗总是有所坚持的，是对某种价值的肯定、捍卫和追求。在崔健那里，这种价值就是真实的人生。在传统崩溃之际，他不是做简单的肯定和否定的判断，而是强烈地感受到了发现自己一向活得不真实的苦恼和不知如何能活得真实的迷惘，这是极其深刻的内心经历。从此以后，一种健康的生命本能在他的身上觉醒了，指导他形成了真正属于他自己的价值理想，使他拥有了一个坚实的精神内核。在他的早期作品中，我们已经可以看到，正是这种内在的真实和坚定使他在变化着的时代现象面前保持着清醒，自然而然地拒绝一切虚假的生存。

《让我睡个好觉》是为一次义演写的，义演的目的是为修复芦沟桥募捐。芦沟桥之出名，是因为战争。修复芦沟桥，是为了经济。那么，歌的内容应该是不出这两个方面了。崔陡在这里又一次显示了超越常规思维的本领。设身处地为桥本身想一想，战争和经济都不是它的本性所需要的，它已经"受够了马车花轿汽车和大炮"，"很久没睡过好觉"，它的心声是："该让我听见水声，听见鸟叫，该让我舒舒服服睡个好觉。"这当然是在借桥说人，表达了对一种更加合乎自然的生存状态的渴望。

在《不是我不明白》中，崔健对于世界正在发生的变化表示困惑："我曾经认为简单的事情现在全不明白，我忽然感到眼前的世界并非我所在。"兴建中的座座高楼，人的海洋，交通的堵塞，这些景象表明人的生活方式正在日趋复杂化。"过去我幻想的未来可不是现在，现在才似乎清楚什么是未来。"这是困惑，同时也是清醒的质疑，所质疑的是人类究竟应该朝哪里发展，怎样的生活才是合乎人性的生活。

一颗觉醒的灵魂，它的觉醒的鲜明征兆是对虚假的生活突然有了敏锐的觉察和强烈的排斥。这时候，它就会因为清醒而感到痛苦。我对这种痛苦是熟悉的，但是，崔健在《从头再来》中的表达仍然令我吃惊。歌以一个豪迈的句子开头："我脚踏着大地，我头顶着太阳，"可是，接下来却是："我装做这世界唯我独在。"立刻把那个豪迈的开头变成一种自嘲了。然后是："我紧闭着双眼，我紧靠着墙，我装做这肩上已没有脑袋。"后面还有："我越来越会胡说，我越来越会沉默，我越来越会装做我什么都不明白。"一再出现"装做"这个词，面对自己的清醒，面对周围虚假的生活，他不得不装做不看见，不思想，不明白，他用假盲目、假糊余、假麻木来逃避清醒的痛苦。

这表明了虚假生活的势力之强大和面对它的无奈，在这无奈之中，产生了"从头再来"的渴望。我注意到作者在迭唱中反复使用"存在"这个哲学概念，并且完全是自发地把它用得很有哲学意味。

我不愿离开，我不愿存在

我不愿活得过分实实在在

我难以离开，我难以存在

我难以活得过分实实在在

这里的"存在"相当于黑格尔的"存在"概念，是一种缺乏精神性的简单的存在，也就是动物式的"活得过分实实在在"。

我想要离开，我想要存在

我想要死去之后从头再来

这里的"存在"相当于海德格尔的"存在"概念，是一种体现了生命意义的丰富的存在，也就是作者所渴望的从头再来的真实的生活。

也许我的解释有些牵强。不过，我的理解不是来自理论分析，而是来自直觉印象，我确实感觉到这首歌具有一种不寻常的哲学深度。

寻求真实的活法是每个人在天地之间固有的自由，但享用这个自由却需要勇气。从前有过太多的受人操纵和做给人看的虚假情感，使喜怒哀乐成了哭泣、演戏、虚伪和忏悔。在《不再掩饰》中，崔健鼓励自己和人们首先要有自我表达的勇气，如此才会有真实的情感："我的泪水已不再是哭泣，我的微笑已不再是演戏……我的坚强已不再是虚伪，我的愤怒已不再是忏悔。"这不是哭泣的泪水，不是演戏的微笑，不是虚伪的坚强，不是忏悔的愤怒，不但是更真实的，而且是更有力度的，"不再掩饰"正来源于并且证明了人格的力量。

四

90年代初，在《快让我在这雪地上撒点儿野》中，崔健给我们讲述了一个病人的故事。这个病人光着膀子，迎着风雪，跑在逃出医院的道路上。他痛苦地叫喊着：别拦着我，我也不要衣裳，给我点儿肉，给我点儿血……

给我点儿刺激，大夫老爷

给我点儿爱情，我的护士小姐

快让我哭要么快让我笑

快让我在这雪地上撒点儿野

歌中反复吟唱的句子是：

快让我在这雪地上撒点儿野

　　因为我的病就是没有感觉

　　什么样的人会因为麻木而感到如此痛楚呢？一个人把没有感觉感受为一种尖锐的病痛，岂不正因为他的感觉过于敏锐？所以，问题出在这个世界不能让人痛快地哭痛快地笑。最使一颗优秀的灵魂感到压抑的当然不是挑战，而是普遍的平庸和麻木。于是，在众人宁愿躲在医院的暖被窝里养病或装病的时候，他独自跑到风雪中发出了尖利的呼叫。

　　在同期作品《像是一把刀子》中，作者就直接向社会的麻木宣战了。手中的吉他被譬做一把刀子，用它割下自己的脸皮（也许他恨脸皮是人体最容易装假的部位），只剩下一张嘴（对于崔健来说，嘴只是用来唱歌的，而唱歌必是真实的，不真实就不是唱歌），目的却是——

　　不管你是谁，我的宝贝

　　我要用我的血换你的泪

　　不管你是老头子还是姑娘

　　我要剥下你的虚伪看看真的

　　那种普遍的麻木已经令作者透不过气来了，他无论如何要把它捅破。其实世界上发生过某些重大事情，人们却装做什么事也没有发生一样。"人们面带微笑和往常一样仍在这周围慢慢地走着"；我又何尝不是这样，"我面带着微笑，和人们一样，仍在这世上活着。我做好了准备，真话、假话、废话都他妈得说着。"（《北京故事》）一切都可以原谅，不可原谅的是灵魂的萎缩，麻木的病症由表及里，虚伪下面不再有真诚的核心。"我想唱一首歌宽容这儿的一切，可是我的嗓子却发出了奇怪的声音。"（《宽容》）在接下来的"呵呵"的怪声中，压缩着多少无法说清的痛苦。

　　在《缓冲》中，作者表达了一种灵魂被粘滞在平庸的现实之中的痛苦。我"从天上飞了下来"，那大约是一次旅行归来，回到了熟悉的环境中。这环境化做一片叫人腻味的声音，副歌反复唱道——

　　周围到处传出的声音真叫人腻味

　　让我感到一种亲切和无奈

　　周围到处传出的声音真叫人腻味

　　软绵绵酸溜溜却实实在在

　　我首先产生的反应是格格不入，不想看见朋友，不想再说废话，要跟所有的人保持距离。我发现我挺喜欢这种有脾气的伤感，因为它使我"还能看见我的生活的态度，还能感到我的灵魂似乎还活着"。在作者看来，灵魂活着是人生最重要的事情。我浑身骚动的热血与这环境的对比令我疯狂，我愿把这种疯狂永远保持下去。可是，第二天早晨起来洗完了脸，疯狂不见了，我像以前一样无所谓地走出了家门，和所有我的熟人打着同一样的招呼。我不由自主地开始装糊涂，这使我感到一种比疯狂更加强硬的恐惧。

这些描述真正具有一种令人震惊的深刻。普遍的平庸之可怕就在于它让人感到一种亲切，这种亲切具有死亡的气息，这种死亡又仿佛是有灵魂的一样，它对那些不甘让灵魂死去的人发生着强大的威慑作用。

我把以上几首歌放到一起评述，是因为它们使我清楚地看到，崔健的确是一个灵魂的歌者。他在这个时代里真实地生活着，既没有逃避，也没有沉沦，他的灵魂始终清醒地在场，经历了最具体的磨难和危险。他对灵魂的关注决非空洞的，他不是居高临下地要拯救众生，他关于灵魂所说的一切都是他自己的灵魂中所发生的事情。正因为如此，他的歌才会在别人的心灵中引起震撼。

五

在崔健的作品中，有两首歌如同摄像机镜头一般，生动地摄下了90年代中平庸的生存状态的两组画面。

《混子》把镜头聚焦于这样一种类型，其生存状态的特征是：一、得过且过，每天的日子都是"白天出门忙活，晚上出门转悠"，只生活在眼前，只考虑挣钱，对过去和将来一概不关心；二、故作潇洒，有一股机灵劲儿，自以为对世事"看透了琢磨透了但不能说透了"，万事不固执，不较劲，脸上挂着"无所谓的微笑"；三、玩世不恭，到了以任何严肃为羞耻（"说起严肃的话来总是结巴兜圈子"）和虚伪（"别跟我谈正经的，别跟我深沉了"）的地步，以没有理想为时髦，视理想为过时之物。这些特征可以用一个词概括，就是"凑合"。

凑合的生活是典型的虚假生活，因为灵魂始终不在场。当凑合成为社会上的普遍心态和风气时，一个热爱生活的人就不得不承受巨大的寂寞，于是他发出了由衷的呼喊——

我爱这儿的人民我爱这儿的土地

这跟我受的爱国教育没什么关系

我恨这个气氛我恨这种感觉

我恨我生活除了"凑合"没别的目的

那么，谁是混子呢？应该说，谁都有可能成为混子。有一些人曾经似乎很有理想，有自己的精神上和艺术上的追求，后来又似乎是为了使理想的实现具备必要的经济实力，便全力以赴去挣钱。正是从这些人中产生出了许多混子。作者如此描述他们的心理演变过程——

> 多挣点钱儿多挣点钱儿
>
> 钱儿要是挣够了事情自然就会变了
>
> 可是哪儿有个够可是哪儿有个够
>
> 不知不觉挣钱挣晕了把什么都忘了

并且剥夺了他们为自己辩解的理由，尖锐地指出："我看你比世界变得快多了要么是漏馅儿了。"一个人的精神追求和艺术追求这么容易被金钱消解，这只能证明他的追求原本就不坚定，甚至原本就是自欺。不过，精神上的诚实和坚定是很高的要求，人是容易被环境支配的，因此《混子》仍是一面人人应该经常照一照的镜子。

在《春节》中，崔健如同一个局外人来到神州大地，摄取了今日中国人欢度这个传统节日的典型场面——

> 恭喜你发财是最美好的祝愿
>
> 祝你平平安安八百年都不会变
>
> 听听酸歌蜜曲永远把温情留恋
>
> 这是生存的智慧这是福海无边

一年一度，举国上下，人们以"发财"、"平安"互相祝愿，并坐在电视机前收看千篇一律的晚会节目，这成了一种固定模式。作者当然不是反对民族节庆，他讽刺的是通过节庆方式反映出来的社会心理和生存状态。会心者自会明白，他不是故意要置身局外，而是本能地无法融入。这种节庆方式是传统文化与市场经济结出的怪胎，张扬着一种既中庸知足又精明实际的生活哲学——

> 老老实实地挣钱这是光明的前途
>
> 搞好那人际关系那是安全的后路

问题仍在由此反映的生存状态之缺乏有生命力度的爱（"身上有了股春劲，却没有爱的体验"）和灵魂的参与（"忘掉了灵魂的存在，生活如此鲜艳"），使得快乐和苦恼都流于肤浅。歌以一段情感复杂的干吼结尾，像是戏谑的模仿，也像是愤怒的讽刺，会使一切想发财和不想发财的人听了都不舒服，也许还会使他们因为这种不舒服而好好想一想——

> OHYE
>
> 一年到头来
>
> OHYE
>
> 恭喜你发财

对于90年代，崔健感触良多。他觉得自己"心中早已明白"，却又苦于"语言已经不够准确"，所以只好等待，"一天从梦中彻底醒来，回头诉说这个年代。"（《90年代》）在90年代，中国在精神层面上所发生的变化的确一时难以说清也难以评价。一个显著的现象是，人们在对意识形态表现出冷淡的同时，也对一切精神价值表现出了冷淡。所谓的价值多元，本应是鼓励一切个人独立寻求生命的精神意义，现在却成了许多人放弃任何精神追求的掩饰。这就是90年代的时代精神吗？崔健断然否认："别说这是时代……周围到处不过还是一些腐朽的魅力。"（《笼中鸟儿》）这种腐朽风格的特点是"用谎言维护着平庸的欢乐"（《新鲜摇滚Rock'nRoll》）。我认为我们有理由与崔健一起相信，平庸不是90年代所酝酿的新的生活方式，而是一种腐朽。有一天我们回过头来看90年代，应能发现某种真正的新的健康的生活方式是从这个时代的变化中生长出来的。

六

在崔健的作品中，有相当部分涉及性和爱情，我把它们都算作情歌。他的情歌富有象征意味，总是在唱着爱情的同时，也唱着比爱情更多的东西。那多出的东西是什么，不同的耳朵所听到的也必然不同。那么，我只能说一说我所听到的。

其中有一类歌的主题比较明确，大致围绕着爱情与自由的关系，而且往往是强调两者的冲突，在较晚的作品中才开始寻求两者的统一。

在《花房姑娘》中，花房与大海构成了一个鲜明的对照。花房是舒适和安宁，大海是自由和解放。花房是单纯、质朴、美好的爱情，大海是丰富、广阔、伟大的精神追求。我走在通向大海的路上，花房姑娘就站在路旁。她带我走进花房，走进爱情，爱情的魅力太大，"我不知不觉已和花儿一样"，忘记了大海。可是，当姑娘要我真的和花儿一样留在花房里，我立刻警觉不能这样。那么，我应该怎样呢？我的心情是矛盾的：我想要继续走向大海，才发现我已经离不开姑娘；我明知已经离不开姑娘，但我仍然要继续走向大海。正是在冲突中，花房姑娘和大海、爱情和自由都最充分地显示了各自的特殊吸引力，最后是大海勉强占了上风。

世上有一心奔赴大海的人，他对路旁的花房视而不见。也有一心迷恋花房的人，他对远方的大海听而不闻。可是，如果一个人既向往大海，又迷恋花房，他就免不了要经历两者争夺他的斗争了。

《假行僧》也描写了爱情与自由的冲突，但作者选择自由的立场已经异常坚定了。这是一颗独立不羁的灵魂的自白，无比地诚实，坦率，也无比地坦荡，有力。对于他来说，自由地行走就是生活，就是目的。面对可能的爱情，他把话说在前头，毫无隐瞒，毫不含糊——

　　要爱上我你就别怕后悔

　　总有一天我要远走高飞

　　我不想留在一个地方

　　也不愿有人跟随

　　因为"留在一个地方"不自由，"有人跟随"的行走也不自由。他的立场极其明确：决不会为了爱情放弃自由。

　　我要从南走到北

　　我还要从白走到黑

　　我要人们都看到我

　　但不知道我是谁

　　"我要人们都看到我，但不知道我是谁。"这个心理很耐寻味。想让人们对我感到神秘吗？不是。"人们"从来都是以一种方式来"知道"我是"谁"的，就是把我看作某种角色。可是，我不是任何角色。任何角色都是虚伪，都是对我的歪曲和背叛。我要人们都看到一个不是任何角色的我，那才是真实的我，但人们恰恰因此而不知道我是谁了。我甚至不肯扮演情人这个角色，扮演了这个角色也必定会虚伪，所以我对那可能爱上我的人说："你别想知道我到底是谁，也别想看到我的虚伪。"

　　为什么题目叫"假行僧"呢？因为行僧也是一种角色，我不是任何角色，包括行僧。

　　在《出走》中，我们看到一个离家出走的人，他不知道要去哪里，只是遏止不住地要走。他不停地走，发现自己始终是走在老路上，看到的仍然是旧风景。他没有过去，没有同伴，心中充满莫名的忧愁和渴望，攥着手只管向前走……

　　这首歌严格地说不是情歌，涉及爱情的只有寥寥几句，非常质朴，但意味深长——

　　望着那野菊花

　　我想起了我的家

　　那老头子，那老太太

　　哎呀

　　还有你，我的姑娘

　　你是我永远的忧伤

　　我怕你说，说你爱我

虽然坚定地选择了自由，但决不是铁石心肠，爱情仍是隐秘的忧伤和牵挂。这就对了，这才是一个真实的有血有肉的男子汉。

爱情与自由是否一定互相冲突呢？作者后来对此有了新的思考。在《另一个空间》中，他安排了这样一个场景：一个男人和一个女人相遇，各怀着不同的心思，男人只有欲望没有感情，女人却需要有人真正爱她。

这是一个美丽的紧张的气氛

天空在变小人在变单纯

突然一个另外的空间被打开

在等待着在等待着我的到来

在这个气氛中，女人如同"一面能透视的镜子"照出了男人身上"看不见的空虚"。他听见一个严厉的责问："你是否有那么一点儿勇气得到一个真正的自由？"他还听见一个箴言般的启示："爱情就是自由加上你的人格。"这责问和这启示是来自女人，也是来自他自己的灵魂。这的确是一个突然被打开的"另外的空间"，是灵魂中的一种顿悟：爱情不再是对自由的威胁和剥夺，相反可以是自由的实现。在两性之间，如果说有一种关系既能体现自由又能体现人格，那只能是爱情，因为真正的爱情就是两个独立人格之间的自由结合。

七

如果说上述几首歌的主题是爱情与自由的关系，那么，崔健另一些涉及性爱的作品的含义就不这么明白了，其中交织着对性爱、对现实、对人生的复杂感受，因而充满着模糊性和不确定性。

不过，在读这些作品时，我仍能感到它们在内涵上有共同的东西。在男人身上，作者最看重的是一种内在的力量。但是，由于存在的困境或社会的困境，这种力量往往无法实现。于是，性爱一方面被当作困境中的慰藉，另一方面被当作力量的证明。

人活世上，大约有两类困境。一是有了机会却没有目的。这类困境基本上是存在性质的，因为生命本身只是由许多机会组成的过程而并无终极目的。《投机分子》开头便是——

突然来了一个机会，空空的没有目的

就像当初姑娘生了我们，我们没有说愿意

然而，"我们有了机会就要表现我们的欲望，我们有了机会就要表现我们的力量。"在此意义上，每个人都是"投机分子"。这首歌并不是情歌，但歌的一头一尾都以性作譬，表达了一种识见：在人生中，在两性关系中，意义都不是现成的，而是欲望和力量的创造。

　　朋友给你一个机会，试一试第一次办事
　　就像你十八岁的时候，给你一个姑娘

　　另一类困境是有了目的却没有机会，这目的当然是一个人在特定社会环境中为自己树立的具体目的，但社会很可能没有提供实现它的适当机会。这是社会性质的困境。崔健的作品更多涉及这一方面。

　　眼前的问题很多，无法解决
　　可总是没什么机会，是更大的问题
　　我忽然碰见了你，正看着我
　　脑子里闪过的念头是先把你解决

　　《解决》的这个开头幽默地叙述了一个典型思路：用性来悬置那些无法解决的问题，同时又证明自己具有解决问题的能力。接下来的故事若明若暗，好像是一个更有力量的角色出人意料地上场了，那也许是爱情，于是结尾发生了戏剧性的转折——

　　噢，我的天，我的天，新的问题
　　就是我和这个世界一起要被你解决

　　《这儿的空间》透着一股无奈的情绪，那是面对周围平庸现实却无力改变而感到的无奈。在无边的空虚中，似乎只有性爱的此时此刻才是唯一的实在。

　　在同类题材中，最有代表性的作品是《无能的力量》。一个男人怀抱着改变这时代的梦想，他的梦想暂时还实现不了，很可能永远也实现不了。他在做爱时问他的爱人——

　　风像是我
　　你像是浪
　　你在我的身下
　　我在你的身上
　　你是否感觉到这
　　无能的力量

　　这是要爱人证实他的性能力吗？是，又不是。是，因为他现在一事无成，他的力量只能用性爱来证明。但显然又不是。"无能的力量"是一个悖谬的概念，这个概念是崔健发明出来的吧，其中大有深意。对它可以有两种读法。其一，重音放在"力量"上。实实在在有力量，但施展不了，所以是无能的"力量"。其二，重音放在"无能"上。怀抱着改变时代的梦想却实现不了，这是无能。可是，与那些不想改变时代的随波逐流之辈相比，这种无能恰好内含着一种力量，所以是有力量的"无能"。我觉得这两种读法都对。

《时代的晚上》可以视作《无能的力量》的姐妹篇，也是无处施展的力量（"我们生活的这辈子有太多的事还不能干呐"），也是只好通过性爱来得到慰藉。"时代的晚上"这个标题亦耐琢磨，它似乎给人以诗意的想象，其实表达了一种批判的立场。

八

我认为，对于一个艺术家来说，最重要的事情是：第一要有真实的灵魂生活，第二要为他的灵魂生活寻找恰当的表达形式。前者所达到的高度决定了他的作品的精神价值，后者所达到的高度决定了他的作品的艺术价值。

作为一个艺术家，崔健对于形式是重视的，在音乐技术上，在音乐和歌词的创作上，都认真地下了功夫。不过，他在我们这个时代的意义的确更多地缘于他的作品的精神内涵。不少论者指出，在原创性作品的精神内涵方面，中国当代歌坛还没有能够与崔健媲美的人。我是相信这一判断的。

当然也有不同看法。在一些人看来，爱想问题反而是崔健的一个缺点。事实上，历来有人主张，艺术是纯粹感性的活动，理性思考会对艺术造成损害。我承认，太逻辑化、太思辨的思考是可能对艺术家的创作发生不良影响的。但是，不能因此认为，艺术家根本不需要和不应该思考。恰恰相反，不思考的艺术家肯定是一个浅薄的艺术家。不过，这应该是一种原初性的思考，是直接由灵魂发动的思考，表现为对最根本的生存状态的敏感，以及随之而来的对社会状况和时代境况的反省。崔健的歌词清楚地表明，他的思考是属于这种性质的。

在一切精神创造中，灵魂永远是第一位的。艺术是灵魂寻找形式的活动，如果没有灵魂的需要，对形式的寻找就失去了动力。那些平庸之辈之所以在艺术形式上满足于抄袭、时髦和雷同，不思创造，或者刻意标新立异，生制硬造，而不去寻找真正适合于自己的形式，根本原因就是没有自己的灵魂需要。

我期待我们有更多的有自己的灵魂需要的艺术家。我期待有更多的歌手让我们感到，在这个时代里，灵魂似乎还活着。

2001 年 5 月

我只见过杭宏两回。第一回，人家告诉我，她是一个新秀歌手，可是关于她的歌手生涯，她自己一句也没有说起。第二回已是一年以后，她给我带来了一盘刚录制好的磁带，便是她的演唱专辑《听琴》。她仍然没有一句话谈论她的歌曲，只是让我有空时听一听。

某日深夜，伏案用功之余，我把这盘磁带插进放录机，戴上了耳机。一开始我是不经意的，可是，随着钢琴和交响乐伴奏的第一支歌曲响起，我的心立即为之一振，不由得聚精会神起来。我意识到，我面对的是一种与中国当今流行歌曲很不同的东西。

对于中国当今的流行歌曲，我的接触实在有限，印象中多半是一些相当廉价的大众消费品，基本上是用来哄中学生和低年级大学生的。其中没有成熟的激情，只有一点点幼稚的激动，也没有深刻的困惑，只有一点点浅显的迷惘，正适合于少男少女们的青春白日梦心态。通过电台的点歌节目，流行歌曲所起的作用与批量生产的生日卡、贺年卡之类无异。难怪乎一旦过了做白日梦的年龄，昔日的歌迷几乎没有例外都唯恐不及地抛弃了所有这些音响垃圾，这差不多成了他们长大成人的一个必要仪式。另外一个数量较大的受众群是各种娱乐场所的常客，那些酒足饭饱之余寻一点乐子的商人和官吏。对于这些人来说，流行歌曲甚至连表达心情的功能也没有而且不需要有，唱卡拉OK只是与桑拿、按摩一样的饭后点心罢了。不难想象，适合他们需要的必是一些音乐雷同内涵空洞的东西。

当然，如果我们要谈论作为艺术的流行音乐，上述这些东西是无须理会的。二十年来，中国流行音乐界毕竟也涌现了为数不多的真正的艺术家，留下了若干可以载入史册的杰作。但是，当一个人以严肃的态度把流行音乐当作艺术来对待时，他所遭遇的就不仅有当代艺术的一般困境，更有流行音乐的特殊困境。艺术的生命在于创新和个性。面对强大的传统，当代艺术反叛传统的种种标新立异往往像是在传统范围内的徒劳挣扎。有幸做出了真正创新的艺术家后来的路程就更加艰难了，他很难再超越自己最初的成功，结果只好重复自己或者索性放弃自己，走大家都在走的比较轻松的路。如同在别的艺术领域一样，一个优秀的流行音乐家首先是一个有着独特的生命体悟的人，正是这种内在的独特性才使他有可能在艺术上超凡出众。可是，与此同时，他的独特的自我在某种程度上又必须是大众的代言人，他的灵魂的叹息和呼喊必须引起当代人心灵的强烈而广泛的共振，如此他的音乐才可能流行开来。在个性与流行之间显然存在着悖论，不但最个性的东西本质上是最不能流行的，而且流行本身也不可避免地会歪曲甚至淹没真正个性的东西。这一矛盾在古典音乐家身上即使存在也不突出，他原本就不求流行，他可以无视大众，他甚至可以用身后的不朽自勉或自慰。然而，对于流行音乐家来说，根本不存在所谓名山事业，流行是他的艺术生命之所在，不流行就是不折不扣的失败。在此意义上，做一个优秀的流行音乐家是更难的，即使他为了艺术而自甘寂寞，他的艺术的类别也不允许他长久地寂寞下去。

所以，在一个有个性并且不愿放弃自己的个性的年轻歌手面前，道路肯定是曲折的，前途是否光明则完全不可知。我相信杭宏就是这样一个歌手，而且她一定充分看到了在流行歌坛创业的艰难，因而举步慎重，决不急于求成。毋庸讳言，她是期望成功的，但她要的不是那种虚假的成功，靠牺牲个性而换来的纯粹商业性的流行，而是真实的成功，一种肯定和表达了她的个性的流行。听了她的这张专辑，我认为她有理由对这个目标的实现怀有信心。

作为一个外行，我不能对专辑的纯粹音乐方面发表评论，只能说一说我的感觉。首先我要说，我非常喜欢听——喜欢听杭宏的唱，喜欢听以交响乐为主的配乐，喜欢听被音乐重新解释过的我所熟悉的那些30年代诗作。用古典音乐为流行歌曲配乐，用流行歌风演绎文人诗行，这种结合诚然新颖，但在这张专辑里丝毫不令人感到勉强。我甚至觉得，它于杭宏是如此自然而然，好像原本就应该是属于她的。究其原因，想必是因为杭宏并非刻意骛新，她的立足点和出发点都是她的个性，创新只是个性展现的水到渠成的结果罢了。我仿佛看见，多年以来，她一直孜孜不倦地在为她的声音的个性和她的心灵的个性寻找最合适的音乐载体，这一寻找终于把她引到了现在的地点。一个在江南水乡唱着越剧长大的女子，她心中抹不去的是对真情的渴望，那真情应当是温柔、含蓄、细腻甚至缠绵悱恻的。举目四望，她看见的却是一片感情荒漠。在她安身立命的流行歌坛，情歌领域被快餐商和包装商盘踞着，盛行的是煽情、矫情乃至自鸣得意的寡情。于是，她回过头去寻找，重新发现了30年代诗群。听一听她吟唱的这些诗吧，没有一首不是以情真意切开头的，也没有一首不是以惆怅、忧伤和一种不可名状的失落感结尾。也许一切真爱在本质上都是忧伤的，在形而上的意义上皆必然要失落，就像歌中那个听琴人，但凡无限的世界和人生从他心头流过，他的心便无可避免地要随忽然一曲清歌杳然而去。然而，在我们的时代，感情的简单化业已司空见惯，真爱必含的深刻的忧伤越发成了不可理解的稀有之物。于是，杭宏的歌唱就不仅是一种感应，更是一种引申。经过配乐和歌声的诠释，诗中原有的柔情更加浓郁了，原有的忧伤却透出了些许悲愤的调子，因为今日的真爱之人首先承受的是社会意义上的失落，相形之下，那种形而上意义上的失落反倒是值得怀念的了。

集中地从中国30年代诗作中选择流行音乐歌词，这是一个内涵丰富的创意。这个创意涉及许多重要问题，包括诗与音乐的结合，雅与俗的结合，超越精神与世俗情怀的结合，传统与创新的结合，严肃与流行的结合，等等。与中国当代诗人相比，30年代诗人不论在中国古典诗歌方面，还是在西方现代诗歌方面，其修养都高出何止一头。以戴望舒为例，他既熟知晚唐五代词，又酷爱并且亲自翻译法国象征派作品。那个年代的诗人几乎都是创作兼翻译的。在他们身上，中西文化的融合是一个正在发生的事实。毫无疑问，融合得成功与否是因人而异的，但无可否认的是那一代诗人的深厚的文化底蕴。一个民族的传统并非某些不变的无生命的典籍，而是始终处在生成之中的活的有机体，因而，譬如说，融合了中西诗艺的30年代诗歌业已成为中国诗歌传统的重要组成部分。当然，传统不仅是文化的传承，更是一代代人对人类永恒精神价值的不息追求。在30年代诗歌中，情感的执著和精微便体现了这种追求。不妨说，无论一个人，还是一种艺术存在，文化积累构成了其血肉，精神内涵构成了其灵魂。只要我们仍把流行音乐视为艺术，它就同样不能缺少文化积累和精神内涵这样两个方面。中国流行歌手和流行音乐的普遍病症正是两者皆贫乏，血肉和灵魂皆萎缩了，而病因之一，便是对传统的漠视和无知。须知传统是需要每一代人重新去占有的，凡不拥有传统的人同时也就不拥有创新的凭借和可能。杭宏的创意之所以难能可贵，亦在于显示了她在这方面的眼光和觉悟。

让经典成为流行——我这样理解杭宏的事业。让流行成为经典——我这样预祝杭宏的成功！

1999 年 2 月

133

唯有生命本身是体

——为张丽达 CD 专辑写

　　张丽达的《紫禁城昏晓》用音乐讲故事，讲的不只是电影《西洋景》的故事，更是生命本身的故事。其中的音乐，不分中国音乐、西洋音乐或两者的融合，都那么明丽、健康、温暖，分明是在告诉我们，一切生命，不分中国人和西方人，原本是同一种生命，都应是美好、快乐、自信的。百年来学者们争论不休的中西体用问题，在这音乐中不复是问题，被生命本身的旋律彻底消解。听着这音乐，人们会感到，争论中国文化与西方文化孰体孰用是完全不必要的，唯有生命本身是体，而一切文化皆是用，皆是生命发出的歌唱。张丽达把中西音乐的结合处理得如此自然天成，以至于让人觉得，中国音乐宽广得原本就是属于世界一切人的，西洋音乐亲切得原本就是属于我们中国人的。张丽达用她的音乐拆除了又一道长城，向人们叙说了一个人类生命同源一体积极向上的美丽故事。

2000 年 1 月

第六辑

中国人缺少什么

纪念所掩盖的

在尼采逝世一百周年的日子来临之际，世界各地的哲学教授们都在筹备纪念活动。对于这个在哲学领域发生了巨大影响的人物，哲学界当然有纪念他的充足理由。我的担心是，如果被纪念的真正是一位精神上的伟人，那么，任何外在的纪念方式都可能与他无关，而成了活着的人的一种职业性质的或者新闻性质的热闹。

我自己做过一点尼采研究，知道即使从学理上看，尼采的哲学贡献也是非常了不起的。打一个比方，西方哲学好像一个长途跋涉的寻宝者，两千年来苦苦寻找着一件据认为性命攸关的宝物——世界的某种终极真理，康德把这个人唤醒了，喝令他停下来，以令人信服的逻辑向他指出，他所要寻找的宝物藏在一间凭人类的能力绝对进入不了的密室里。于是，迷途者一身冷汗，颓然坐在路旁，失去了继续行走的目标和力量。这时候尼采来了，向迷途者揭示了一个更可怕的事实：那件宝物根本就不存在，连那间藏宝的密室也是康德杜撰出来的。但是，他接着提醒这个绝望的迷途者：世上本无所谓宝物，你的使命就是为事物的价值立法，创造出能够神化人类生存的宝物。说完这话，他越过迷途者，向道路尽头的荒野走去。迷途者望着渐渐隐入荒野的这位先知的背影，若有所悟，站起来跟随而行，踏上了寻找另一种宝物的征途。

在上述比方中，我大致概括了尼采在破和立两个方面的贡献，即一方面最终摧毁了始自柏拉图的西方传统形而上学，另一方面开辟了立足于价值重估对世界进行多元解释的新方向。不能不提及的是，在这破立的过程中，他充分显示了自己的哲学天才。譬如说，他对现象是世界唯一存在方式的观点的反复阐明，他对语言在形而上学形成中的误导作用的深刻揭露，表明他已经触及了20世纪两个最重要的哲学运动——现象学和语言哲学——的基本思想。

然而，尼采最重要的意义还不在于学理的探讨，而在于精神的示范。他是一个真正把哲学当作生命的人。我始终记着他在投身哲学之初的一句话："哲学家不仅是一个大思想家，而且也是一个真实的人。"这句话是针对康德的。康德证明了形而上学作为科学真理的不可能，尼采很懂得这一论断的分量，指出它是康德之后一切哲学家都无法回避的出发点。令他不满甚至愤慨的是，康德对自己的这个论断抱一种不偏不倚的学者态度，而康德之后的绝大多数哲学家也就心安理得地放弃了对根本问题的思考，只满足于枝节问题的讨论。在尼采看来，对世界和人生的某种最高真理的寻求乃是灵魂的需要，因而仍然是哲学的主要使命，只是必须改变寻求的路径。因此，他一方面是传统形而上学的无情批判者，另一方面又是怀着广义的形而上学渴望的热情探索者。如果忽视了这后一方面，我们就可能在纪念他的同时把他彻底歪曲。

我的这种担忧是事出有因的。当今哲学界的时髦是所谓后现代，而且各种后现代思潮还纷纷打出尼采的旗帜，在这样的热闹中，尼采也被后现代化了。于是，价值重估变成了价值虚无，解释的多元性变成了解释的任意性，酒神精神变成了佯醉装疯。后现代哲学家把反形而上学的立场推至极端，被解构掉的不仅是世界本文，而且是哲学本身。尼采要把哲学从绝路领到旷野，再在旷野上开出一条新路，他们却兴高采烈地撺掇哲学吸毒和自杀，可是他们居然还自命是尼采的精神上的嫡裔。尼采一生不断生活在最高问题的风云中，孜孜于为世界和人生寻找一种积极的总体解释，与他们何尝有相似之处。据说他们还从尼采那里学来了自由的文风，然而，尼采的自由是涌流，是阳光下的轻盈舞蹈，他们的自由却是拼贴，是彩灯下的胡乱手势。依我之见，尼采在死后的一百年间遭到了两次最大的歪曲，第一次是被法西斯化，第二次便是被后现代化。我之怀疑后现代哲学家还有一个理由，就是他们太时髦了。他们往往是一些喜欢在媒体上露面的人。尼采生前的孤独是尽人皆知的。虽说时代不同了，但是，一个哲学家、一种哲学变成时髦终究是可疑的事情。

两年前，我到过瑞士境内一个名叫西尔斯－玛丽亚的小镇，尼采曾在那里消度八个夏天，现在他居住过的那栋小楼被命名为了尼采故居。当我进到里面参观，看着游客们购买各种以尼采的名义出售的纪念品时，不禁心想，所谓纪念掩盖了多少事实真相啊。当年尼采在这座所谓故居中只是一个贫穷的寄宿者，双眼半盲，一身是病，就着昏暗的煤油灯写着那些没有一个出版商肯接受的著作，勉强凑了钱自费出版以后，也几乎找不到肯读的人。他从这里向世界发出过绝望的呼喊，但无人应答，正是这无边的沉默和永久的孤独终于把他逼疯了。而现在，人们从世界各地来这里参观他的故居，来纪念他。真的是纪念吗？西尔斯－玛丽亚是阿尔卑斯山麓的一个风景胜地，对于绝大多数游客来说，所谓尼采故居不过是一个景点，所谓参观不过是一个旅游节目罢了。

所以，在尼采百年忌日来临之际，我心怀猜忌地远离各种外在的纪念仪式，宁愿独自默温这位真实的人的精神遗产。

2000 年 8 月

人类的敦煌

藏经洞发现一百周年之际，敦煌又成热门话题。对于国人心中的这段痛史，我印象最深的有两点。

第一，敦煌是中华文物的顶级宝库，但是，这个宝库中的一大部分文物已经不在敦煌，也不在中国，而是流散到世界各地了。特别是在20世纪的前二十年间，外国学者纷纷来到这里进行掠夺性考察，把珍贵文物运回自己国家，致使莫高窟的数百件壁画和塑像，藏经洞里的数万件文书，近千幅唐宋佛画，现今分散收藏在英、法、俄、日、美等十多个国家的四十几家博物馆和研究机构中。一个民族的文化遗产遭到如此严重的肢解，这在现代史上是罕见的。

第二，敦煌学是国际上的显学，但是，这门以中国古代文化为研究对象的多分支学科的大本营却不在中国，而在譬如说日本或者法国。这当然是敦煌文物流散的一个直接后果，使得一些西方学者得以捷足先登，占山为王。在此不利形势下，中国敦煌学的起步就成了中国学者到海外追寻、抄写、研究文献的过程。由于政治动乱频繁和经济贫困，中国学者即使在这方面也是举步维艰，拥有的条件完全不能与日本学者相比。所以，在日本汗牛充栋的敦煌学著作面前，中国已有的成果至少在数量上显得十分可怜，以至于日本学者敢于理直气壮地宣称："敦煌在中国，敦煌学在日本。"

面对以上事实，作为一个中国人，我当然感到痛心，同时又时常陷入深思。我不断问自己一个问题：在1900年王道士发现藏经洞之后，假如没有斯坦因、伯希和等人相继来盗宝，洞内这些珍贵经卷和文书的命运会如何？答案几乎不容置疑：一定会更惨。这个结论由一件事便可推断，便是1909年中国政府接管了藏经洞之后，决定把劫后剩余藏品运交京师图书馆保管，结果是从敦煌到北京，这批卷子一路遭劫，劫掠者都是以权谋私乃至监守自盗的官员和名流。斯坦因和伯希和盗走的文物至少都缴给了各自的国家，被他们的博物馆精心收藏起来，日后尚可供赏析研究，而这些同胞所获的赃物却统统进了私宅，然后又大量地流失于市场，敦煌这一部分藏品的数量和面貌已经成了永远不可知的谜。

我无意替斯坦因等人辩护。他们当年获取敦煌文书的手段绝非光明正大，说得上坑蒙拐骗，他们的考古挖掘不乏破坏性行为，他们运走中国文物更是属于帝国主义行径。但是，我承认我的心情是矛盾的。藏经洞发现之时，清朝政权处在风雨飘摇、朝不保夕之中，地方政府极其昏庸，看守莫高窟的王道士又如此愚昧无知，这一切已经注定了洞内藏品的悲惨命运。外国考察家在那个时候到来，完完全全是乘虚而入，没有任何力量能够阻挡他们满载而归。而如果他们不来，在那种混乱的局面下，藏品也几乎必定会被我们自己的同胞糟蹋殆尽。像斯坦因这样的人毕竟是懂行之人，他知道这些文物的珍贵价值，他在每次考察后撰写和出版详尽的考古报告，并把相关材料交由沙畹等专家整理刊布，便是最好的证明。伯希和更是一代汉学大师，虽然他没有把主要精力放在敦煌学上，但他在懂得敦煌文物的价值方面绝不逊于斯坦因。在当时的中国，肯定有学术能力不亚于甚至超过他们的人，例如罗振玉和王国维。可是，也正是在当时的中国，以区区布衣的微弱力量是无论如何抵御不了全局性的腐败的。因此，封闭了几乎一千年的藏经洞真是开启得不是时候，等待着它的宝藏的只有两种前途，不是沦落异国，便是毁于故乡。出于民族自尊心，我坚决反对前一种结局。但是，如果我真正珍惜这些文化遗产，我就不得不两害相权取其轻，宁愿它们被保存着而不是被毁灭掉，哪怕是保存在中国之外的某些地方。只要它们还存在着，就有回来的可能，即使回不来，也比不存在好得多。

历史不容假设，发生了的事终究已经发生了。可是，我忍不住还要作第二个假设：如果莫高窟第十六窟甬道左墙没有在一百年前的那一天裂出一条缝，如果这条缝推迟三十年甚至一百年裂出，从而把藏经洞的发现也相应推迟，情况是否会好得多？回答似乎应该是肯定的。然而，想到在我们今天的各种重大工程方案中，文物保护仍被摆在非常次要的位置上，想到各地不断发生的目光短浅的和利欲熏心的破坏文物事件，我的信心又有了一点动摇。以我们今日的国力和觉悟，敦煌文物大规模外流这样的事情的确不会发生了。但是，如果我们没有进一步的觉悟，不但对民族负责，而且对人类负责，中国境内的一切历史遗物，不管是露在地面上的还是仍然埋在地下的，不但把它们看作民族的财产，而且把它们看作人类的文化遗产，如果我们没有这样的觉悟，它们在我们这里就始终是非常不安全的。我们已经很当然地认为外国人掠走中国文物是对我们的民族犯罪，有朝一日倘若我们还当然地认为中国人破坏中国文物是对人类犯罪，我们才算真正从敦煌痛史中吸取了教训。

在事隔将近一个世纪后的今天，流散在外国的敦煌文献的主体部分业已整理出版，并且正陆续翻译成中文。遥想当年罗振玉、王国维等人奔走于八宝胡同——伯希和在京的临时居处——的匆忙身影，董康、胡适、郑振铎、王重民等人在国外图书馆里埋头抄录的辛勤姿势，相比之下，中国今日的研究者的条件不知要好了多少倍。在一定的意义上可以说，敦煌文献已经成为全人类的共同财产，因而也能被中国学者共享了。那么，我期望中国的敦煌学研究会有一个大的发展，以此证明我要提出的第三个假设：如果敦煌文献未曾大规模外流，敦煌学的大本营就不会在日本或者法国。

2000 年 9 月

读鲁迅的不同眼光

我第一次通读鲁迅的作品，是在"文化大革命"开始不久的1967年。那时候，我的好友郭世英因为被学校里的"造反派"当作"专政"的对象，受到孤立和经常的骚扰，精神上十分苦闷，便有一位朋友建议他做一件可以排遣苦闷的事——编辑鲁迅语录。郭世英欣然从命，并且拉我一起来做。在几个月的时间里，我们兴致勃勃地投入了这项工作，其步骤是各人先通读全集，抄录卡片，然后两人对初选内容展开讨论，进行取舍和分类。我们的态度都很认真，在前海西街的那个深院里，常常响起我们愉快而激烈的争吵声。我们使用的全集是他父亲的藏书，上面有郭沫若阅读时画的记号。有时候，郭世英会指着画了记号的某处笑着说："瞧，尽挑毛病。"他还常对我说起一些掌故，其中之一是，他听父亲说，鲁迅那首著名的《自题小像》的主题并非通常所解释的爱国，而是写鲁迅自己的一段爱情心史的。当然，在当时的政治环境里，这些话只能私下说说，传出去是会惹祸的。

鲁迅在中国大陆的命运十分奇特。由于毛泽东的推崇，他成了不容置疑的旗帜和圣人。在"文革"初期，民间盛行编辑语录，除了革命领袖之外，也只有鲁迅享有被编的资格了。当时社会上流传的鲁迅语录有好多种，一律突出"革命"主题，被用做批"走资派"和打派仗的武器。与它们相比，我和郭世英编的不但内容丰富得多，而且视角也是超脱的。可惜的是，最后它不仅没有出版，而且那厚厚的一摞稿子也不知去向了。

现在我重提往事，不只是出于怀旧，而是想说明一个事实：即使我们这些当时被看作不"革命"的学生，也是喜欢鲁迅的。在大学一年级时，我曾问郭世英最喜欢哪个中国现代作家，郭沫若的这个儿子毫不犹豫地回答："鲁迅。"可是，正是因为大学一年级时的思想表现，他被判做按照"内部矛盾"处理的"反动"学生，并因此在"文革"中被"造反派"整死，时在编辑鲁迅语录一年之后。郭世英最喜欢的外国作家是尼采和陀思妥耶夫斯基，而我们知道，鲁迅也是极喜欢这两人的。由于受到另一种熏陶，我们读鲁迅也就有了另一种眼光。在我们的心目中，鲁迅不只是一个嫉恶如仇的社会斗士，更是一个洞察人生之真实困境的精神先知。后来我对尼采有了更多的了解，也就更能体会鲁迅喜欢他的原因了。虚无及对虚无的反抗，孤独及孤独中的充实，正是这两位巨人的最深邃的相通之处。

近一二十年来，对于鲁迅的解读渐见丰富起来，他的精神的更深层面越来越被注意到了。鲁迅不再是中国现代文学史上的"唯一者"，他从宝座上走下来，开始享受到作为一个真正的伟人应有的权利，那就是不断被重新解释。而这意味着，没有人据有做出唯一解释的特权。我当然相信，鲁迅若地下有知，他一定会满意这样的变化的，因为他将因此而获得更多的真知音，并摆脱掉至今尚未绝迹的那些借他的名字唬人的假勇士。

2001 年 8 月

诚信、信任和人的尊严

在今日市场经济的环境中，国人普遍为诚信的缺乏而感到苦恼。商界中的人对此似乎尤有切肤之痛，前不久央视一个节目组向百名企业家发卷调查，征询对"当今最缺失的是什么"问题的看法，答案就集中在诚信和信任上面。其实，消费者是这一弊端的最大和最终受害者，只因处于弱势，他们的委屈常常无处诉说罢了。

如此看来，诚信的缺失——以及随之而来的信任的缺失——已是一个公认的事实。这就提出了一个问题：我们是否曾经拥有诚信？如果曾经拥有，又是在什么时候缺失掉的？

翻阅一下严复的文章，我们便可以知道，至少在一百年前我们还并不拥有，当时他已经在为中国人的"流于巧伪"而大感苦恼了。所谓巧伪，就是在互相打交道时斗心眼，玩伎俩，占便宜。凡约定的事情，只要违背了能够获利，就会有人盘算让别人去遵守，自己偷偷违背，独获其利，而别人往往也如此盘算，结果无人遵守约定。他举例说：书生决定罢考，"已而有贱丈夫焉，默计他人皆不应试，而我一人独往，则利归我矣，乃不期然而俱应试如故"；商人决定统一行动，"乃又有贱丈夫焉，默计他人如彼，而我阴如此，则利归我矣，乃不期然而行之不齐如故"。（《论中国之阻力与离心力》）对撒谎的态度也是一例："今者五洲之宗教国俗，皆以诳语为人伦大诟，被其称者，终身耻之。"唯独我们反而"以诳为能，以信为拙"，把蒙骗成功视为有能力，把诚实视为无能。（《法意》按语）

今天读到这些描述，我们仍不免汗颜，会觉得严复仿佛是针对现在写的一样。一百年前的中国与今天还有一个相似之处，便是国门开放，西方的制度和思想开始大规模进来。那么，诚信的缺失是否由此导致的呢？严复不这么看，他认为，洋务运动引入的总署、船政、招商局、制造局、海军、矿务、学堂、铁道等等都是西洋的"至美之制"，但一进到中国就"迁地弗良，若存若亡，辄有淮橘为枳之叹"。比如说公司，在西洋是发挥了巨大效能的经济组织形式，可是在中国即使二人办一个公司也要相互欺骗。（《原强》）所以，原因还得从我们自己身上寻找。现在有些人把诚信的缺失归咎于市场经济，这种认识水平比起严复来不知倒退了多少。

其实，诚信的缺乏正表明中国的市场经济尚不够成熟，其规则和秩序未能健全建立并得到维护。而之所以如此，近因甚多也甚复杂，远因一定可以追溯到文化传统和国民素质。西方人文传统中有一个重要观念，便是人的尊严，其经典表达就是康德所说的"人是目的"。按照这个观念，每个人都是一个有尊严的精神性存在，不可被当作手段使用。一个人怀有这种做人的尊严感，与人打交道时就会有一种自尊的态度，仿佛如此说：这是我的真实想法，我愿意对它负责。这就是诚实和守信用。他也会这样去尊重他人，仿佛如此说：我要知道你的真实想法，并相信你会对它负责。这就是信任。可见诚信和信任是以彼此共有的人的尊严之意识为基础的。相比之下，中国儒家的文化传统中缺少人的尊严的观念，因而诚信和信任就缺乏深刻的精神基础。

也许有人会说，"信"在儒家伦理中也占据着重要的位置。不错，孔子常常谈"信"，（《论语》中论及诚实守信含义上的"信"就有十多处。但是，在儒家伦理系统中，"信"的基础不是人的尊严，而是封建等级秩序。所以，毫不奇怪，孔子常把"信"置于"忠"之后而连称"忠信"，例如"主忠信"、"言忠信"、"子以四教：文，行，忠，信"等。可见"信"是从属于"忠"的，诚实守信归根到底要服从权力上的尊卑和血缘上的亲疏。在道德实践中，儒家的"信"往往表现为所谓仗义。仗义和信任貌似相近，实则属于完全不同的道德谱系。信任是独立的个人之间的关系，一方面各人有自己的人格、价值观、生活方式、利益追求等，在这些方面彼此尊重，绝不要求一致，另一方面合作做事时都遵守规则。仗义却相反，一方面抹杀个性和个人利益，样样求同，不能容忍差异，另一方面共事时不讲规则。在中国的商场上，几个朋友合伙做生意，一开始因为哥们义气或因为面子而利益不分，规则不明，最后打得不可开交，终成仇人，这样的事例不知有多少。

毫无疑问，要使诚信和信任方面的可悲现状真正改观，根本途径是发展市场经济，完善其规则和秩序。不过，基于上述认识，我认为同时很有必要认真检讨我们的文化传统，使国民素质逐步适应而不是严重阻碍这个市场经济健全化的过程。

2002 年 8 月

| 中国人缺少什么 |

——在北京大学的演讲

一 对百年文化反省的一个反省：
什么逃脱了反省反而成了反省的前提？

今天我讲的题目是从尼采的一篇文章套用来的，那篇文章的题目是《德国人缺少什么》。遗憾的是，尼采讲这样的题目用不着做譬如说德国与东方或者德国与英国之类的比较，他只是把德国的现状与他心目中的标准做一个比较，然后直截了当说出他的批评意见来。而一个中国人讲《中国人缺少什么》这样的题目，似乎就理所当然地成了一个所谓中西文化比较的题目。事实上，中国人也的确是在西方的冲击下才开始反省自己的弱点的。我们本来是一个没有反省习惯的民族，从来以世界的中央自居，不把夷狄放在眼里。如果不是鸦片战争以来不断挨打，我们到今天也不会想到要反省。不过，挨打之后，我们也真着急了，反省得特别用力，以至于以中西比较为背景的文化反省成了20世纪中国思想界说得最多的话题。该说的话好像都说过了，再说就不免老调重弹，所以我从来不参加这类讨论。

也许由于我始终与这个话题保持着一个距离，因此，当我现在来面对它的时候，我就获得了一个与身在其中的人不同的角度。我在想：百年来的文化反省本身是否也是一个需要反省的对象呢？我发现情况确实如此。我已经说过，我们是因为挨打而开始反省的，反省是为了寻找挨打的原因，改变挨打的状态。之所以挨打，明摆着的原因是中国贫弱，西方国家富强。所以，必须使中国富强起来。于是，富强成了20世纪中国的主题。为了富强，中国的先进分子便向西方去寻求真理。所谓寻求真理，就是寻求西方国家富强的秘诀，寻求使中国富强起来的法宝。这种秘诀和法宝，在洋务派看来是先进的技术和武器，所谓"西洋奇器"和"坚船利炮"，在维新派和革命派看来是西方的政治制度，即君主立宪或共和，在新文化运动看来是科学和民主。当然，你可以说认识是在一步步深入，但是，基本的出发点未变，就是把所要寻求的真理仅仅看作实现国家富强之目标的工具，与此相应，反省也只局限在那些会妨碍我们富强的弱点上。我不能说这样的出发点完全不对，不妨说是形势逼人，不得不然。可是，在这样的寻求真理和这样的反省中，中国文化传统中的一个严重弱点不但逃脱了反省，而且成了不可动摇的前提，这个弱点就是重实用价值而轻精神价值。

二 以严复为例：用实用眼光向西方寻求真理

我以严复为例来说明我的看法。严复是一个适当的例子，他是百年来中国人向西方寻求真理的先行者和杰出代表，其影响覆盖了世纪初整整一代中国知识分子。他的高明之处在于，他首先认识到西方的政治制度不是凭空建立的，而有其哲学上的根据，应该把这些哲学也引进来。但是，即使是他，或者说，特别是他，亦是用实用眼光去寻求真理的。

大家知道，在上世纪末本世纪初，严复翻译了八部西方名著。关于他的翻译，我想提示两点。第一，他引进的主要是英国的社会哲学，之所以引进，除了他在英国留学这个经历上的原因外，最主要的是因为他有强烈的社会关切，在他看来，斯宾塞的进化论社会哲学是警醒国人起来求富强的合适的思想武器。第二，他翻译的方式是意译和节译，通过这个方式，他舍弃乃至歪曲了他理解不了的或不符合他的需要的内容，更加鲜明地贯彻了求富强这个意图。

举一个例子。在他的译著中，有约翰·穆勒的《论自由》，他译做《群己权界论》。这部著作的主旨是要确定社会对于个人的合法权力的限度，为个人自由辩护。在书中，穆勒反复强调的一个论点是：个人自由本身就是好的，就是目的，是人类幸福不可缺少的因素，它使得人类的生活丰富多样，生气勃勃。书中有一句话准确表达了他的出发点："一个人自己规划其存在的方式总是最好的，不是因为这方式本身算最好，而是因为这是他自己的方式。"

事实上，肯定个人本身就是价值，个人价值的实现本身就是目的，这个论点是西方自由主义思想的核心。无论是洛克、约翰·穆勒以及严复最信服的斯宾塞等人的古典自由主义，还是以罗尔斯、哈耶克为代表的当代自由主义，都是把个人自由看作独立的善。罗尔斯正义论的第一原则就是自由优先，他认为较大的经济利益和社会利益不能构成接受较小的自由的充足理由。他还强调，自尊即个人对自己价值的肯定是最重要的基本善。哈耶克则反复阐明，个人自由是原始意义上的自由，不能用诸如政治自由、内在自由、作为能力的自由等具体的自由权利来混淆它的含义。

可是，在严复的译著里，这个核心不见了。在他所转述的英国自由主义理论（见约翰·穆勒《群己权界论》和斯宾塞《群学肆言》）中，个人自由成了一种手段，其价值仅仅在于，通过个人能力的自由发展和竞争，可以使进化过程得以实现，从而导致国家富强。

与德国哲学相比，英国哲学本来就偏于功利性，而严复在引进的时候，又把本来也具有的精神性割除了，结果只剩下了功利性。只要把真理仅仅当作求富强的工具，而不同时和首先也当作目的本身，这种情况的发生就是不可避免的。因为这样一来，一方面，必定会对人家理论中与求富强的目的无关的那些内容视而不见，另一方面，即使看见了，也会硬把它们塞进求富强这个套路中去。

这个例子十分典型，很能说明当时中国思想界的主流倾向。究其原因，只能从我们重实用的文化传统和国民性中去找。由于重实用，所以一接触西方哲学，就急于从里面找思想武器，而不是首先把人家的理论弄清楚。中国人是很少有纯粹的理论兴趣的，对于任何理论，都是看它能否尽快派上用场而决定取舍。在世纪初的这班人里，严复算是好的，他毕竟读了一些西方原著，其他人如康有为、梁启超、谭嗣同、章太炎辈基本上是道听途说（只看日本人的第二手材料），然后信口开河（将听来的个别词句随意发挥，与佛学、中国哲学、西方其他哲学片断熔于一炉），为我所用。也由于重实用，所以对于西方哲学中最核心的部分，即涉及形而上学和精神关切的内容，就读不懂也接受不了。在中国人的心目中，一般没有精神价值的地位。无论什么精神价值，包括自由、公正、知识、科学、宗教、真、善、美、爱情等等，非要找出它们的实用价值，非要把它们归结为实用价值不可，否则就不承认它们是价值。

我不否认，中国有一些思想家对于人的精神问题也相当重视，例如严复提出要增进"民德"，梁启超鼓吹要培育"新民"，鲁迅更是孜孜不倦地呼吁要改造"国民性"。但是，第一，在他们那里，个人不是被看作个人，而是被看作"国民"，个人精神素质之受到重视只因为它是造成民族和国家素质的材料。第二，他们对于精神层面的重视往往集中于甚至局限于道德，而关注道德的出发点仍是社会的改造。因此，在我看来，其基本思路仍不脱社会功利，个人精神的独立价值始终落在视野外面。

三　王国维：重视精神价值的一个例外

那么，有没有例外呢？有的，而且可以说几乎是唯一的一个例外。正因为此，他不是一个幸运的例外，而是一个不幸的例外，不是一个成功的例外，而是一个失败的例外。在世纪初的学者中，只有这一个人为精神本身的神圣和独立价值辩护，并立足于此而尖锐批评了中国文化和中国民族精神的实用品格。但是，在当时举国求富强的呐喊声中，他的声音被完全淹没了。

我想从一件与北大多少有点关系的往事说起。两年前，北大热闹非凡地庆祝了它的百年大典。当时，纯种的北大人或者与北大沾亲带故的不纯种的北大人纷纷著书立说，登台演讲，慷慨陈词，为北大传统正名。一时间，蔡元培、梁启超、胡适、李大钊、蒋梦麟等人的名字如雷贯耳，人们从他们身上发现了正宗的北大传统。可是，北大历史上的这件在我看来也很重要的往事却好像没有人提起，我相信这肯定不是偶然的。

北大的历史从1898年京师大学堂成立算起。1903年，清政府批准了由张之洞拟定的《奏定学堂章程》，这个章程就成了办学的指导方针。章程刚出台，就有一个小人物对它提出了尖锐的挑战。这个小人物名叫王国维，现在我们倒是把他封做了国学大师，但那时候他只是上海一家小刊物《教育世界》杂志的一个青年编辑，而且搞的不是国学，而是德国哲学。当时，他在自己编辑的这份杂志上发表了一系列文章，批评张之洞拟定的章程虽然大致取法日本，却唯独于大学文科中削除了哲学一科。青年王国维旗帜鲜明地主张，大学文科必须设立哲学专科和哲学公共课。他所说的哲学是指西方哲学，在他看来，西方哲学才是纯粹的哲学，而中国最缺少、因此最需要从西方引进的正是纯粹的哲学。

王国维是通过钻研德国哲学获得关于纯粹的哲学的概念的。在本世纪初，整个中国思想界都热中于严复引进的英国哲学，唯有他一人醉心于德国哲学。英国哲学重功利、重经验知识，德国哲学重思辨、重形而上学，这里面已显示了他的与众不同的精神取向。他对德国哲学经典原著真正下了苦功，把康德、叔本华的主要著作都读了。《辩证理性批判》那么难懂的书，他花几年时间读了四遍，终于读懂了。在我看来，他研究德国哲学最重要的成就不在某些枝节问题上，诸如把叔本华美学思想应用于《红楼梦》研究之类，许多评论者把眼光集中于此，实在是舍本求末。最重要的是，通过对德国哲学的研究，他真正进入了西方哲学的问题之思路，领悟了原本意义上的哲学即他所说的纯粹的哲学应该是什么样子的。

王国维所认为的纯粹的哲学是什么样子的呢？简单地说，哲学就是形而上学，即对宇宙人生做出解释，以解除我们灵魂中的困惑。他由哲学的这个性质得出了两个极重要的推论。其一，既然哲学寻求的是"天下万世之真理，非一时之真理"，那么，它的价值必定是非实用的，不可能符合"当世之用"。但这不说明它没有价值，相反，它具有最神圣、最尊贵的精神价值。"无用之用"胜于有用之用，精神价值远高于实用价值，因为它满足的是人的灵魂的需要，其作用也要久远得多。其二，也正因此，坚持哲学的独立品格便是哲学家的天职，决不可把哲学当作政治和道德的手段。推而广之，一切学术都如此，唯以求真为使命，不可用做任何其他事情的手段，如此才可能有"学术之发达"。

用这个标准衡量，中国没有纯粹的哲学，只有政治哲学、道德哲学，从孔孟起，到汉之贾、董，宋之张、程、朱、陆，明之罗、王，都是一些政治家或想当而没有当成的人。不但哲学家如此，诗人也如此。所谓"诗外尚有事在"，"一命为文人，便无足观"，是中国人的金科玉律。中国出不了大哲学家、大诗人，原因就在这里。

尤使王国维感到愤恨的是，当时的新学主流派不但不通过引进西方的精神文明来扭转中国文化的实用传统，反而把引进西学也当成了实现政治目的或实利目的的工具，使得中国在这方面发生改变的转机也丧失了。他沉痛地指出：政治家、教育家们混混然输入泰西的物质文明，而实际上，中国在精神文明上与西方的差距更大。中国无纯粹的哲学，无固有之宗教，无足以代表全国民之精神的大文学家，如希腊之荷马、英之莎士比亚、德之歌德者。精神文明的建设无比困难："夫物质的文明，取诸他国，不数十年而具矣，独至精神上之趣味，非千百年之培养，与一二天才之出，不及此。"精神文明原本就弱，培养起来又难，现在只顾引进西洋物质文明，精神文明的前景就更加堪忧了。

四 中西比较：对精神价值的态度

这么看来，对于"中国人缺少什么"这个问题，在本世纪初已经有两种相反的答案。一种是王国维的答案，认为最缺的是精神文明。另一种是除王国维以外几乎所有人的答案，认为最缺的是物质文明，即富强，以及为实现富强所必需的政治制度和思想武器。至于精神文明，他们或者还来不及去想，或者干脆认为中国已经充分具备。事实上，他们中的大多数人或早或晚都得出了一个共同的结论，说西方是物质文明发达，中国是精神文明发达，甚至是全世界最发达的。直到今天，还有人宣布，中国的精神文明全世界第一，并且承担着拯救世界的伟大使命，21世纪将是中国世纪云云。

当然，在这两种不同答案中，对于精神文明的理解是完全不同的。在王国维看来，精神文明的核心是对精神价值的尊敬，承认精神有物质不可比拟的神圣价值和不可用物质尺度来衡量的独立价值，一个民族精神文明的成就体现为它在哲学、宗教、文学、艺术上所达到的高度。而其他人所说的精神文明，基本上是指儒家的那一套道德学说，其成就体现为社会的稳定。

你们一定已经想到，我是赞成王国维的答案的。在我看来，中国人缺少对精神价值的尊敬，从而也缺少对守护和创造了精神价值的人的尊敬，这是明显的事实。我暂时先提一下这方面最直观的一个表现。在欧洲国家，任何一个城镇的居民最引以自豪的事情是，曾经有某某著名的哲学家、艺术家、学者在那里生活过，或者居住过一些日子，他们必会精心保存其故居，挂上牌子注明某某何时在此居住。我在海德堡看到，这个仅几万人口的小城，这样精心保存的故居就有数十处。在巴黎先贤祠正厅里只安放了两座精美的墓，分别葬着伏尔泰和卢梭。如果不算建祠时葬在这里的法国大革命时期的一些政治家和军人，进入先贤祠的必是大哲学家、大文学家、大科学家，总统之类是没有资格的。想一想即使在首都北京保存了几处文化名人故居，想一想什么人有资格进入八宝山的主体部分，我们就可知道其间的差别了。

五　从头脑方面看中国人缺少精神性

说我们不重视精神本身的价值，这是一个婉转的说法。换一个直截了当的说法，我要说中国人、中国文化缺少精神性，或者说精神性相当弱。所谓精神性，包括理性和超越性两个层次。理性属于头脑，超越性属于灵魂。所以，精神性之强弱，可以从头脑和灵魂两个层次来看。

精神性的一个层次是理性。通俗地说，有理性即有自己的头脑。所谓有自己的头脑，就是在知识的问题上认真，一种道理是否真理，一种认识是否真知，一定要追问其根据。从总体上看，西方人在知识的根据问题上非常认真，而我们则比较马虎。

熟悉西方哲学史的人一定知道，西方哲学家们极关注知识的可靠性问题，尤其是近代以来，这方面的讨论成了西方哲学的主题。如果要对人类知识的根据追根究底，就会发现其可靠性面临着两大难题：第一，如果说与对象符合的认识才是真知，可是对象本身又永远不能在我们意识中出现，一旦出现就成了我们的认识，那么，我们如何可能将二者比较而判断其是否符合？第二，我们承认经验是知识的唯一来源，同时我们又相信在人类的知识中有一种必然的普遍的知识，它们不可能来自有限的经验，那么，它们从何而来？康德以来的许多西方哲学家之所以孜孜于要解决这两个难题，就是想把人类的知识建立在一个完全可靠的基础上，否则就放心不下。相反，中国的哲学家对这类问题不甚关心，在中国哲学史上，从总体上怀疑知识之可靠性的只有庄子，但基本上没有后继者。知识论是中国传统哲学最薄弱的环节之一，即使讨论也偏于知行关系问题。宋明时期算是最重视知识论的，可是所讨论的知识也偏于道德认识，即所谓"德行之知"。程朱的格物致知的"知"，陆王的尽心穷理的"理"，皆如此，分歧只在悟道的途径。

在哲学之外的情况也是这样。在西方，具有纯粹的思想兴趣、学术兴趣、科学研究兴趣的人比较多，他们在从事研究时只以真知为目的而不问效用，正是在他们中产生了大思想家、大学者、大科学家。中国则少这样的人。以效用为目的的研究是很难深入下去的，一旦觉得够用，就会停下来。同时，唯有层层深入地追问根据，才能使理论思维趋于严密，而由于中国人不喜追根究底，满足于模棱两可，大而化之，所以理论思维不发达。此外，本来意义上的热爱真理也源于在知识问题上的认真，因为认真，所以对于自己所求得的真知必须坚持，不肯向任何外来的压力（政府，教会，学术权威，舆论，时尚）屈服。中国曾经有过许多为某种社会理想献身的革命烈士，但不容易出像苏格拉底这样为一个人生真理牺牲的哲学烈士，或像布鲁诺这样为一个宇宙真理牺牲的科学烈士。

六　从灵魂方面看中国人缺少精神性

精神性的另一个层次是超越性。通俗地说，有超越性即有自己的灵魂。所谓有自己的灵魂，就是在人生的问题上认真，人为何活着，怎样的活法好，一定要追问其根据，自己来为自己的生命寻求一种意义，自己来确定在世间安身立命的原则和方式，决不肯把只有一次的生命糊涂地度过。而一个人如果对人生的根据追根究底，就不可避免地会面临诸如死亡与不朽、世俗与神圣之类根本性的问题，会要求以某种方式超越有限的肉体生命而达到更高的精神存在。从总体上看，我们在生命的根据问题上也远不如西方人认真。

有人说，人生哲学是中国哲学的最大成就，中国哲学在这个方面非常丰富和深刻，为世界之最。从比重看，人生哲学的确是中国哲学的主体部分，而在西方哲学中则好像没有这么重要的地位。若论人生思考的丰富和深刻，我仍觉得中国不及西方。我想着重指出一点：中西人生思考的核心问题是不同的。西方人的人生思考的核心问题是：为什么活？或者说，活着有什么根据，有什么意义？这是一个人面对宇宙大全时向自己提出的问题，它要追问的是生命的终极根据和意义。所以，西方的人生哲学本质上是灵魂哲学，是宗教。中国人的人生思考的核心问题是：怎么活？或者说，怎样处世做人，应当用什么态度与别人相处？这是一个人面对他人时向自己提出的问题，它要寻求的是妥善处理人际关系的准则。所以，中国的人生哲学本质上是道德哲学，是伦理。

为什么会有这样的差异呢？我推测，很可能是因为对死抱着不同的态度。对于西方人来说，死是一个头等重要的人生问题，因为在他们看来，死使人生一切价值面临毁灭的威胁，不解决这个问题，人生其余问题便无从讨论起。苏格拉底和柏拉图把哲学看作预习死的一种活动。自古希腊开始，西方哲学具有悠久的形而上学传统，即致力于寻求和建构某种绝对的精神性的宇宙本体，潜在的动机就是为了使个人灵魂达于某种意义上的不死。至于在基督教那里，所谓上帝无非是灵魂不死的保证罢了。中国人却往往回避死的问题，认为既然死不可逃避，就不必讨论，讨论了也没有用处。在这个问题上，哲学家的态度和老百姓一样朴素，所以孔子说："未知生，焉知死。"庄子"以死生为一条"，抱的也是回避的态度。从死不可避免来说，对死的思考的确没有用处，但不等于没有意义，相反具有深刻的精神意义。事实上，对死的思考不但不关闭、反而敞开了人生思考，把它从人生内部事务的安排引向超越的精神追求，促使人为生命寻找一种高于生命本身的根据和意义。相反，排除了死，人生思考就只能局限于人生内部事务的安排了。中国之缺少形而上学和宗教，原因在此。儒家哲学中的宇宙论远不具备形而上学的品格，仅是其道德学说的延伸，然后又回过头来用做其道德学说的论证。所谓"天人合一"，无非是说支配着宇宙和人伦的是同一种道德秩序罢了。

由于同样的原因，我们中国人缺少真正的宗教感情。当一个人的灵魂在茫茫宇宙中发现自己孤独无助、没有根据之时，便会在绝望中向更高的存在呼唤，渴望世界有一种精神本质并且与之建立牢固的联系。这就是本来意义的宗教感情，在圣奥古斯丁、帕斯卡尔、克尔凯郭尔、托尔斯泰身上可以看见其典型的表现。我们对这样的感情是陌生的。我们也很少有真正意义上的灵魂生活，很少为纯粹精神性的问题而不安和痛苦，很少执著于乃至献身于某种超越性的信念。因此，我们中很难产生精神圣徒，我们的理想人格是能够恰当处理人际关系的君子。也因此，我们缺少各种各样的人生试验者和精神探险家，我们在精神上容易安于现状，我们的人生模式容易趋于雷同。

总起来说，我们缺少头脑的认真和灵魂的认真，或者说，缺少广义的科学精神和广义的宗教精神。

七　其他弱点可追溯到精神性的缺少

我们在其他方面的缺点往往可以在精神性之缺乏中找到根源，或至少找到根源之一。

例如，为什么我们不把个人自由本身看作价值和目的，而仅仅看作手段呢？道理很简单，如果一个人不觉得有必要用自己的头脑思考问题，思想自由对他就确实不重要；如果他不觉得有必要让自己的灵魂来给自己的人生做主，信仰自由对他就确实不重要。关于这一点，梁漱溟说得很传神：中国人"对于西方人的要求自由，总怀两种态度：一种是淡漠得很，不懂得要这个作什么，一种是吃惊得很，以为这岂不乱天下"，另一面呢，"西方人来看中国人这般的不想要权利，这般的不把自由当回事，也大诧怪的"。因为他们一定会觉得，一个人如果在对世界的看法和对

151

人生的态度上都不能自己做主，活着还有什么意思。哈耶克确实告诉我们：自由之所以重要，正是因为人人生而不同，每个人的独特性是每个人的生命的独特意义之所在；而强制之所以可恶，正是因为它把人看成了没有自己的思想和自己的灵魂的东西。奇怪的是，在当前的哈耶克热中，人们对他的这种价值立场很少关注，往往把他的理论归结成了经济自由主义。

又例如，梁启超曾经提出一种很有代表性的意见，认为中国人在精神的层面上最缺少的是公德，即对社会的责任心。在我看来，其原因也可追溯到中国人缺少真正的灵魂生活和广义的宗教精神，因此而没有敬畏之心，没有绝对命令意义上的自律。我们不但不信神，而且不信神圣，即某种决不可侵犯的东西，一旦侵犯，人就不再是人，人的生命就丧失了最高限度和最低限度的意义。灵魂的严肃和丰富是一切美德之源，一个对自己生命的意义麻木不仁的人是不可能对他人有真正的同情之感、对社会有真正的责任心的。

我想再对中国知识分子问题说几句话。我常常听说，中国知识分子的弱点是缺乏社会承担和独立品格。据我看，表面上的社会承担并不缺，真正缺的是独立品格，而之所以没有独立品格，正是因为表面上的社会承担太多了，内在的精神关切太少了。我并不反对知识分子有社会责任心，但这种责任心若没有精神关切为底蕴，就只能是一种功利心。我们不妨把中国知识分子与俄国知识分子做一个比较。俄国知识分子在社会承担方面决不亚于我们，他们中的许多人为此而被流放，服苦役，但是，他们同时又极关注灵魂问题，这使得他们能够真正作为思想家来面对社会问题。只要想一想赫尔岑、车尔尼雪夫斯基、陀斯妥耶夫斯基、舍斯托夫等人，你们就会同意我的说法。一个人自己的灵魂不曾有过深刻的经历，则任何外部的经历都不可能使他深刻起来。譬如说，中国知识分子在"文革"中所遭受的苦难也许不亚于俄国知识分子在沙皇专制下或斯大林专制下所遭受的，可是，直到今天，我们没有写出一部以"文革"为题材的优秀作品，哪怕能够勉强与陀斯妥耶夫斯基的《死屋手记》、帕斯捷尔纳克的《日瓦戈医生》、索尔仁尼琴的《古拉格群岛》相比，这恐怕不是偶然的。

八　原因和出路

最后我想提出一个问题。应该说，人性在其基本方面是共通的。人是理性的动物，在此意义上，人人都有一个头脑，都有理性的认识能力。人是形而上学的动物，在此意义上，人人都有一个灵魂，都不但要活而且要活得有意义。这本来都属于共同的人性。事实上，无论西方还是中国，都有人对于知识的根据问题和人生的根据问题持认真态度，而特别认真的也都是少数。那么，为什么在西方，人性中这些因素会进入民族性之核心，并成为一种文化传统，而在中国却不能呢？我承认，对这个问题，我尚未找到一个满意的答案。我相信，造成这种差别的原因必是复杂的。不管怎样，作为综合的结果，中国文化已经形成了其实用品格。值得注意的是，一旦形成之后，这种文化便具有了一种淘汰机制，其发生作用的方式是：对实用性予以鼓励，纳入主流和传统之中，对精神性则加以排斥，使之只能成为主流和传统之外的孤立现象。

王国维的遭遇便是一个典型例证。在他的个性中，有两点鲜明的特质。一是灵魂的认真，早已思考人生的意义问题并产生了困惑。二是头脑的认真，凡事不肯苟且马虎，必欲寻得可靠的根据。这两点特质结合起来，为灵魂的问题寻求理性的答案的倾向，表明他原本就是一个具备哲学素质的人。因此，他与德国哲学一拍即合就完全不是偶然的了。可是，他对哲学的这种具有强烈精神性的关注和研究在当时几乎无人理睬，与严复的实用性的译介之家喻户晓适成鲜明对照。他后来彻底钻进故纸堆，从此闭口不谈西方哲学乃至一切哲学，我认为应该从这里来找原因。在他的沉默和回避中，我们应能感觉到一种难言的沉痛和悲哀。可以说，淘汰机制的作用迫使他从较强的精神性退回到了较弱的精神性上来。

这里有一个恶性循环：精神性越被淘汰，实用品格就越牢固，实用品格越牢固，精神性就越被淘汰。出路何在？依我看，唯有不要怕被淘汰！本来，怕被淘汰就是一种实用的计算。如果你真的有纯粹精神性追求的渴望，你就应该坚持。我希望中国有更多立志从事纯哲学、纯文学、纯艺术、纯学术的人，即以精神价值为目的本身的人。由于我们缺乏这方面的整体素质和传统资源，肯定在很长时间里不能取得伟大成就，出不了海德格尔、卡夫卡、毕加索，这没有关系。而且，如果你是为了成为海德格尔、卡夫卡、毕加索才去从事这些，你就太不把精神价值当作目的而是当作手段了，你的确最好趁早去做那些有实用价值的事。我相信，坚持纯粹精神性追求的人多了，也许在几代人之后，我们民族的精神素质会有所改观，也许那时候我们中会产生出世界级的大哲学家和大诗人了。

1999 年 12 月

意识形态与精神生活

——对现代中国精神层面变化的回顾

70年代末以来，中国社会发生着深刻的变化。从精神的层面看，这一变化可以概括为两个相关的方面，一方面是意识形态的弱化，正在失去对人的精神的操纵之功能，另一方面是本来意义上的精神生活的觉醒，正在成为更多人的内心渴求。这一变化当然也反映到了知识界的动向之中。对这些动向的分析表明，在此社会转型时期，中国人在精神层面上从意识形态向真正的精神生活的转折既是必然的，同时又是十分艰难的。

一　精神生活与意识形态的区别

在中国政治文化的语境中，精神生活与意识形态的混淆由来已久。长期以来，意识形态侵入精神生活领域并且取而代之，使得人们几乎不知真正的精神生活为何物。因此，有必要首先对这两个概念作一界定。

在我看来，两者之间有以下最主要的区别——

在内容上，精神生活所寻求的是生命意义，被寻求的这个意义往往体现为某种超越于世俗的肉身生活和社会生活的精神价值，因而对之的寻求和守护往往具有终极关怀的性质。意识形态则是为了维护特定的政治制度和经济制度而建立的观念体系，马克思正确地把它看作上层建筑的一个重要组成部分，因而无疑具有强烈的世俗性和功利性。

在形式上，精神生活在本质上只能是以个人为本位的，是个人对生命意义的自觉寻求和对某种精神价值的自觉认同，因而必须是一个内在的自由的领域，在社会层面上则呈现多元化形态。如果一个人被强迫接受和强制灌输某种思想，我们当然不能说他是在过一种精神生活，而意识形态恰恰在不同程度上是这样一个过程，它本质上是以国家、阶级、阶层、政党为本位的，不承认个人，只把个人看作由它操纵的群体之一分子，因而具有强烈的一元化、整体化倾向。

正是通过与意识形态的对比，精神生活凸现了自己最鲜明的两个特点，就是基于个人自由的自觉性和基于终极关怀的超越性。

二　中国传统文化中的意识形态和精神生活

用这个区别去分析中国传统文化，我们可以发现，其主流始终是意识形态，留给精神生活的余地十分狭窄。

孔子本人的学说是兼含两者的。一方面，他的基本主张是以血缘感情（孝）为本推广而为博爱（仁），以此感情纽带重建和睦的等级秩序（礼），孔子学说的这一主体部分具有明显的意识形态性质。另一方面，他的学说中包含着个人自我完善及其超越世俗遭遇的独立价值的思想，这一思想具有一定的精神生活意义。在孔子之后，儒家正宗把前一方面发展成了占据统治地位的典型的意识形态。宋明哲学家在这一点上亦属正宗，但比其前辈较多地重视和发挥了后一方面。由于孔子思想缺乏基于终极关怀的超越性，因此其精神生活的意义毕竟有限。

老庄哲学由于其反社会、反国家的个体立场，因而不容易成为意识形态。加上它又具有一定程度的基于终极关怀的超越性，从而使道家成了中国士大夫的精神生活的主要场所。但是，也不应夸大道家思想的精神生活意义。在老庄那里，超越性远非彻底，其程度恰好是对生命意义问题的消解而不是回答，是对世俗的逃避而不是克服。因此，在多数情况下，中国士大夫的儒道互补仅是把道家当成了与儒家意识形态周旋的退路和心理平衡术，够不上精神生活的水平。

在19世纪末20世纪初，西方哲学刚传入中国，王国维通过研习德国哲学而已经认识到，中西哲学之别就是意识形态与精神生活之别，他曾尖锐地批评中国只有政治哲学和道德哲学，并试图把纯粹的哲学引入中国。但是，他的努力是孤立的，终于半途而废。在整个20世纪，中国学界的主流是反而把西方哲学看作了意识形态，即可以用来改造中国社会以求富强的思想武器，而很少关注其精神生活的内涵。与此相映成趣的倒是，现代新儒家极力鼓吹儒学可以成为解救现代人精神危机的新意识形态。这种认识上的颠倒表明，对于中国相当一部分学者来说，区分意识形态和精神生活始终是一件困难的事。

三 80年代：意识形态开始弱化和精神生活开始觉醒

从1949年开始的近三十年间，中国大陆上的意识形态控制得到了空前的强化，这种强化是被公开宣布和实行的。在全社会范围内，意识形态全面取代了精神生活。当然，充当合法意识形态的不再是儒家思想，而是被改造过的马克思主义。但是，意识形态之能够如此成功地实行全面统治，无疑也有赖于儒家意识形态长期统治的传统。在那个年代里，大规模的思想运动一浪高过一浪，所谓世界观改造和人生观教育是重复率最高的词眼，但其目标恰好是要强迫人们停止对世界和人生进行任何独立思考。应该承认，效果是巨大的，以至于一个人即使只是在内心萌发了对真正精神生活的向往，也会因此产生一种罪恶感，务必将它纳入意识形态框架才感到心安。这种情形在文革中达于顶峰,却也因此暴露了其荒谬性,从反面酝酿了灵魂觉醒的进程。

从1978年到80年代上半期,觉醒的过程仍是在意识形态的框架中进行的。一方面是自上而下展开的以真理标准讨论和"两个凡是"批判为主题的思想解放运动,另一方面是学界自发展开的关于马克思主义人道主义的争论,都体现了在既有意识形态框架中寻求宽松乃至突破的努力。

对于意识形态框架的真正突破是在80年代下半期,其标志是一些中青年学者把现代西方哲学中关注人生思考的若干哲学家(尼采、萨特、海德格尔等)以及其他一些思想家的著作和思想介绍进来,以自己的方式进行阐释,并且在社会上引起巨大反响。这个后来被命名为新启蒙的思想进程尽管有不成熟和浮躁之弊病,其意义仍不应低估。它的最大意义是开始摆脱意识形态语境,在精神生活语境中讨论生命意义、存在、信仰等等这些真正的精神问题。当时人们尤其是许多青年学生对这些问题的关注是空前热烈的,即使不无人云亦云、似懂非懂之处,但是,一个新的问题领域已经在人们面前出现,人们已经感觉到这类问题是属于自己的灵魂的,不能依靠外部的社会进程来解决。这一点可能会在中国新一代知识分子的精神成长中发生潜在的影响。另一方面,由于人文知识分子在新启蒙中扮演了启蒙者和文化英雄的角色,因而在主观上仍不免发生意识形态与精神生活的混淆,这一点又埋下了日后角色失落感的种子。

四 90年代前期的人文精神讨论: 在意识形态与精神生活之间彷徨

90年代初,中国的社会场景发生了重大变化。一方面,新启蒙进程半途而废。另一方面,市场化进程急遽加快。两者共同作用的结果是,80年代后期精神生活趋于活泼的那种局面仿佛在一夜之间消失了,中国大地上刮起了猛烈的实利主义之风。正是在这样的背景下,出现了90年代前期的那场人文精神讨论。

我认为,作为知识界的一个思想事件,这场讨论典型地反映了中国人文知识分子在意识形态与精神生活之间的痛苦彷徨。一方面,多数讨论者的确已经意识到了两者分离的必然性和合理性,另一方面,却又对这一分离表现出了一种忧愤的情绪,他们所大声疾呼的"人文精神失落"之论便是这种情绪的集中表达。

人文精神是一个模糊的概念,根据多数讨论者的表述,它有两个要素,一是终极关怀,二是社会关注。他们一般也注意到,终极关怀是中国文化传统中所一贯缺乏的,因此,真正使他们感到"失落"的是在社会关注方面所出现的新情况,即人文学者对于社会的直接影响力的减弱。终极关怀与社会关注并非不能统一，问题是如何统一。最极端的立场是完全以意识形态的方式统一，要求把某一种终极关怀形式变成全社会的信仰，如果做不到，就以教主的姿态审判这个社会。人文精神讨论的直接参加者都拒绝这样的立场，他们或多或少承认终极关怀在实践中的个人性，同时却又往往用"原则上的普遍性"、"意义层面上的非个人性"这样的理由来冲淡对个人性的承认，回避了由个人性必然得出的精神价值的多元性这一结论。我们当然可以断定存在着某些人类共同的乃至永恒的精神价值，但是，倘若我们不想满足于若干最抽象的词眼，就必须承认，这些价值仅仅存在于不同个人的多样化的寻求之中，对它们的理解永远是不确定的，因而是多元的。就精神生活而言，最应强调的正是个人性和多元性，越是个人灵魂中的真实过程，就越具有人类价值。相反，回避乃至否认多元性，向往一元性，正表明了对精神生活之本质的误解，以及对那种以意识形态方式指导人民精神生活的精英角色的缅怀。

精神价值多元性的论点恰好是被人文精神讨论者的对立面发挥了，后者相当有力地指出，坚持精神价值的一元性和排他性就必然导致文化专制主义。但是，这一派在反对一元性的同时也表现出了一种嘲笑终极关怀和贬低精神价值的倾向，因而被前者不无理由地讥为虚无主义的"痞子思潮"。事实上，两派的争论在很大程度上缘于对市场化进程的不同评价。市场化进程对于精神生活的影响是双重的，一方面极大地消解了意识形态的一元性控制力量，开拓了多元性的精神生活空间，另一方面又极大地消解了终极关怀，助长了实用主义和虚无主义。很显然，两派对于这双重影响各执一端，于是对市场化或唱赞歌或表忧虑。做一个简单化的概括，不妨说，在价值问题上，意识形态是一元而无终极，虚无主义是多元而无终极，精神生活是多元而有终极。从中可以看出，虚无主义与意识形态也有共同之处，就是不关心终极价值。所以，如果说价值一元论不能摆脱与意识形态专制的干系，那么，反对终极关怀同样也为退回到意识形态专制留下了后路。中国人的精神生活之所以长期受意识形态支配，岂不正与缺乏终极关怀的文化传统密切相关吗？

五 90 年代中后期：精神生活话题趋于沉寂

如果说人文精神讨论表达的是对80年代后期新启蒙"大好形势"的缅怀，那么，随后中国知识界便开始了对80年代的理性的反省。这一反省是以对激进主义的批判为起点的。反激进主义的声音在80年代末已经出现，到90年代中期以后才呈现合唱的规模。批判者在很大程度上把80年代新启蒙的性质及其失败的原因归结为激进主义，并且把激进主义思潮追溯到了"五四"运动乃至清末民初的变法运动。由批判激进主义顺理成章地进到襄扬保守主义。这个激进主义与保守主义对立的模式被运用到两个不同方向上。一方面是对中国传统文化的态度，全盘否定是激进主义，保守主义就是对中国传统文化和本土文化资源的重新肯定。另一方面是对中国20世纪政治文化的西方来源的清理，强调集体民主的法国自由主义是激进主义，保守主义就是崇尚个人自由的英美自由主义。保守自由主义成了这一派学者一致认同的最好的意识形态，并以之为标准来重新描述中国思想史的过去和规划其未来。

作为对保守自由主义言说的回应，新左派有限度地为激进主义辩护。他们指出，由于权力与资本的互相渗透，市场化进程并不能自发导致个人自由，集体民主仍是个人自由的最重要保障。他们还比较重视批判市场化进程的消极面，显示一种反现代性的现代化立场。不过，他们对于新启蒙时期表现的那种终极关怀并不赞赏，贬之为一种空洞的道德姿态。

无论自由主义派还是新左派都竭力与80年代那种思想启蒙的方式划清界限，而张扬一种学术化立场。但是，就所关注的问题的性质而言，他们都是在为中国现代化道路重新寻找一种适当的意识形态基础。从总体上看，在90年代中后期，精神生活问题退出了中国学术界的视野。然而，考虑到现代西方思想中的反现代性话题正是围绕着现代人的精神生活问题展开的，因此，可以预言，随着现代化过程中反现代性思考的深入，这一问题迟早还将引起新的关注。

2001 年 3 月

向教育争自由

向教育争自由

逝世前一个月，正值母校苏黎世工业大学成立一百周年，爱因斯坦应约为之写纪念文章。在文章中，他没有为母校捧场，反而是以亲身经历批评了学校教育体制的不合理。他回忆说，入学以后，他很快发现自己不具备做一个"好学生"所需要的一切特性，诸如专心于功课，遵守课堂纪律，认真记笔记和做作业，等等。因此，他便始终满足于做一个有中等成绩的学生，而把主要精力放在自己真正感兴趣的东西上，"以极大的热忱在家里向理论物理学的大师们学习"。

他接着回忆说，毕业以后，他感到极大幸福的是在专利局找到了一份实际工作，而不是留在学院里从事研究。"因为学院生活会把一个年轻人置于这样一种被动的地位：不得不去写大量科学论文——结果是趋于浅薄。"他在专利局一干就是七八年，业余时间埋头于自己的爱好，这正是他一生中"最富于创造性活动"的时期。

据我所知，爱因斯坦的经历绝非例外。不论在科学领域，还是在哲学、文学、艺术领域，几乎所有的天才人物在学校读书时都不是"好学生"，都有过与当时的教育制度做斗争的经历。可以毫不夸张地说，他们的成材史就是摆脱学校教育之束缚而争得自主学习的自由的历史。

爱因斯坦在晚年时异常关心教育问题，我认为可以把这看作这位伟人留给我们的最重要的精神遗嘱。他不是那种拘于某个特定领域的科学工作者，而是一个对精神事物有着广泛兴趣和深刻理解的大思想家。他十分清楚，从事任何精神创造的基本因素是什么，因而教育应该为此提供怎样的条件。在他的有关论述中，我特别注意到两个概念。一是"神圣的好奇心"，即探究未知事物的强烈兴趣，以及在这探究中所获得的喜悦和满足感。另一是"内在的自由"，即不受权力和社会偏见的限制，也不受未经审察的常规和习惯的羁绊，而能进行独立的思考。如果说前者是每个健康孩子都有的心理品质，那么，后者是要靠天赋加上努力才能获得的能力。在一切伟大的精神创造者身上，都鲜明地存在着这两种特质。这两种特质的保护或培养都有赖于外在的自由。因此，学校教育的主要使命就是提供一个自由的环境，对两者都予以鼓励，最低限度是不要去扼杀它们。遗憾的是事实恰好相反，以至于爱因斯坦感叹道："现代的教育方法竟然还没有把研究问题的神圣好奇心完全扼杀掉，真可以说是一个奇迹。"

今天，现行教育体制的弊病已经引起了社会的广泛注意。但是，完全可以预料，由于种种原因，情况的真正改变将是一个极其漫长的过程。在这个过程中，一代代的学生仍然会不同程度地身受其害。有鉴于此，我想特别对学生们说：你们手中毕竟掌握着一定的主动权，既然在这种有弊病的教育体制下依然产生出了许多杰出人物，那么，你们同样也是有可能把所受的损害减少到最低限度的。为了做到这一点，就必须像爱因斯坦那样，要善于向现行教育争自由，不要去做各门功课皆优的"好学生"，而要做一个能够按照自己的兴趣安排学习计划的"自我教育者"。在我看来，一个人在大学阶段培养起了自主学习的兴趣和能力，找到了真正吸引自己的学科方向和问题领域，他的大学教育就可以说是出色地完成了，这一收获必将使他终身受益。至于课堂知识，包括顶着素质教育的名义灌输的课本之外的知识，实在不必太认真看待。为了明白这个道理，你们不妨仔细琢磨一下爱因斯坦引用的一个调皮蛋给教育所下的定义："如果你忘记了在学校里学到的一切，那么所剩下的就是教育。"

2001 年 6 月

父母们的眼神

街道上站着许多人，一律沉默，面孔和视线朝着同一个方向，仿佛有所期待。我也朝那个方向看去，发现那是一所小学的校门。那么，这些肃立的人是孩子们的家长了，临近放学的时刻，他们在等待自己的孩子从那个校门口出现，以便亲自领回家。

游泳池的栅栏外也站着许多人，他们透过栅栏朝里面凝望。游泳池里，一群孩子正在教练的指导下学游泳。不时可以听见某个家长从栅栏外朝着自己的孩子呼叫，给予一句鼓励或者一句警告。游泳课持续了一个小时，其间每个家长的视线始终执著地从众儿童中辨别着自己的孩子的身影。

我不忍心看中国父母们的眼神，那里面饱含着关切和担忧，但缺少信任和智慧，是一种既复杂又空洞的眼神。这样的眼神仿佛恨不能长出两把铁钳，把孩子牢牢夹住。我不禁想，中国的孩子要养成独立的人格，必须克服多么大的阻力啊。

父母的眼神对于孩子的成长有着不可低估的影响。打个不太确切的比方，即使是小动物，生长在昏暗的灯光下抑或在明朗的阳光下，也会造就成截然不同的品性。对于孩子来说，父母的眼神正是最经常笼罩他们的一种光线，他们往往是藉之感受世界的明暗和自己生命的强弱的。看到欧美儿童身上的那一股小大人气概，每每忍俊不禁，觉得非常可爱。相比之下，中国的孩子便仿佛总也长不大，不论大小事都依赖父母，不肯自己动脑动手，不敢自己做主。当然，并非中国孩子的天性如此，这完全是后天教育的结果。我在欧洲时看到，那里的许多父母在爱孩子上决不逊于我们，但他们同时又都极重视培养孩子的独立生活能力，简直视之为子女教育的第一义。在他们看来，真爱孩子就应当从长计议，使孩子离得开父母，离了父母仍有能力生活得好，这乃是常识。遗憾的是，对于中国的大多数父母来说，这个不言而喻的道理尚有待启蒙。

我知道也许不该苛责中国的父母们，他们的眼神之所以常含不安，很大程度上是因为看到了在我们的周围环境中有太多不安全的因素，诸如交通秩序混乱、公共设施质量低劣、针对儿童的犯罪猖獗等等，皆使孩子的幼小生命面临威胁。给孩子们提供一个相对安全的生存环境，这的确已是全社会的一项刻不容缓的责任。但是，换一个角度看，正因为上述现象的存在，有眼光的父母在对自己孩子的安全保持必要的谨慎之同时，就更应该特别注意培养他们的独立精神和刚毅性格，使他们将来有能力面对严峻环境的挑战。

1999 年 2 月

162

——《孩子怎样长大》丛书总序

　　东方出版中心决定出版一套丛书，总题目叫《孩子怎样长大》，我觉得这个题目出得非常好。成长是人生最重要而奇妙的经历之一，我们在一生中有两次机会来体验这个经历，一次是为人子女，在父母抚育下长大，另一次是为人父母，抚育孩子长大。然而，我们所经历过的事情，未必就是我们所了解的。事实上，在这两种情形下，我们的处境都带有某种不可避免的盲目性。因此，孩子怎样长大——这始终是一个需要我们特别关注的题目。

　　在这方面，有一个做法值得提倡，就是从孩子出生那天起，就坚持不懈地为孩子写日记，记录孩子的成长过程。在我看来，凡是有文化的父母都应该这样做，这是他们能够为孩子、也为自己做的一件极有价值的事情。

　　当一个人处在成长之中时，他必然是当局者迷，无法从旁来观察自己的成长过程。一颗种子只是凭着生命的本能发芽和生长罢了。生命在其早期阶段有多少令人惊喜的可爱的表现，可是对于这生命的主人来说，它们往往连记忆也留不下，成了一笔在岁月中永远遗失的财富。我们在孩提时代是如此，现在我们的孩子也是如此。如果你是一个珍惜自己的生命经历的人，你一定会为这种缺失而遗憾。那么，既然现在你做了父母，你为什么不为你的孩子来做这一件可以减轻其遗憾的事情呢？我相信，在孩子长大后，做父母的能够送给孩子的最好礼物就是一本记录其童年趣事和成长细节的日记。

　　当然，在做了父母以后，我们也未必是旁观者清。孩子的成长并非一个发生在父母的生活之外的事件，它始终是与父母自己的生活交织在一起的。孩子长大的过程，同时也是父母抚养和教育孩子的过程，我们身在这同一个过程中，并不是超脱和清醒的旁观者。一个人即使是专门的教育家，一旦自己为人父母，抚育孩子长大仍然是一种全新的经验，必须在实践中摸索。正因为如此，记录孩子的成长对于我们自己也有了必要。当我们这样做的时候，我们同时也是在对自己抚育孩子的经验进行反省和思考，被记录下来的不仅是我们观察到的孩子学习做人的过程，也是我们自己学习做父母的过程。因此，这一份将来送给孩子的珍贵礼物同时也是我们自己生命中一段重要历程的宝贵留念。

　　我承认，持之以恒地做这件事是相当困难的，因为我们不只是做父母，除了抚育孩子之外，我们还有许多别的事情要做，不得不为了生存或事业而奋斗。在日常的忙碌中，我们很容易变成粗心的、甚至麻木的父母。不过，在我看来，这恰好是我们应该坚持做这件事的又一个理由，它也许是防止我们变成这样的父母的一个有效方法。一旦养成了习惯，记录的必要会促使我们的感觉更敏锐，观察更细致，通过记录成长，我们也就在更好地欣赏和研究成长。

其实，必定有一些父母是真正的有心人，他们已经这样做了。那么，按照我的理解，现在的这套丛书便是对他们的一个邀请，请他们把自己的记录整理成书，从而让他们所做的这件对他们自己和他们的孩子极有价值的事情也对社会产生价值。读了收进本丛书的第一部书稿——李晶的《发现孩子》，我对这种价值充满信心。我深信，像这样在长期积累的基础上以诚实的态度写出的个案，不但对于别的正在抚育孩子成长的父母和正在成长之中的孩子会有亲切的启示，而且对于成长问题的科学研究也是扎实的贡献，其价值远非那些被大肆炒作的传授走红少男少女之培养术的书籍可比。

2001 年 11 月

我从来不给老朋友当啦啦队，因为在我眼里，他们个个都自己有翻江倒海的本领，用不着我来推波助澜。如果他们玩得漂亮，我看得高兴，就只是在心里叫一声好而已。但是，现在我要破个例，不妨把这次破例看作一个意外，我是不小心把心里的那一声好叫了出来。

朱正琳当然也属身手不凡之辈，过去编《东方》杂志和现在做电视节目策划都远不能让他过瘾。我知道，他虽然自己是一个写文章的高手，但更强烈的心愿是编一个真正合乎自己性情的刊物。我也相信，以他的心智敏锐和兴趣广泛，只要有合适的机会，他必是一个好的办刊人。现在，他编的读物《成长》第一辑（山东画报出版社出版）问世了，我一看就喜欢，立刻感到其定位之准确恰好是把他的爱好与社会的功用做了最佳的结合。

按照朱正琳的设想，《成长》是面向智力活跃的青年的。他之产生这一设想，如他在编者手记中所说，在很大程度上是因为怀念自己曾经拥有的这种活跃。不过，他没有停留于怀念，而是由此想到了要为今天的青年做点事。他心目中的对象大概不是今天所有的青年，而只是其中的一部分，也许是那些能让他认出自己昔日影子的青年。他设身处地地想，在现在这个出版物铺天盖地的时代，如果他仍然是一个对世界和人生充满好奇的青年，他最需要的是什么，那么，既然今天必定也会有许多这样的青年，他又能为他们做些什么。他的决定是要做他们的朋友，如同在趣味相投的朋友之间经常发生的那样，随时把自己在大量阅读中发现的有限精品介绍给他们，并且动员同道者也这样做，于是有了这套特别的文摘类读物。

对于精彩的文字作品，《成长》也不是兼收并蓄，而是有非常明确的选择范围的，分做两大类，一类探索世界，另一类体悟人生，这两个方面组成了朱正琳所说的智力生活。在我看来，他所说的智力生活其实包括了智力生活和心灵生活，不妨相对地区分开，前者面向世界，后者面向人生，两者可以合称为心智生活。经验告诉我们，一个人能否真正拥有心智生活，青年时期的确是关键。青年时期不但是心智活跃的时期，而且也是心智定向的时期。如果你在青年时期养成了好读书和读好书的习惯，那么，这种习惯在以后的岁月里基本上改不掉了。如果那时候没有养成，以后也就基本上养不成了。严格地说，好读书和读好书是一回事，在读什么书上没有品位的人是谈不上好读书的。所谓品位，就是能够通过阅读而过一种心智生活，使你对世界和人生的思索始终处在活泼的状态。世上真正的好书，都应该能够发生这样的作用，而不只是向你提供信息或者消遣。智力活跃的青年并不天然地拥有心智生活，他的活跃的智力需要得到鼓励，而正是通过读那些使他品尝到了智力快乐和心灵愉悦的好书，他被引导进入了作为一个整体的人类心智生活之中。一个民族在文化上能否有伟大的建树，归根到底取决于心智生活的总体水平。拥有心智生活的人越多，从其中产生出世界历史性的文化伟人的机会就越大。我始终认为，近代以降中国与西方在文化上的主要差距是在这里，而不是在别处。事实上，中国的青少年在智力的活跃上丝毫不亚于西方，但是，由于在重实用的环境中得不到鼓励，反而受到压抑，结果就使得大多数人还没有来得及成长就已经"成熟"了，我的意思是说，还没有来得及真正拥有心智生活就明智地把它放弃了。在今天越发重实用的氛围中，朱正琳来编这样一种鼓励心智生活的读物，我不敢说实际上能起多大作用，但我非常欣赏他的见识和努力。

　　和朱正琳在一起，最愉快的事是听他谈书，他对书有热情也有鉴赏力，谈起自己喜欢的书来真是神采飞扬，妙语迭出。现在他来编这样一种读物，我要同时向他和读者庆贺。向他庆贺，是因为他在做的这件事集享受和功德于一身，这等好事居然被他找着了。向读者庆贺，是因为朋友们听朱正琳谈书所得到的那种愉快，从今以后会心的读者也可以共享了。

2000 年 9 月

在人的一生中，中学时代是重要的，其重要性往往被估计得不够。这倒也在情理中，因为当局者太懵懂，过来人又太健忘。一个人由童年进入少年，身体和心灵都发生着急剧的变化，造化便借机向他透露了自己的若干秘密。正是在上中学那个年龄，人生中某些本质的东西开始显现在一个人的精神视野之中了。所以，我把中学时代称作人生中一个发现的时代。发现了什么？因为求知欲的觉醒，发现了一个书的世界。因为性的觉醒，发现了一个异性世界。因为自我意识的觉醒，发现了自我也发现了死亡。总之，所发现的是人生画面上最重要的几笔，质言之，可以说就是发现了人生。千万不要看轻中学生，哪怕他好似无忧无虑，愣头愣脑，在他的内部却发生着多么巨大又多么细致的事件。

一　书的发现

我这一辈子可以算是一个读书人，也就是说，读书成了我的终身职业。我不敢说这样的活法是最好的，因为人在世上毕竟有许多活法，在别的活法的人看来，啃一辈子书本的生活也许很可怜。不过，我相信，一个人不管从事什么职业，如果不读书，他的眼界和心界就不免狭窄。

回想起来，最早使我对书发生兴趣的只是一本普通的儿童读物。那还是在上小学的时候，班里的同学们把自己的书捐出来，凑成了一个小小的书库。我从这个小书库里借了一本书，书名是《铁木儿的故事》，讲一个顽皮男孩的种种恶作剧。这本书让我笑破了肚皮，以至于我再也舍不得与这个可爱的男孩分手了，还书之后仍然念念不忘，终于找一个机会把书偷归了己有。

我声明，后来我没有再偷过书。但是，从此以后，我对书不再是视若不见，而是刮目相看了，我眼中有了一个书的世界，看得懂看不懂的书都会使我眼馋心痒，我相信其中一定藏着一些有趣的东西，等待我去把它们找出来。

当时我家住在离上海图书馆不远的地方，我常常经过那里，但小学生是没有资格进去的，我只能心向往之。小学毕业，拿到了考初中的准考证，凭这个证件就可以到馆内的阅览室看书了，为此我感到非常自豪。记得我借的第一本书是雨果的《悲惨世界》，管理员怀疑地望着我，不相信十一岁的孩子能读懂。我的确读不懂，翻了几页，乖乖地还掉了。这一经验给我的打击是严重的，使得我很久不敢再去碰外国名著，直到进了大学才与世界级大师们接上头。

不过，对书的爱好有增无减，并且很早就有了买书的癖好。读初中时，从我家到学校乘车有五站地，由于家境贫寒，父亲每天只给我四分钱的单程车费。我连这钱也舍不得花，总是徒步往返，攒下来去买途中一家旧书店里我看中的某一本书。钱当然攒得极慢，我不得不天天去看那本书是否还在，直到攒够了钱把它买下才松一口气。读高中时，我住校，从家里到学校要乘郊区车，单程票价五角，于是我每周可以得到一元钱的车费了。这使我在买书时有了财大气粗之感，为此每个周末无比愉快地跋涉在十几公里的郊区公路上。

　　在整个中学时代，我爱书，但并不知道该读什么书。初中时，上海市共青团在中学生中举办"红旗奖章读书运动"，我年年都是获奖者。学校团委因此让我写体会，登在黑板报上。我写了我的读书经历，叙述我的兴趣如何由童话和民间故事转向侦探小说，又如何转向《苦菜花》、《青春之歌》等中国当代长篇小说。现在想来觉得好笑，那算什么读书经历呢。进入高中后，我仍然不曾读过任何真正重要的书，基本上是在粗浅的知识性读物中摸索。在盲目而又强烈的求知欲驱使下，有一阵我竟然认真地读起了词典，边读边把我觉得有用的词条抄在笔记簿上。我在中学时代的读书收获肯定不在于某一本书对于我的具体影响，而在于养成了读书的习惯。从那时开始，我已经把功课看得很次要，而把更多的时间用来读课外书。这部分地要归功于我读高中的上海中学，那是一所学习气氛颇浓的学校，阅览室的墙上贴着高尔基的一句语录："我扑在书本上，就像饥饿的人扑在面包上一样。"这句话对于当时的我独具魔力，非常贴切地表达了一个饥不择食的少年人的心情和状态。我也十分感谢那时候的《中国青年报》，它常常刊登一些伟人的励志名言，向我的旺盛的求知欲里注进了一股坚韧的毅力。

　　在高中三年级的寒假，我沉湎在唐诗宋词之中，被感染得自己也写起了诗词。我的笔记本里还保留着那时的涂鸦，虽然不讲韵律，难登大雅之堂，却很能反映我当时的心气。例如，有这样一首词——

丑奴儿

（丑者伪也，奴者分也）

几分只当屋外风，
随你隆隆；
随你隆隆
只因冷热你不懂。

学识万般靠自通，

莫辨四、五：

莫辨四、五，

眼见伪钧且不红。

这是表示瞧不起分数，看重的是真才实学。为什么要有真才实学呢？心里并不清楚，只是出于一种抽象的志气。请看这首——

偶思赋志

无职少鸣难惊人，

大志不随众笑沉。

读破万卷游历国，

高喊来了对诸仁。

写到这里，我不禁感到好笑。我一直自以为处世超脱，毫无野心，现在翻出旧帐一看，才知不然。在中学时，我的功课在班里始终是名列前茅的，但不是那种受宠的学生。初中二年级，只是因为大多数同学到了年龄，退出了少先队，而我的年龄偏小，才当上了一回中队长。这是我此生官运的顶峰。高中一直是班上的数学课代表，仅此而已。看来当时心中是有不平的，证明人皆不能免俗。说到数学课代表，还有一段"逸事"。因为我的数学成绩好，高中临毕业，当全班只有我一人宣布报考文科时，便在素有重理轻文传统的上海中学爆出了一个冷门，引得人们议论纷纷。当时我悄悄赋诗曰："师生纷纭怪投文，抱负不欲众人闻。"其实我哪里有什么明确的"抱负"，只是读的书杂了，就不甘心只向理工科的某一个门类发展了，总觉得还有更加广阔的知识天地在等着我去驰骋。最后我选择了哲学这门众学之学，起作用的正是这样一种不愿受某个专业限制的自由欲求。

二 性的发现

上课时，坐在第一排的那个小男生不停地回头，去看后几排的一个大女生。大女生有一张白皙丰满的脸蛋，穿一件绿花衣服。小男生觉得她楚楚动人，一开始是不自觉地要回头去看！后来却有些故意了，甚至想要让她知道自己的"情意"。她真的知道了，每接触小男生的目光，白皙的脸蛋上便会泛起红晕。这时候，小男生心中就涌起一种甜蜜的欢喜。

那个小男生就是我。那是读初中的时候，我不知不觉地开始注意起了班上的女生。我在班上年龄最小，长得又瘦弱，现在想来，班上那些大女生们都不会把我这个小不点儿放在眼里。可是，殊不知小不点儿已经情窦初开心怀鬼胎了。我甚至相信自己已经爱上了那个穿绿花衣服的女生。然而，一下了课，我却始终没有勇气去接近这个上课时我敢于对之频送秋波的人。有一次下厂劳动，我们分在同一个车间，我使劲跟别的同学唇枪舌剑，想用我的机智吸引她的注意，但就是不敢直接与她搭话。班上一个男生是她的邻居，平时敢随意与她说话，这使我对这个比我年长的男生既佩服又嫉妒。后来，在一次家长会上，我看见了绿衣女生的母亲，那是一个男人模样的老丑女人。这个发现使我有了幻想破灭之感，我对绿衣女生的暗恋一下子冷却了。

当时我并不知道，我对女孩子的白日梦式的恋慕只是一种前兆，是预告身体里的风暴即将来临的一片美丽的霞光。男孩子的性觉醒是一个充满痛苦的过程。面对汹涌而至锐不可挡的欲望之潮，男孩子是多么孤独无助。大约从十三岁开始，艰苦而漫长的搏斗在我的身上拉开了序幕，带给我的是无数个失眠之夜。没有人告诉我发生了什么，应该怎么办。我到书店里偷偷地翻看生理卫生常识一类的书，每一次离开时都带回了更深的懊悔和自责。我的亲身经验告诉我，处在讨人嫌的年龄上的男孩子其实是多么需要亲切的帮助和指导。

我是带着秘密的苦闷进入高中的，这种苦闷使我的性格变得内向而敏感。在整个高中时期，我像苦行僧一样鞭策自己刻苦学习，而对女孩子仿佛完全不去注意了。班上一些男生和女生喜欢互相打闹，我见了便十分反感。有一回，他们又在玩闹，一个女生在黑板上写了一串我的名字，然后走到座位旁拍我的脑袋，我竟然立即板起了脸。事实上，我心里一直比较喜欢这个机灵的女生，而她的举动其实也是对我友好的表示，可是我就是如此不近情理。我还利用我主持的黑板报抨击班上男女生之间的"调情"现象，记得有一则杂感是这样写的："有的男生喜欢说你们女生怎么样怎么样，有的女生喜欢说你们男生怎么样怎么样，这样的男生和女生都不怎么样。"我的古板给我赢得了一个"小老头儿"的绰号。

现在我分析，当时我实际上是处在性心理的自发的调整时期。为了不让肉欲的觉醒损害异性的诗意，我便不自觉地远离异性，在我和她们之间建立了一道屏障。这个调整时期一直延续到进大学以后，在我十八岁那一年，我终于可以坦然地写诗讴歌美丽的女性和爱情了。

三　死的发现

我相信，每一个人在生命的早期必定会有那样一个时刻：突然发现了死亡。在此之前，虽然已经知道了世上有死这种现象，对之有所耳闻甚至目睹，但总觉得那仅仅与死者有关，并未与自己联系起来。可是，迟早有一天，一个人将确凿无疑地知道自己也是不可避免地会死的。这一发现是一种极其痛苦的内心经验，宛如发生了一场看不见的地震。从此以后，一个人就开始了对人生意义的追问和思考。

小时候，我经历过外祖父的死，刚出生的最小的妹妹的死，不过那时候我对死没有切身之感，死只是一个在我之外的现象。我也感到恐惧，但所恐惧的其实并不是死，而是死人。在终于明白死是一件与我直接有关、也属于我的事情之前，也许有一个逐渐模糊地意识到、同时又怀疑和抗拒的过程。小学高年级时，上卫生常识课，老师把人体解剖图挂在墙上，用教鞭指点着讲解。我记得很清楚，当时我脑中盘旋着的想法是：不，我身体里一定没有这些乱糟糟的东西，所以我是不会死的！这个抗辩的呼声表明，当时我已经开始意识到了死与我的可怕联系，所以要极力否认。

当然，否认不可能持续太久，至少在初中时，我已经知道我必将死亡是一个无可否认的事实了。从那时起，我便常常会在深夜醒来，想到人生的无常和死后的虚无，感到不可思议，感到绝望。上历史课时，有一回，老师给我们讲释迦牟尼成佛的故事，我感动得流了眼泪。在我的想象中，佛祖是一个和我一样的男孩，他和我一样为人的生老病死而悲哀，我多情地相信如果生在同时，我必是他的知己。

少年时代，我始终体弱多病，这更加重了我性格中的忧郁成分。从那时留下的诗歌习作中，我发现了这样的句子："一夕可尽千年梦，直对人世说无常。""无疾不知有疾苦，旷世雄心会入土。"当时我还不可能对生与死的问题作深入的哲学思考，但是，回过头看，我不能不承认，我后来关注人生的哲学之路的源头已经潜藏在少年时代的忧思中了。

四 "我"的发现

在我上中学的年代，学校里非常重视集体主义的教育，个人主义则总是遭到最严厉的批评。按照当时的宣传，个人没有任何独立的价值，其全部价值就是成为集体里的积极分子，为集体做好事。在这样的氛围里，一个少年人的自我意识是很难觉醒的。我也和大家一样，很在乎在这方面受到的表扬或批评。但是，我相信意识有表层和深层的区别，两者不是一回事。在深层的意识中，我的"自我"仍在悄悄地觉醒，而且恰恰是因为受了集体的刺激。

那是读初中的时候，为了强化学生的集体观念，老师按家庭住址给学生划片，每个片的男生和女生各组织成一个课外小组。当然，每个学生都必须参加自己那个小组的活动。在我的印象中，课外小组的活动是一连串不折不扣的噩梦。也许因为我当时身体瘦弱，性格内向，组里的男生专爱欺负我。每到活动日，我差不多是怀着赴难的悲痛，噙着眼泪走向作为活动地点的同学家里的。我知道，等待着我的必是又一场恶作剧。我记得最清晰的一次，是班上一个女生奉命前来教我们做手工，组内的男生们故意锁上门不让她进来，而我终于看不下去了，去把门打开。那个女生离去后，大家就群起而耻笑我，并且把我按倒在地上，逼我交代我与那个女生是什么关系。

受了欺负以后，我从不向人诉说。我压根儿没想到要向父母或者老师告状。我的内心在生长起一种信念，我对自己说，我与这些男生是不一样的人，我必定比他们有出息，我要让他们看到这一天。事实上我是憋着一股暗劲，那时候我把这称作志气，它成了激励我发奋学习的主要动力。后来，我的确是班上各门功课最优秀的学生，因此而屡屡受到老师们的夸奖，也逐渐赢得了同学们的钦慕，甚至过去最爱惹我的一个男生也对我表示友好了。

当然，严格地说，这还算不上对自我价值的发现，其中搀杂了太多的虚荣心和功利心。不过，除此之外，我当时的发奋也还有另一种因素起作用，就是意识到了我的生命的有限和宝贵，我要对这不可重复的生命负责。在后来的人生阶段中，这一因素越来越占据了主导地位，终于使我能够比较地超脱功利而坚持走自己的路。我相信，对自己的生命负责是最基本的责任心，一个对自己的生命尚且不负责的人是决不可能对他人、对民族、对世界负责的。可是，即使在今天的学校教育中，这仍然是一个多么陌生的观念。

在我身上，自我意识的觉醒还伴随着一个现象，就是逐渐养成了写日记的习惯。一开始是断断续续的，从高中一年级起，便每天都记，乐此不疲，在我的生活中成了比一切功课重要无数倍的真正的主课。日记的存在使我觉得，我的生命中的每一个日子没有白白流失，它们将以某种方式永远与我相伴。写日记还使我有机会经常与自己交谈，而一个人的灵魂正是在这样的交谈中日益丰富而完整。我对写日记的热情一直保持到大学四年级，在文化革命中被暂时扑灭，并且还毁掉了多年来写的全部日记。我为此感到无比心痛，但是我相信，外在的变故并不能夺去我的灵魂从过去写日记中所取得的收获。

1999 年 3 月

从小培养主动学习的兴趣和能力

——邓琳采访周国平

邓：周国平先生，你好，我是北京景山学校《通讯》的小记者。大家都知道你很有名，你是著名的学者，大思想家，因为你写了很多好的作品。尽管我没有看过你写的书，可我妈妈很喜欢看你写的书，她也给我讲过里面的故事。所以我想采访你一下，问一些关于小学生学习的问题，你同意吗？

周：好的，我很高兴，这是我生平所接受的一次最特别的采访，我相信一定非常有趣。不过，我要纠正你一下，我不是大思想家，最多是一个小思想家。你爸爸告诉我，当你听说我是个有名的人的时候，你惊奇地说，你还以为我是一个小人物呢。其实你的以为是对的，反正我不是一个大人物。当然，小人物同样可以思考，就像有些大人物并不思考一样。

邓：第一个问题是，你小时候是怎样学习的？

周：这个问题问得好，这么多记者采访过我，没有问过这么深刻的问题。你想，每一个人都是从小变大的……

邓：啊哟，这个我知道。

周：可是，许多大人忘记了这一点，忘记了自己是从小时候走过来的，忘记了小时候是成长的起点，是人生非常重要的阶段。我也和所有的大人一样，很少去想小时候的事，所以我要谢谢你提醒我去想。

邓：可是你说了半天还没有说到正题呀。

周：好吧，我就说。我上小学时学习不算特别用功。我不知道你们现在有没有学生手册一类的东西，每个学期老师要在上面写评语。

邓：有，有。

周：我们那时候也有，每个学期老师给我写的评语都有一条，就是上课爱做小动作。

邓：我上课也爱做小动作。

周：不过，我有一条优点，就是喜欢看课外书。

邓：我也喜欢看课外书。

周：那我们太相像了。上课做小动作当然是缺点，毕竟会影响听课，老师是有理由批评我们的。但是，比较起来，爱看课外书这个优点要重要得多，我后来的全部所谓成就都是从这个优点发展来的。

邓：第二个问题是，你小时候的学习对你现在的成功是有帮助还是没有帮助？

周：我刚才说了，对我特别有帮助的是爱看课外书这一点。我从小养成了这个习惯，一直到中学、大学和从学校毕业之后都保持了下来，这样就逐渐形成了自己感兴趣的方向。我觉得，一个人有没有自己真正感兴趣的领域，这是非常重要的，因为一个人只有喜欢一件事，才会有主动性和创造性，想方设法要把它做好。如果只是跟着老师和课本走，对别的都不感兴趣，这样的人功课再好，将来也不会有大的出息。所以，从学校和老师来说，最重要的也不是讲授知识，而是培养学生对知识的兴趣。记得有人说过一句很聪明的话，意思是说：什么是教育？你把你学到的东西都忘掉了，剩下的东西就是教育。学到的具体知识，如果不经常用，是很容易忘掉的。那个忘不掉的剩下的东西是什么？我想就是一种主动学习的兴趣和能力，如果你在学生时代获得了这个东西，就会终身受益。

邓：我问第三个问题。我们现在在学习上有个困难，就是家庭作业很多，但是同学们又想看一些自己感兴趣的、能增长知识的书，这该怎么办呢？我有一个办法，就是尽快把作业完成，再看那些书。你觉得这个办法好吗？你有什么更好的办法介绍给我们吗？

周：在现有的情况下，你这个办法也许是最好的办法，可能也是唯一的办法。

邓：有什么窍门吗？

周：我觉得没有什么窍门。作业不完成，老师不答应呀。

邓：那么，有些同学作业写得慢，是不是就没有时间看课外书了？

周：是啊，所以，在这个问题上，老师和同学应该互相商量，把作业限制在确实必要的数量上，让那些作业写得慢的同学也有时间看点课外书，作业写得快的同学当然就能看更多的课外书了。我觉得，一个合理的教学方案应该使绝大多数学生都能够不太吃力地完成功课，尽可能给他们留出自由支配的时间，那正是他们发展个性的天地。

邓：第四个问题是，我们学习的时代和你小时候不一样，你那时候没有电视和电脑，现在有了这些东西，有的同学就会着迷于看电视、玩电脑，而影响了学习。你认为应该怎么解决这个问题呢？

周：这可是一个难题。我们小时候当然没有这些东西啦，不过，那时候有别的让我们着迷的东西。不管时代怎样不同，是孩子都爱玩，玩起来不加节制都会影响学习，所以都有一个培养意志力的问题。还有一个问题就是玩什么，怎么玩，我主张一种主动的玩，就是把玩和学习结合起来，在玩的同时刺激了求知欲，启迪了智慧。在多数情况下，看电视、玩电脑游戏是一种被动的过程，往往消磨了大量时间，所获却极小。所以，如果我是家长，我一定会在这方面对自己的孩子进行限制。

邓：为什么我爸爸不爱看电视？

周：我和你爸爸一样，也不爱看电视。

邓：那为什么我妈妈就爱看电视呢？

周：这个问题你应该问你妈妈呀。我有一个印象，一般来说，好像妈妈们比爸爸们爱看电视。

邓：最后，我想请你给我们提一些希望和建议，好吗？

周：第一希望你们身体健康。

邓：现在是谈学习，不是谈身体。

周：没有好的身体，你能好好学习吗？

邓：不能。

周：你看你爸爸现在天天打网球，把身体练得这样结实，工作效率就比以前高多了。你们也一样，有了好的身体，才能持久地有效地学习。第二呢，希望你们心情愉快，多到大自然中去，永远对阳光下的广阔世界充满好奇心，不要总是关在屋子里做作业、看电视。第三就是我说过的要多读课外的好书，培养主动学习的兴趣和能力。

邓：谢谢，我代表我们学校的学生向你表示感谢，因为你很忙，还抽出宝贵的时间来接受我的采访。

周：我也谢谢你来采访我，请你替我转达对你的同学和老师的问候。

2001 年 4 月

哲学系学生的素质教育

——《新世纪中国大学生优秀毕业论文评点·哲学卷》序

在学者的成长历程中，大学本科是一个至关重要的阶段。读本科的大学生很多，其中只有一小部分人将来适合于从事学术。一个人在学术上有无发展前途，在本科阶段大致可以看出来了。就哲学系的学生而言，我认为最重要的是看是否培育起了两种能力，一是哲学思考的能力，二是做学问的能力。

其实，对于任何学科的理论研究来说，哲学思考的能力都是重要的，它体现为一种超越学科界限的宏观视野，一种从整体出发把握本学科中关键问题的领悟力。凡不具备相当的哲学悟性的人，是很难在任何领域成为大学者的。毫无疑问，这个道理在哲学研究领域中就更加不言而喻了。一个不具备哲学思考能力的人，他所从事的任何研究都不可能是真正的哲学研究，他不但不能以哲学的方式处理所面对的问题，甚至会把完全非哲学性质的问题选做自己的课题。因此，如果要说哲学系学生的素质教育，我认为第一重要的就是培育哲学思考的能力。在这方面，一个有效途径是阅读哲学史上的基本著作，在阅读中注意追踪大哲学家们在那些最重大往往也最困难的问题上的思路及其异同，由此而使自己也进入这些问题之中，把这些问题或其中之一变成真正属于自己的问题。

其次重要的是培育做学问的能力。在确定了自己的问题领域和研究方向之后，就要锤炼做学术工作的基本功了。这大致上是指，围绕所选定的课题系统地搜集和整理资料，做到对于在此问题上既有的研究成果有全面和清晰的了解，获取扎实的知识，在此基础上形成自己的研究路径。同时，学术能力还包括一定的写作能力，要善于用文字表述研究的收获。这些都是必须下苦功的事情，据我所见，有的人有良好的哲学悟性，却短于此项，结果仍不能做哲学的研究工作。

当然，在实践中，这两种能力的培育并非截然分开的。我想强调的是，一个哲学系学生如果确实有志于以哲学研究为自己的事业，他就理应在这两方面都打好基础，使自己兼备哲学家素质和学者素质。

西苑出版社出版近年来大学生优秀毕业论文，请我为哲学卷作序，我就写了以上这些话。需要说明的是，收入本卷的论文是业已选好送到我面前的，而不是我选编的，因此，我只是做了第一个读者而已。以上的话包含了我读这些论文时的一种评价标准。我所欣赏的论文具有这样的特征：一、论题小而具体，而非大而无当；

二、内容扎实，而非泛泛议论；三、有哲学底蕴，而非用别的话语方式取代哲学思考；四、有一定创见，而非完全重复他人之见。应该承认，本卷所收论文的水准是相当不平衡的，其中确有佳作，至于是哪几篇，恕我不说出我的一家之言，请读者各以自己的眼光评估吧。

2002 年 4 月

休闲的时尚

休闲已经成为一种时尚。在今天，如果一个人不是经常地泡酒吧、茶馆或咖啡厅，不是熟门熟路地光顾各种名目的娱乐场所，他基本上可以算是落伍了。还有那些往往设在郊外风景区的度假村，据说服务项目齐全，当然主要是针对男人们而言。为了刺激和满足休闲的需要，一个遍布全国各地的休闲产业正在兴起。

我们的生活曾经十分单调，为谋生而从事的职业性劳动占据了最大比例，剩下的闲暇时间少得可怜。那时候有一句流行的话："不会休息的人就不会工作。"位置摆得很清楚：闲暇时间只是用来休息，而休息又只是为工作服务。现在，对于相当一部分人群来说，情况已经改变。当闲暇时间足够长的时候，它的意义就不只是为职业性劳动恢复和积蓄体力或脑力，而是越来越具有了独立的价值。我们的生活质量不再仅仅取决于我们怎样工作，同时也取决于我们怎样消度闲暇。"休闲"、"消闲"完全是新的生活概念，表明闲暇本身要求用丰富的内容来充实它，这当然是一大进步。

然而，正因为如此，至少我是不愿意把闲暇交给时尚去支配的。在现有社会条件下，多数人的职业选择仍然不可避免地带有一定的强制性，唯有闲暇是能够自由支配的时间。闲暇之可贵，就在于我们在其中可以真正做自己的主人，展现自己的个性。时尚不过是流行的趣味罢了，其实是最没有个性的。在酒吧的幽暗烛光下沉思，在咖啡厅的温馨氛围中约会，也许是很有情调的事情。可是，倘若只是为了情调而无所用心地坐在酒吧和咖啡厅里，消磨掉一个又一个昼夜，我觉得那种生活实在无聊。

作为一种时尚的休闲，本质上是消费行为。平时忙于赚钱，紧张而辛苦，现在花钱买放松，买快乐，当然无可非议。可是，如果闲暇只是用来放松，它便又成了为工作服务的东西，失去了独立的价值。至于说快乐，我始终认为是有档次之分的。追求官能的快乐也没有什么不好，但如果仅限于此，不知心灵的快乐为何物，档次就未免太低。在这意义上，消度闲暇的方式的确表明一个人的精神品级。

休闲的方式应该是各人不同的，如果雷同就一定是出了问题。"休闲"这个概念本身具有导向性，其实"闲"并非只可用来"休"。清人张潮有言："能闲世人之所忙者，方能忙世人之所闲。"改用他的话，不妨说，积极的度闲方式是闲自己平时之所忙，从而忙自己平时之所闲。每一个人的生命都蕴藏着多方面的可能性，任何一种职业在最好的情形下也只是实现了某一些可能性，而压抑了其余的可能性。闲暇便提供了一个机会，可以尝试去实现其余的可能性。人是不能绝对地无所事事的，做平时想做而做不了的事，发展自己在职业中发展不了的能力，这本身是莫大的享受。所以，譬如说，一个商人在闲时读书，一个官员在闲时写书，在我看来都是极好的休闲。

2001 年 6 月

个性、人性与榜样

在人类的发展中，榜样所起的作用是巨大的。世界历史上那些伟人的生平和业绩，往往具有一种榜样的力量，鼓舞着一代又一代人去创造光辉的人生。我们完全可以想象，苏格拉底、斯宾诺莎的榜样造就了许多哲学家，恺撒、拿破仑的榜样造就了许多军事家，牛顿、爱因斯坦的榜样造就了许多科学家，如此等等。当然，榜样的作用决非这样狭窄，只要是真正的伟人，他的魅力首先是人格上的，他向我们展示的首先是人性所能达到的一种高度，从而使我们形象地体会到做人的光荣和尊严之所在。因此，他的作为榜样的影响必定远远超出他的专业范围，而会普及和深入到各行各业的人的心灵世界之中。

就个人的成长而言，青少年时期无疑最容易受到榜样的影响。在这个阶段，一个人正处在人生的起点上，对于未来满怀憧憬，但缺乏具体的概念。这就使他很容易把某一个人物当作自己崇拜的对象和仿效的楷模，在这个人物身上把自己的人生理想和奋斗目标具体化。这个人物可能是历史上的，也可能是同时代的，还可能是周围现实中的，这在很大程度上取决于他的教育环境。一般来说，这是一个自发的过程，不同的人在人生早期为自己选择的榜样常常是不同的。当然，时代的烙印也是免不了的。譬如说，在强调统一思想的年代，往往会自上而下地树立一些榜样，作为意识形态灌输的手段，在青少年的品德教育中起主导作用。又譬如说，在大众媒体发达的今天，那些在商业上成功的各色明星会风靡一时，被许多无知青少年当作自己的人生偶像。

在肯定榜样的作用的前提下，我的基本主张是，第一，坚持把榜样的选择看作每个人自己的事情，是一个人在精神成长过程中的自然而然的一个发现和遭遇。事实上，唯有当我们发自内心地赞同和敬佩某个人之时，这个人才能对我们真正发生榜样的作用。在一个人的心灵生活中，以谁为榜样不是一个孤立的事件，而是他的个性的体现。所以，榜样的趋同不论以何种形式出现，都是不自然的。第二，这并不意味着对于榜样不作价值区分，当然应该提倡以那些在人性的意义上真正伟大的人为榜样，但是，在这方面也只能创造一种氛围，完全不必进行人为的干预。在一个社会中，那些闪耀着人性光辉的人物——不论是现代的，还是历史上的，不论是本民族的，还是外国的——受到普遍的尊敬，同时不同的个人出于自己的个性而对其中某一个或某几个人有所偏爱，这样的社会便是有了一种健康的精神氛围。

按照中国的传统，历来树立榜样基本上是从道德着眼。我更强调人性意义上所达到的高度，亦即整体的精神素质，因为在我看来，一个人的道德品质只是他的整体精神素质的表现，并且唯有作为此种表现才有价值。即如当今社会的道德失范，其实也是某种整体精神素质的缺陷在特殊条件下的暴露，因此不是靠树立几个道德标兵就能解决的。人性意义上的伟大是世界性的，必能赢得一切民族的人的尊敬。耶稣说，先知在自己的家乡往往不受欢迎，而在家乡之外却受到尊敬。套用他的话，我们可以说，只在自己的家乡受到推崇、而在家乡之外不受欢迎的榜样是不够格的榜样。

2001 年 6 月

辩论何为

我对电视里的辩论竞赛一向淡漠，理由有二。第一，双方的立场由抽签决定，而不是每个辩论者自己的真实主张，这就注定了辩论的表演性质。第二，由于事前的集训和灌输，这种表演往往还十分造作。因此，当我看见这本题为《正方与反方》的辩论者手册时，我的心态是怀疑甚至抵触的。可是，在翻开了以后，我立刻发现它是一本与我的预料很不同的书。

顾名思义，这本书该是专门传授辩论技巧的，其实不然。翻到目录页，映入眼帘的全部是当今西方世界正在广泛讨论着的重大话题，分门别类，井然有序。再看正文，在每个论题下面，一一对应地罗列着正反两方面的论点和基本论据，简明扼要，一目了然。单是这个结构即已表明，书的编著者是知道辩论究竟是为了什么的。正像前言中所说的，该书有心推广的辩论传统不把辩论仅仅当作逗人开心的娱乐，而是看作民主政体借以建立和推进的艺术。我们且不管辩论在他们的政治生活中能够实际发挥多大的作用，人家至少是把注意力放在了所辩论的那些实质性内容上，而不是可笑地进行所谓口才和风度的培训。所以，编著者的一项主要工作就是根据情况的变化不断修改该书，至今已出到了第十八版，以便让读者对现实中正在发生的重要争论有完整和及时的了解。

对于我来说，这本书的主要好处是提供了一份清单，使我可以方便地把握西方流行公共话题的概况。其中相当一部分问题，特别是涉及道德、教育、文化、科技领域的一些问题，例如动物权利、方便离婚、女权主义、安乐死、同性恋、公众人物的隐私、废除考试、私立学校、大学生学费、性教育、国家对艺术的赞助、高雅艺术与低俗艺术、优生学、基因工程等等，在我们这里也正在成为争议话题。政治、经济和法律领域的问题，因为"国情"不同，我们的一般公众也许会感到陌生，但既然"国情"是在不断变化的，我们也就迟早会与其中一些带普遍性的问题相遇。

辩论究竟何为？这个问题始终是一切公共辩论活动的组织者和参加者必须解决的首要问题，对它的回答决定了辩论的形式、方法和档次。如果对问题本身缺乏兴趣，只是为了做节目和排名次，就必然会有我们这里越来越倒观众胃口的电视表演。任何公共辩论活动要有意义，第一个条件是组织者、参赛者和观赛者对所辩的问题本身都真正感兴趣，实际上是提供了一个舞台，使公共生活中业已发生的围绕着某个问题的争论得以集中展现。因此，作为基础性的工作，我希望有人对我们这里的有争议的公共话题也加以梳理，编辑一本适合国情的中国版《正方与反方》。无可否认，在我们的媒体上，公众争论的展开还十分有限，给编辑这样的书造成了困难。但是，事情仍有可为之处，这样一本书虽然不能超越我们民主生活的成熟程度，却正可以通过不断修改而把这一成熟程度之变化记录在案。

如果辩论的目的是要对争议中的问题寻求一个合理的解决，那么，辩论者的心态也不应该是唯胜负是问。其实，无论正方还是反方，只要抱着一决胜负的气概踏上战场，就不仅会表现出坏风度，而且会施展出坏辩术，因为他就会誓死捍卫自己这一方的观点，非把它推至极端而成为明显的谬误不肯罢休。事实上，那些引起广泛争论的辩题多半具有两难的特征，任何一方的立场都不能完全成立。追究起来，一切重要争论都源于价值观的分歧，双方所维护的都是某一种不容忽视的正面价值。在多数情况下，往往是一方要维护某种理想主义价值，另一方要维护某种比较可行的实用性价值。也有的时候，双方所维护的是不同的理想价值。透底地说，价值无争论，只有选择。辩论之所以发生，是因为两种正面价值形成了冲突，因此辩论的真正使命不是在两者之间一决胜负，而是寻求对两者最大限度兼顾的最佳方案。如果真要分胜负，那么，胜利应当属于通过提出这样的最佳方案而巧妙地维护了自己所看重的价值的一方，而并非最坚决地鼓吹自己的价值立场的一方。

我强调辩论的严肃性，不等于反对辩论的娱乐性。一场精彩的辩论真是一台好戏。不过，最激动人心的辩论不在议会里，更不在赛场上，而是在被列宁称作"全体人民的盛大节日"的革命时期。当然，是在革命时期的初期，新的专政还没有建立起来的时候。那个时候往往会出现全民辩论的盛况，几乎所有的人都卷入了与自己休戚相关的重大问题的争论之中，同时一切禁忌都暂时地解除了，人人都非常投入，各种观点短兵相接，到处自发举行的辩论会上真是能出彩，罗伯斯庇尔一类的大辩论家应运而生了。我提及这一点只是想说明，辩论要真正精彩，前提是辩题必须是人们真正关心的，辩手的立场必须是辩手自己真正坚持的。因此，如果仍要举办大学生辩论赛这类活动，我建议至少做一点改变，就是让辩手自己选择自己的立场。操作起来肯定会有一定困难，但未必是不可克服的。如果不可克服呢？那么，依我之见，这样的活动不举办也罢。

2000 年 9 月

医学与人文关怀

王一方先生的职业是出版和办报，可是，多年来，他对医学人文这个话题倾注了异乎寻常的热情。作为出版人，他策划了医学人文系列丛书《柳叶刀译丛》，把西方正在兴起的医学人文学中的重要著作引入了中国。与此同时，他组织了围绕这一话题的系列对话，自己写作了若干相关文章，结集为《敬畏生命——生命、医学与人文关怀的对话》一书。对于他在这方面的努力，我的心情已不止是赞赏，而更是感激。

我之所以感激，是因为我亲身的经历，我的耳闻目睹，都早已使我强烈地感觉到了这个问题的迫切性。事实上，不仅我如此，医疗腐败的现状也早已激起了普遍的社会不满。但是，迄今为止，这种不满的表达仍只限于受害者的自发投诉和媒体上的零星揭露，显得十分软弱。要使情况有真正的改观，就必须唤起社会上的强势集团、医学界的权威人士、有影响的公众人物都来关心这个问题，形成一种足以推动变革的自觉的社会压力。在一定意义上，王一方所做的就是这样的工作。

本书中的大部分对话和文章是围绕《柳叶刀译丛》所收的西方医学人文学著作展开的，这些著作的作者基本上是医学专家或医生，我觉得这个事实本身就很说明问题。倘若没有深厚的人文传统的底蕴，就不能设想在医学从业者中会涌现出这么多用广阔的人文眼光反省现代医学的人来。因此，对现代医学非人化倾向的反省本身即证明了人文传统的源深流长。这与西方思想界对于现代性的整体反省的情形是一样的，每当看见有人从这种反省中引出东方文化优越的结论，我就不禁感到滑稽。

医学人文学对于现代医学的反省大致集中在两个方面。一是技术化，不把病人当人，只看作疾病的载体，医疗技术施与的对象。由此而产生了一系列后果，包括把病人与亲情隔离开来的医院体制，医患之间的没有交流，对于病人的体验毫不关心，等等。二是商业化，也是不把病人当人，而只看作消费的主体，尽可能多赚钱的机会。在这方面，西方社会的一个典型现象是，医生、律师、制药商组成利益共同体，诱导医疗消费，制造保健市场，导致医学边界的无限扩张。作者把这两个方面概括为：因为科学的贪婪和商业的贪婪，现代医学失去了生命感。针对于此，反省者们强调了两个基本观点：第一，医学不只是科学，更是人学，医生所面对的是整体的人，应该确立以患者生活为中心的治疗目标；第二，医疗权是基本人权，医疗公正是社会公正的重要方面，病人权利应该得到法律的切实保障。反省的目标是要让医学回到人本身，明确一个其实很简单的真理：病人不是病，而是人，是有着自己的全部生活经历和心理体验的活生生的个人。

在我们这里，治病不治人、认钱不认人的情况肯定严重得多。正是在医院里，人们最经常地感觉到自己不被当作人对待的屈辱。与其说这不是一个孤立的现象，毋宁说是中国转型时期权力与资本畸形结合的腐败现象的一个侧面。从文化上分析，则正如本书对话者之一陈可冀院士所指出的，中国医学的人文传统早退了，西方医学的人文建构又迟到了，形成了医学中的人文空白。

要培育医学的人文关怀，医生素质的改善无疑是关键一环。一个医生只有当他自己不是一架医疗机器，而是一个活生生的有着广泛兴趣和活泼感受的人，他才能相应地不把病人当作疾病，而是当作完整的人来对待。作者在书中谈到，美国医生爱写自传体著作，从这些著作中可以看出，他们在自己的职业生涯中总会遇到许多新鲜事，思考许多怪问题。在西方的医生中，当然也有大量的片面技术型和平庸谋生型的人，但的确有比我们多得多的有着广阔人文视野的真正的知识分子，正是这些人构成了西方医生的核心，引导着西方医学的人文方向。我由此想到，如果要在中国医学界寻找这样的知识分子，恐怕多半是在像陈可冀先生这样崇尚知识、情感、道德合一境界的老一代医学专家中，或者还可能在从西方不但学到医术而且真正受了人文熏陶而归来的年轻医生中。我期望这两种力量联合起来，从医学生的人文教育着手，在医务人员中培植陈可冀先生所提倡的非职业阅读的风气，如此持之以恒，有朝一日也许能够形成中国医学界的人文核心了。

2001 年 4 月

| 不再轻信 |

《华夏》杂志10月号刊登了一篇题为《周国平：超越尴尬》的采访稿，作为被采访的对象，我想就这篇稿子的形成和发表情况谈一谈对当今媒体的一点感想。

我不是一个喜欢接受采访的人，因为我一直认为，作为一个写作者，我自己的作品是让读者了解我的最好方式，比较起来，媒体的转述是一种不太可靠的方式。我深感时间有限，用在写作上尚嫌不够，也就不愿意耗费在这种比较不可靠的方式上了。接受《华夏》的采访，是屈服于采访者所表达的诚意，同时我对这份刊物的印象毕竟还不错。然而，事实证明，我的不坚定留下的仍然是教训。

应该说，采访时的谈话是比较愉快的。面对两位记者的提问，我的回答无拘无束。她们问到我的婚爱经历，我同样据实相告。但我同时强调，这部分内容只是私下聊天，不供发表。原因很简单：我可以坦然面对自己的经历，可是，我不愿意把自己的私生活变成公众话题，更不愿意因此而伤害到相关的其他人。我特别要求，采访稿整理出来以后一定发给我，经我允许方可发表。她们倒是发给我了，令我吃惊的是，不供发表的那一部分赫然在目，而且作了不妥当的表述。我立即删去这一部分，对其余部分中我觉得不确切的内容也做了少量删改，然后发回给她们。据说由于电脑的故障，复件无法读出。我又发了一次，情形照旧。最后，我只好在电话中再三叮嘱：一定把那一部分删去，否则不能发表。她们答应了。刊物出来了，那一部分岿然不动。

我不知道该怎样描述我的心情。总的感觉是因为轻信而受了作弄，我在给记者之一发的电子信中说："看来，认为有可能与媒体人员进行私下聊天，这是我的幼稚。"事情已经发生，向我作出的任何解释和道歉都无济于事，我只感到深深对不起因此会受伤害的相关人。我不相信这只是一个偶然的疏忽，我三令五申而结果仍是如此，仅此已足可证明记者们对被采访人不尊重到了何等地步。何况还有别的证据，例如，正文的标题是《周国平：超越尴尬》，到了封面上却成了《周国平的文案和情案》。我恍然大悟：如果删去了那一部分，还成什么"情案"，又如何能招徕好奇的观众？又例如，所刊照片上的解说词显然弦外有音，对我和现在妻子的合影的解说是"对爱情的定义要下得宽一点"，对我和孩子的合影的解说是"珍惜现有的感情是非常重要的"。我在以前文章中写过类似的话，现在被张冠李戴地移植过来注解这些特定的照片，就成了无中生有的暗示。我实在无法理解，捉笔者这样做是出于什么心理，又想产生怎样的新闻效应？

够了，这一事件再次证明我原先对于媒体的不信任态度是有根据的。不尊重采访人的意愿，靠片面渲染、演绎个别情节来制造所谓卖点，这是当今媒体的一个通病。一个相关的例证是，《中华读书报》迅速地转载了《华夏》的采访稿，而且独独只转载我要求删去的那一部分。现在我把这篇批评文章寄给两家刊物，希望他们刊出，以此表明接受批评的诚意。至于我自己，我自会吸取教训，从今以后不再轻易接受媒体的采访。

2000 年 11 月

第八辑

灵魂只能独行

南极素描

一　南极动物素描

企鹅——

像一群孩子，在海边玩过家家。它们模仿大人，有的扮演爸爸，有的扮演妈妈。没想到的是，那扮演妈妈的真的生出了小企鹅。可是，你怎么看，仍然觉得这些妈妈煞有介事带孩子的样子还是在玩过家家。

在南极的动物中，企鹅的知名度和出镜率稳居第一，俨然大明星。不过，那只是人类的炒作，企鹅自己对此浑然不知，依然一副憨态。我不禁想，如果企鹅有知，也摆出人类中那些大小明星的做派，那会是多么可笑的样子？我接着想，人类中那些明星的做派何尝不可笑，只是他们自己认识不到罢了。所以，动物的无知不可笑，可笑的是人的沾沾自喜的小知。人要不可笑，就应当进而达于大知。

贼鸥——

身体像黑色的大鸽子，却长着鹰的尖喙和利眼。人类没来由地把它们命名为贼鸥，它们蒙受了恶名，但并不因此记恨人类，仍然喜欢在人类的居处附近逗留。它们原是这片土地的主人，人类才是入侵者，可是这些入侵者却又断定它们是乞丐，守在这里是为了等候施舍。我当然不会相信这污蔑，因为我常常看见它们在峰巅筑的巢，它们的巢相隔很远，一座峰巅上往往只有一对贼鸥孤独地盘旋和孤独地哺育后代。于是我知道，它们的灵魂也与鹰相似，其中藏着人类梦想不到的骄傲。有一种海鸟因为体形兼有燕和鸥的特征，被命名为燕鸥。遵照此例，我给贼鸥改名为鹰鸥。

黑背鸥——

从头颅到身躯都洁白而圆润，唯有翼背是黑的，因此得名。在海面，它悠然自得地凫水，有天鹅之态。在岩顶，它如雕塑般一动不动，兀立在闲云里，有白鹤之象。在天空，它的一对翅膀时而呈对称的波浪形，优美地扇动，时而呈一字直线，轻盈地滑翔，恰是鸥的本色。我对这种鸟类情有独钟，因为它们安静，洒脱，多姿多态又自然而然。

南极燕鸥——

身体像鸥，却没有鸥的舒展。尾羽像燕，却没有燕的和平。这些灰色的小鸟总是成群结队地在低空飞舞，发出尖利焦躁的叫声，像一群闯入白天的蝙蝠。它们喜欢袭击人类，对路过的人紧追不舍，用喙啄他的头顶，把屎拉在他的衣服上。我对它们的好斗没有异议，让我看不起它们的不是它们的勇敢，而是它们的怯懦，因为它们往往是依仗数量的众多，欺负独行的过路人。

海豹——

常常单独地爬上岸，懒洋洋地躺在海滩上。身体的颜色与石头相似，灰色或黑色，很容易被误认做一块石头。它们对我们这些好奇的入侵者爱答不理，偶尔把尾鳍翘一翘，或者把脑袋转过来瞅一眼，就算是屈尊打招呼了。它们的眼神非常温柔，甚至可以说妩媚。这眼神，这滑溜的身躯和尾鳍，莫非童话里的美人鱼就是它们？

可是，我也见过海豹群居的场面，挤成一堆，肮脏，难看，臭气熏天，像一个猪圈。

那么，独处的海豹是更干净，也更美丽的。

其他动物也是如此。

人也是如此。

海狗——

体态灵活像狗，但是不像狗那样与人类亲近。相反，它们显然对人类怀有戒心，一旦有人接近，就朝岩丛或大海撤退。又名海狼，这个名称也许更适合于它们的自由的天性。不过，它们并不凶猛，从不主动攻击人类。甚至在受到人类攻击的时候，它们也会适度退让。但是，你千万不要以为它们软弱可欺，真把它们惹急了，它们就毫不示弱，会对你穷追不舍。我相信，与人类相比，大多数猛兽是更加遵守自卫原则的。

黑和白——

南极的动物，从鸟类到海豹，身体的颜色基本上由二色组成：黑和白。黑是礁石的颜色，白是冰雪的颜色。南极是一个冰雪和礁石的世界，动物们为了向这个世界输入生命，便也把自己伪装成冰雪和礁石。

二 南极景物素描

冰盖——

在一定意义上，可以在南极洲和冰盖之间划等号。南极洲整个就是一块千古不化的巨冰，剩余的陆地少得可怜，可以忽略不计。正是冰盖使得南极洲成了地球上唯一没有土著居民的大陆。

冰盖无疑是南极最奇丽的景观。它横在海面上，边缘如刀切的截面，奶油般洁白，看去像一只冰淇淋蛋糕盛在蓝色的托盘上。而当日出或日落时分，太阳在冰盖顶上燃烧，恰似点燃了一支生日蜡烛。

可是，最美的往往也是最危险的。面对这只美丽的蛋糕，你会变成一个贪嘴的孩子，跃跃欲试要去品尝它的美味。一旦你受了诱惑与它亲近，它就立刻露出可怕的真相，显身为一个布满杀人陷阱的迷阵了。迄今为止，已有许多英雄葬身它的腹中，变成了永久的冰冻标本。

冰山——

伴随着一阵闷雷似的轰隆声，它从冰盖的边缘挣脱出来，犹如一艘巨轮从码头挣脱出来，开始了自己的航行。它的造型常常是富丽堂皇的，像一座漂移的海上宫殿，一艘豪华的游轮。不过，它的乘客不是人类中的达官贵人，而是海洋的宠儿。时而可以看见一只或两只海豹安卧在某一间宽敞的头等舱里，悠然自得，一副帝王气派。与人类的游轮不同，这种游轮不会返航，也无意返航。在无目的的航行中，它不断地减小自己的吨位，卸下一些构件扔进大海。最后，伴随着又一阵轰隆声，它爆裂成一堆碎块，渐渐消失在波涛里了。它的结束与它的开始一样精彩，可称善始善终，而这正是造化的一切优秀作品的共同特点。

石头——

在南极的大陆和岛屿上，若要论数量之多，除了冰，就是石头了，它们几乎覆盖了冰盖之外的全部剩余陆地。若要论年龄，南极的石头也比冰年轻得多。冰盖深入到地下一百米至数千米，在许多万年里累积而成，其深埋的部分几乎永远不变，成了研究地球历史的考古资料库。相反，处在地表的石头却始终在风化之中，你在这里可以看到风化的各个环节，从完整的石峰，到或大或小的石块，到锋利的石片，到越来越细小的石屑，最后到亦石亦土的粉末，组成了一个展示风化过程的博物馆。

人们来这里，如果留心寻找色泽美丽的石头，多半会有一点儿收获。但是，我觉得漫山遍野的灰黑色石头更具南极的特征，它们或粗砺，或呈卵形，表面往往有浅色的苔斑，沉甸甸地躺在海滩上或山谷里，诉说着千古荒凉。

苔藓——

在有水的地方，必定有它们。在没有水的地方，往往也有它们。它们比人类更善于判断，何处藏着珍贵的水。它们给这块干旱的土地带来了生机，也带来了色彩。

南极短暂的夏天，气温相当于别处的早春。在最暖和的日子里，积雪融化成许多条水声潺潺的小溪流，把五线谱画满了大地。在这些小溪流之间，一簇簇苔藓迅速滋生，给五线谱填上绿色的音符，谱成了一支南极的春之歌。

在有些幽暗潮湿的山谷里，苔藓的生长极其茂盛。它们成簇或成片，看上去厚实、柔软、有弹性，令人不由得想俯下身去，把脸蛋贴在这丰乳一般的美丽生命上。

地衣——

这些外形像绿铁丝的植物，生命力也像铁丝一样顽强。当然啦，铁丝是没有生命的。我的意思是说，它们几乎像没有生命的东西一样活着，维持生命几乎不需要什么条件。在干旱的大石头和小石片上，没有水分和土壤，却到处有它们的踪影。它们与铁丝还有一个相似之处：据说它们一百年才长高一毫米，因此，你根本看不出它们在生长。

海——

不算最小的北冰洋，世界其余三大洋都在一个地方交汇，就是南极。但是，对于南极的海，我就不要妄加猜度了吧。我所见到的只是隶属于南极洲的一个小岛旁边的一小片海域，而且只见到它夏天的样子。在世界任何地方，大海都同样丰富而又单调，美丽而又凶暴。使这里的海的戏剧显得独特的是它的道具，那些冰盖、冰山和雪峰，以及它的演员，那些海豹、海狗和企鹅。

三　南极气象素描

日出——

再也没有比极地的太阳脾气更加奇怪的国王了。夏季，他勤勉得几乎不睡觉，回到寝宫匆匆打一个瞌睡，就急急忙忙地赶来上朝。冬季，他又懒惰得索性不起床，接连数月不理朝政，把文武百官撂在无尽的黑暗之中。

现在是南极的夏季，如果想看日出，你也必须像这个季节的极地太阳一样勤勉，半夜就到海边一个合适的地点等候。所谓半夜，只是习惯的说法，其实天始终是亮的。你会发现，和你一起等候的往往还有最忠实的岛民——企鹅，它们早已站在海边翘首盼望着了。

日出前那一刻的天空是最美的，仿佛一位美女预感到情郎的到来，脸颊上透出越来越鲜亮的红晕。可是，她的情郎——那极昼的太阳——精力实在是太旺盛了，刚刚从大海后或者冰盖后跃起，他的光亮已经强烈得使你不能直视了。那么，你就赶快掉转头去看海面上的壮观吧，礁石和波浪的一侧边缘都被旭日照亮，大海点燃了千万支蜡烛，在向早朝的国王致敬。而岸上的企鹅，这时都面向朝阳，胸脯的白羽毛镀了金一般鲜亮，一个个仿佛都穿上了金围裙。

月亮——

因为夜晚的短暂和晴天的稀少，月亮不能不是稀客。因为是稀客，一旦光临，就给人们带来了意外的惊喜。

她是害羞的，来时只是一个淡淡的影子，如同婢女一样不引人注意。直到太阳把余晖收尽，天色暗了下来，她才显身为光彩照人的美丽的公主。

可是，她是一个多么孤单的公主啊，我在夜空未尝找到过一颗星星，那众多曾经向她挤眉弄眼的追求者都上哪里去了？

云——

天空是一张大画布，南极多变的天气是一个才气横溢但缺乏耐心的画家，一边在这画布上涂抹着，一边不停地改变主意。于是，我们一会儿看到淡彩的白云，一会儿看到浓彩的锦霞，一会儿看到大泼墨的黑云。更多的时候，我们看到的是涂抹得不留空白的漫天乌云。而有的时候，我们什么也看不到了，天空已经消失在雨雪之雾里，这个烦躁的画家把整块画布都浸在洗笔的浑水里了。

风——

风是南极洲的真正主宰，它在巨大冰盖中央的制高点上扎下大本营，频频从那里出动，到各处领地巡视。它所到之处，真个是地动山摇，石颤天哭。它的意志不可违抗，大海遵照它的命令掀起巨浪，雨雪依仗它的威势横扫大地。

不过，我幸灾乐祸地想，这个暴君毕竟是寂寞的，它的领地太荒凉了，连一棵小草也不长，更没有擎天大树可以让它连根拔起，一展雄风。

在南极，不管来自东南西北什么方向，都只是这一种风。春风、和风、暖风等等是南极所不知道的概念。

雪——

风从冰盖中央的白色帐幕出动时，常常携带着雪。它把雪揉成雪沙，雪尘，雪粉，雪雾，朝水平方向劲吹，像是它喷出的白色气息。在风停歇的晴朗日子里，偶尔也飘扬过贺年卡上的那种美丽的雪花，你会觉得那是外邦的神偷偷送来的一件意外的礼物。

不错，现在是南极的夏季，气候转暖，你分明看见山峰和陆地上的积雪融化了。可是，不久你就会知道，融化始终是短暂的，山峰和陆地一次又一次重新变白，雪才是南极的本色。

暴风雪——

一头巨大的白色猛兽突然醒来了，在屋外不停地咆哮着和奔突着。一开始，出于好奇，我们跑到屋外，对着它举起了摄影器材，而它立刻就朝镜头猛扑过来。现在，我们宁愿紧闭门窗，等待着它重新入睡。

天气——

一个身怀绝技的魔术师，它真的能在片刻之间把万里晴空变成满天乌云，把灿烂阳光变成弥漫风雪。

极昼——

在一个慢性子的白昼后面，紧跟着一个急性子的白昼，就把留给黑夜的位置挤掉了。于是，我们不得不分别截取这两个白昼的一尾一首，拼接出一段睡眠的时间来。

极夜——

我对极夜没有体验。不过，我相信，在那样的日子里，每个人的心里一定都回响着上帝在创世第一天发出的命令："要有光！"

2000 年 12 月—2001 年 2 月

孤岛断想

一　灵魂只能独行

我是与一个集体一起来到这个岛上的。我被编入了这个集体，是这个集体的一员。在我住在岛上的全部日子里，我都不能脱离这个集体。可是，我知道，我的灵魂不和这个集体在一起。我还知道，任何一个人的灵魂都不可能和任何一个集体在一起。

灵魂永远只能独行。当一个集体按照一个口令齐步走的时候，灵魂不在场。当若干人朝着一个具体的目的地结伴而行时，灵魂也不在场。不过，在这些时候，那缺席的灵魂很可能就在不远的某处，你会在众声喧哗之时突然听见它的清晰的足音。

即使两人相爱，他们的灵魂也无法同行。世间最动人的爱仅是一颗独行的灵魂与另一颗独行的灵魂之间的最深切的呼唤和应答。

灵魂的行走只有一个目标，就是寻找上帝。灵魂之所以只能独行，是因为每一个人只有自己寻找，才能找到他的上帝。

二　内在的眼睛

我相信人不但有外在的眼睛，而且有内在的眼睛。外在的眼睛看见现象，内在的眼睛看见意义。被外在的眼睛看见的，成为大脑的贮存，被内在的眼睛看见的，成为心灵的财富。

许多时候，我们的内在眼睛是关闭着的。于是，我们看见利益，却看不见真理，看见万物，却看不见美，看见世界，却看不见上帝，我们的日子是满的，生命却是空的，头脑是满的，心却是空的。

外在的眼睛不使用，就会退化，常练习，就能敏锐。内在的眼睛也是如此。对于我来说，写作便是一种训练内在视力的方法，它促使我经常睁着内在的眼睛，去发现和捕捉生活中那些显示了意义的场景和瞬间。只要我保持着写作状态，这样的场景和瞬间就会源源不断。相反，一旦被日常生活之流裹挟，长久中断了写作，我便会觉得生活成了一堆无意义的碎片。事实上它的确成了碎片，因为我的内在眼睛是关闭着的，我的灵魂是昏睡着的，而唯有灵魂的君临才能把一个人的生活形成为整体。所以，我之需要写作，是因为唯有保持着写作状态，我才真正在生活。

三　灵魂之杯

灵魂是一只杯子。如果你用它来盛天上的净水，你就是一个圣徒。如果你用它来盛大地的佳酿，你就是一个诗人。如果你两者都不肯舍弃，一心要用它们在你的杯子里调制出一种更完美的琼液，你就是一个哲学家。

每个人都拥有自己的灵魂之杯，它的容量很可能是确定的。在不同的人之间，容量会有差异，有时差异还非常大。容量极大者必定极为稀少，那便是大圣徒、大诗人、大哲学家，上帝创造他们仿佛是为了展示灵魂所可能达到的伟大。

不过，我们无须去探究自己的灵魂之杯的容量究竟有多大。在一切情形下，它都不会超载，因为每个人所分配到的容量恰好是他必须付出毕生努力才能够装满的。事实上，大多数杯子只装了很少的水或酒，还有许多杯子直到最后仍是空着的。

四　精神之树的果实

我感到我正在收获我的精神的果实，这使我的内心充满了一种沉静的欢愉。

有人问我：你的所思所获是否南极给你的？

我承认，住在这个孤岛上，远离亲人和日常事务，客观上使我得到了一个独自静思的机会。可是，这样的机会完全可能从别处得到，我不能说它与南极有必然的联系。至于思考的收获，我只能说它们是长在我的完整的精神之树上的果实，我的全部精神历程都给它们提供了养料。如果我硬把它们说成是在南极结出的珍稀之果，这在读者面前是一种夸大，在我自己眼里是一种缩小。

假如我孤身一人漂流到了孤岛上，或者去南极中心地带从事真正的探险，也许我会有很不同的感受。但是，即使在那种情形下，我仍然不会成为一个鲁滨孙或一个阿蒙森。在任何时候，我的果实与我的精神之树的关系都远比与环境的关系密切。精神上的顿悟是存在的，不过，它的种子必定早已埋在那个产生顿悟的人的灵魂深处。生老病死为人所习见，却只使释迦牟尼产生了顿悟。康德一辈子没有走出哥尼斯堡这个小城，但偏是他彻底改变了世界哲学的方向。说到底，是什么树就结出什么果实。南极能够造就伟大的探险家，可是永远造就不了哲学家，一个哲学家如果他本身不伟大，那么，无论南极还是别的任何地方便都不能使他伟大。

五　灵魂的亲缘关系

我偶然地发现了一本泰戈尔的诗集，把它翻开来，一种他乡遇故人的快乐立刻弥漫在我的心间。泰戈尔曾是我的精神密友之一，我已经很久没有去拜访他了，没想到今天在这个孤岛的一间小屋里和他不期而遇。

读书的心情是因时因地而异的。有一些书，最适合于在羁旅中、在无所事事中、在远离亲人的孤寂中翻开。这时候，你会觉得，虽然有形世界的亲人不在你的身旁，但你因此而得以和无形世界的亲人相逢了。在灵魂与灵魂之间必定也有一种亲缘关系，这种亲缘关系超越于种族和文化的差异，超越于生死，当你和同类灵魂相遇时，你的精神本能会立刻把它认出。

灵魂只能独行，但不是在一片空无中行进。你仿佛是置身在茂密的森林里，这森林像原始森林一样没有现成的路，你必须自己寻找和开辟出一条路来。可是，你走着走着，便会在这里那里发现一个脚印，一块用过的木柴，刻在树上的一个记号。于是你知道了，曾经有一些相似的灵魂在这森林里行走，你的灵魂的独行并不孤独。

六　小爱和大爱

住在岛上，最令我思念不已的是远方的妻女。每个周末，我都要借助价格昂贵的越洋电话与她们通话，只是为了听一听熟悉的声音。新年之夜，在周围的一片热闹中，我的寂寞的心徒劳地扑腾着欲飞的翅膀。

那么，我是一个恋家的男人了。

我听见一个声音责问我：你的尘躯如此执迷于人世间偶然的暂时的因缘，你的灵魂如何能走上必然的永恒的真理之路呢？二者必居其一：或者你慧根太浅，本质上是凡俗之人，或者你迟早要斩断尘缘，皈依纯粹的精神事业。

我知道，无论佛教还是基督教，都把人间亲情视为觉悟的障碍。乔答摩王子弃家出走，隐居丛林，然后才成佛陀。耶稣当着教众之面，不认前来寻他的母亲和兄弟，只认自己的门徒是亲人。然而，我对这种绝情之举始终不能赞赏。

诚然，在许多时候，尘躯的小爱会妨碍灵魂的大爱，俗世的拖累会阻挡精神的步伐。可是，也许这正是检验一个人的心灵力度的场合。难的不是避世修行，而是肩着人世间的重负依然走在朝圣路上。一味沉湎于小爱固然是一种迷妄，以大爱否定小爱也是一种迷妄。大爱者理应不弃小爱，而以大爱赋予小爱以精神的光芒，在爱父母、爱妻子、爱儿女、爱朋友中也体味到一种万有一体的情怀。一个人只要活着，他的灵魂与肉身就不可能截然分开，在他的尘世经历中处处可以辨认出他的灵魂行走的姿态。唯有到了肉身死亡之时，灵魂摆脱肉身才是自然的，在此之前无论用什么方式强行分开都是不自然的，都是内心紧张和不自信的表现。不错，在一切对尘躯之爱的否定背后都隐藏着一个动机，就是及早割断和尘世的联系，为死亡预作准备。可是，如果遁入空门，禁绝一切生命的欲念，藉此而达于对死亡无动于衷，这算什么彻悟呢？真正的彻悟是在恋生的同时不畏死，始终怀着对亲人的挚爱，而在最后时刻仍能从容面对生死的诀别。

七　偶然性的价值

我飞越了大半个地球，降落在这个岛上。在地球那一方的一个城市里，有一个我的家，有我的女人和孩子，这个家对于我至关重要，无论我走得多远都要回到这个家去。我知道，在地球的广大区域里，还有许多国家、城市和村庄，无数男人、女人和孩子在其中生活着。如果我降生在另一个国度和地方，我就会有一个完全不同的家，对我有至关重要意义的就会是那一个家，而不是我现在的家。既然家是这么偶然的一种东西，对家的依恋到底有什么道理？

我爱我的妻子，可是我知道，世上并无命定的姻缘，任何一个男人与任何一个女人的结合都是偶然的。如果机遇改变，我就会与另一个女人结合，我的妻子就会与另一个男人结合，我们各人都会有完全不同的人生故事。既然婚姻是这么偶然的一种东西，那么，受婚姻的束缚到底有什么道理？

可是，顺着这个思路想下去，我就不可避免地遇到最后一个问题：我的生存本身便是一个纯粹的偶然性，我完全可能没有降生到这个世界上来，那么，我活着到底有什么道理？

我不愿意我活着没有道理，我一定要给我的生存寻找一个充分的理由，我的确这么做了。而一旦我这么做，我就发现，那个为我的生存镀了金的理由同时也为我生命中的一系列偶然性镀了金。

我相信了，虽然我的出生纯属偶然，但是，既然我已出生，宇宙间某种精神本质便要以我为例来证明它的存在和伟大。否则，如果一切生存都因其偶然而没有价值，永恒的精神之火用什么来显示它的光明呢？

接着我相信了，虽然我和某一个女人的结合是偶然的，由此结合而产生的那个孩子也是偶然的，但是，这个家一旦存在，上帝便要让我藉之而在人世间扎下根来。否则，如果一切结合都因其偶然而没有价值，世上有哪一个女人能够给我一个家园呢？

我知道，我的这番论证是正确的，因为所论证的那种情感在我的心中真实地存在着。

我还知道，我的这番论证是不必要的，因为既然我爱我自己这个偶然性，我就不能不爱一切偶然性。

八　尘世遭遇的意义

泰戈尔有一段言简意赅的文字，在某种意义上可以看作康德哲学的诗意表达——

"我们在黑暗中摸索，绊倒在物体上，我们抓牢这些物体，相信它们便是我们所拥有的唯一的东西。光明来临时，我们放松了我们所占有的东西，发觉它们不过是与我们相关的万物之中的一部分而已。"

这里的黑暗，是指尘世，现象界，封闭在现象界里的经验自我；光明，是指上帝，本体界，与本体界相沟通的精神自我。在现象界中，我们是盲目的，受偶然的和有限的遭遇所支配，并且把这些遭遇看成了一切。如果站到上帝的位置上，一览无遗地看见了世界整体，我们就能看清一切人间遭遇的偶然性和有限性，产生一种超脱的心情。

非常正确。不过，我有两点保留或补充。

第一，我们不妨站到上帝的位置上看自己的尘世遭遇，但是，我们永远是凡人而不是上帝。所以，每一个人的尘世遭遇对于他自己仍然具有特殊的重要性。当我们在黑暗中摸索前行时，那把我们绊倒的物体同时也把我们支撑，我们不得不抓牢它们，为了不让自己在完全的空无中行走。

第二，在我们的尘世遭遇中，有一些是具有精神意义的，正是通过它们，我们才对天国的事物有所领悟。当我们在黑暗中摸索时，如果我们从来不曾触到另一双也在摸索的手，紧紧地握在一起，爱的光明就永远不会降临到我们的心中。我们珍藏着某些不起眼的小物件，用它们纪念人生中难忘的经历，虽然它们在整个宇宙体系中更加不值一提，可是我相信，即使上帝看见了它们也会赞许地一笑。

九　死亡不是一个思考的对象

死亡不是一个思考的对象。当我们自以为在思考死亡的时候，我们实际上所做的事情不是思考，而是别的，例如期望、相信、假设、想象、类比等等。

在泰戈尔的作品中，便有许多这样的类比。

类比之一：我们的生命是一个蛋，我们暂时寄居的这个世界是蛋的外壳。当我们被这个世界限制住的时候，就如同蛋壳里的小鸡，对于蛋壳外的更自由的生存是完全没有一个概念的。而死亡，就是我们破壳而出，进入真正自由的境界。

类比之二：我们的现世生命如同束缚在果实里的种子，死亡则是种子突破果实的束缚而成长为一棵树。不朽并非坚持我们所熟悉的现有的生命形态，而是一个不断超越生命特定形态的过程。

类比之三：我们在童年时不能想象成年之后会有全然不同的生活兴趣，与此同理，我们不应该以现世生活的欲望为样本去构想或否定我们的死后生活。

如此等等。

在这些类比中贯穿着一个简单的逻辑，便是：死后是一个完全的未知数，我们不能根据已知的现世生命状态去衡量它。这个逻辑是成立的。但是，如果说因为现世生命状态的终结而断定死后是虚无，这是武断，那么，把死后设想成一种与现世生命状态恰好相反的自由永恒境界，这同样是武断。有什么理由说死亡是小鸡破壳而出、种子变成树、童年变为成年，而不是一只鸡、一棵树、一个人的生命的真正结束呢？人生中确实有一些非常特殊的体验，在我们尚未亲身经历的时候，我们单凭想象是无论如何也不能形成一个概念的。但是，我们不能据此断定死后也属这种情形，因为至少不能排除另一种可能，就是随着生命结束，一切体验也都结束。

类比是迷惑人的。不过，我不反对类比，因为对于死亡的真正思考是不可能的，我们除了用类比或其他诗意的解说来鼓励自己之外，还能够怎样呢？

十　生活的减法

这次旅行，从北京出发是乘的法航，可以托运六十公斤行李。谁知到了圣地亚哥，改乘智利国内航班，只准托运二十公斤了。于是，只好把带出的两只箱子精简掉一只，所剩的物品就很少了。到住处后，把这些物品摆开，几乎看不见，好像住在一间空屋子里。可是，这么多天下来了，我并没有感到缺少了什么。回想在北京的家里，比这大得多的屋子总是满满的，每一样东西好像都是必需的，但我现在竟想不起那些必需的东西是什么了。于是我想，许多好像必需的东西其实是可有可无的。

在北京的时候，我天天都很忙碌，手头总有做不完的事。直到这次出发的前夕，我仍然分秒必争地做着我认为十分紧迫的事中的一件。可是，一旦踏上旅途，再紧迫的事也只好搁下了。现在，我已经把所有似乎必须限期完成的事搁下好些天了，但并没有发现造成了什么后果。于是我想，许多好像必须做的事其实是可做可不做的。

许多东西，我们之所以觉得必需，只是因为我们已经拥有它们。当我们清□己的居室时，我们会觉得每一样东西都有用处，都舍不得扔掉。可是，似□须搬到一个小屋去住，只允许保留很少的东西，我们就会判断出什□正需要的了。那么，我们即使有一座大房子，又何妨用只有一□必需的物品，从而为美化居室留出更多的自由空间？

许多事情，我们之所以认为必须做，只是因为我们已经把它们列入了日程。如果让我们凭空从其中删除某一些，我们会难做取舍。可是，倘若我们知道自己已经来日不多，只能做成一件事情，我们就会判断出什么事情是自己真正想做的了。那么，我们即使还能活很久，又何妨用来日不多的标准来限定必做的事情，从而为享受生活留出更多的自由时间？

十一　心灵的空间

在写了上面这一则随想之后，我读到泰戈尔的一段意思相似的话，不过他表达得更好。我把他的话归纳和改写如下——

未被占据的空间和未被占据的时间具有最高的价值。一个富翁的富并不表现在他的堆满货物的仓库和一本万利的经营上，而是表现在他能够留下广大空间来布置庭院和花园，能够给自己留下大量时间来休闲。同样，心灵中拥有开阔的空间也是最重要的，如此才会有思想的自由。

接着，泰戈尔举例说，穷人和悲惨的人的心灵空间完全被日常生活的忧虑和身体的痛苦占据了，所以不可能有思想的自由。我想补充指出的是，除此之外，还有另一类例证，就是忙人。

凡心灵空间的被占据，往往是出于逼迫。如果说穷人和悲惨的人是受了贫穷和苦难的逼迫，那么，忙人则是受了名利和责任的逼迫。名利也是一种贫穷，欲壑难填的痛苦同样具有匮乏的特征，而名利场上的角逐同样充满生存斗争式的焦虑。至于说到责任，可分三种情形，一是出自内心的需要，另当别论，二是为了名利而承担的，可以归结为名利，三是既非内心自觉，又非贪图名利，完全是职务或客观情势所强加的，那就与苦难相差无几了。所以，一个忙人很可能是一个心灵上的穷人和悲惨的人。

为在责任的忙碌，因为我常常认为我的忙碌属于这
他的身心完全被这种事业占据了，能不能说他也
要看在从事这种事业的时候，他是否真正感觉到
然是一种艰苦的劳动，但必定伴随着创造的快
说变成了一种强迫性的事务，乃至一种功利性
，这样的蜕变是很容易发生的。心灵的自由
的快乐，阅读的快乐，欣赏大自然和艺术的
和遐想的快乐，等等。所有这些快乐都不
一个人永远只是埋头于写作，不再有工夫

和心思享受别的快乐，他的创造的快乐和心灵的自由也是大可怀疑的。

我的这番思考是对我自己的一个警告，同时也是对所有自愿的忙人的一个提醒。我想说的是，无论你多么热爱自己的事业，也无论你的事业是什么，你都要为自己保留一个开阔的心灵空间，一种内在的从容和悠闲。唯有在这个心灵空间中，你才能把你的事业作为你的生命果实来品尝。如果没有这个空间，你永远忙碌，你的心灵永远被与事业相关的各种事务所充塞，那么，不管你在事业上取得了怎样的外在成功，你都只是损耗了你的生命而没有品尝到它的果实。

十二　丰富的单纯

对于心的境界，我所能够给出的最高赞语就是：丰富的单纯。我所知道的一切精神上的伟人，他们的心灵世界无不具有这个特征，其核心始终是单纯的，却又能够包容丰富的情感、体验和思想。

我相信，每一个精神上的伟人在本质上都是直接面对宇宙的。一方面，他知道自己只是宇宙的儿童，这种认识深藏于他的心灵的核心之中，从根本上使他的心灵永葆儿童的单纯。另一方面，他对宇宙的永恒本质充满精神渴望，在这种渴望的支配下，他本能地受一切精神事物所吸引，使他的心灵变得越来越丰富。

与此相反的境界是贫乏的复杂。这是那些平庸的心灵，它们被各种人际关系和利害计算占据着，所以复杂，可是完全缺乏精神的内涵，所以又是一种贫乏的复杂。

除了这两种情况外，也许还有贫乏的单纯，不过，一种单纯倘若没有精神的光彩，我就宁可说它是简单而不是单纯。有没有丰富的复杂呢？我不知道，如果有，那很可能是一颗魔鬼的心吧。

十三　自然、社会与人性的单纯

人性的单纯来自自然。有两种人性的单纯，分别与两种自然相对应。第一种是原始的单纯，与原始的物质性的自然相对应。儿童的生命刚从原始的自然中分离出来，未开化人仍生活在原始的自然之中，他们的人性都具有这种原始的单纯。第二种是超越的单纯，与超越的精神性的自然相对应。一切精神上的伟人，包括伟大的圣徒、哲人、诗人，皆通过信仰、沉思或体验而与超越的自然有了一种沟通，他们的人性都具有这种超越的单纯。

在两种自然之间，在人性的两种单纯之间，隔着社会和社会关系。社会的作用一方面使人脱离了原始的自然，另一方面又会阻止人走向超越的自然。所以，大多数人往往在失去了原始的单纯之后，却不能获得超越的单纯。

社会是一个使人性复杂化的领域。当然，没有人能够完全脱离社会而生活。但是，也没有人必须为了社会放弃自己的心灵生活。对于那些精神本能强烈的人来说，节制社会交往和简化社会关系乃是自然而然的事情。正因为如此，他们才能够越过社会的壁障而走向伟大的精神目标。

十四　道路与家

人生是一条路，每一个人从生下来就开始走在这条路上了。在年幼时，我们并不意识到这一点。当我们意识到了的时候，便不得不想一个问题：这条路通向哪里？人生之路的目标是什么？

最明显的事实是：这条路通向死，因为人生只是一个从生到死的过程罢了。可是，死怎么能成为目标呢？为了使它成为目标，它必须不是死，而是一种更高的生。于是，死便被设想成由短暂的生进入永生，由易朽的肉体进入不朽，由尘世进入天国，由不完满进入至善，由苦难进入极乐，等等。经过这样的解释，人生之路就有了一个宗教的和道德的目标，一个纯粹精神性质的目标。

可是，道路为什么一定是一条直线呢？只是因为我们把路想成直线，才必须给它安一个终点，一个最后的目标。花园里曲径交错，路的终点在哪里？那么，我们何不就把人生看作一个大花园呢？这是一座很大的花园，把它逛完刚好要用一生的时间，我们从生到死都在里面，每走一步都看见新的风景，到处都是可供我们休憩的地方。如果要说目标，那么，可以说处处都是目标，但不存在最后的目标。

换一个不那么诗意然而更贴切的比喻，不妨说，人生就是我们的家。我们在人生之中，犹如在我们自己的家里。既然是在家里，我们就做着种种必须做的或者有兴趣做的事情，而并不事事都问为什么。事实上，在多数时候，我们的确把人生当作家，安排每一个日子如同安排自己的家务，而不去想这个家有朝一日会不存在。

可是，这个家确实有朝一日会不存在，而我们有时候不免要想到这一点。这时候，我们又会意识到自己是走在一条有终点的路上。所以，对于我们来说，人生永远既是道路，又是家。我现在的想法是，这两方面的意识都是必要的，缺一不可。只是道路，就活得太累。只是家，就活得太盲目。我们必须把人生当作家，让自己的心灵得到休息。我们也必须知道人生是道路，让自己的心灵有超越的追求。

十五　信仰的价值

泰戈尔的最后一篇诗作是在病床上口授的，一个星期后，他就去世了。这首诗的大意是——

造物主很狡猾，它编织了虚假信仰的罗网。然而，探索者却能透过这罗网看清到达内心的路，"在用自己内涵的光洗涤干净的心里找到了真理"。人们认为他是受骗者，其实并非如此，这个似乎轻易受骗的人"把最后的报酬带进自己的宝库"，这报酬就是"通往安宁的持久权利"。

诗中的"虚假信仰"，一个英译者释为尘世浮象，我宁可作别的理解。我的感觉是，泰戈尔一生关注信仰问题，这首诗是他临终之前就此问题吐露的真言。我仿佛听见他如是说：我何尝不知道，对于任何一种外在精神实体的信仰都是虚假的信仰，我到了生命的最后时刻仍不能相信那种实体是真的存在着的。但是，正是这样的信仰把我引导到了自己的内心之中，在一种内在境界中发现了生活的意义。而当我达到了这种内在境界，那外在的实体究竟是否真的存在也就不重要了。

所以，不妨说，一切外在的信仰只是桥梁和诱饵，其价值就在于把人引向内心，过一种内在的精神生活。神并非居住在宇宙间的某个地方，对于我们来说，它的唯一可能的存在方式是我们在内心中感悟到它。一个人的信仰之真假，分界也在于有没有这种内在的精神生活。伟大的信徒是那些有着伟大的内心世界的人，相反，一个全心全意相信天国或者来世的人，如果他没有内心生活，你就不能说他有真实的信仰。

2001 年 1 月—2 月

香格里拉纪行

5月花季，一年一度昆明旅游节，今年有一个特别节目，便是"体验香格里拉"活动。我也应邀参加，十日之内，或乘车，或骑马，或徒步，游历于迪庆、丽江、大理的城乡山水之间。归来记叙旅途印象，循出师之名，姑且题作香格里拉纪行。

一　品牌之争

上世纪30年代，英国作家詹姆斯·希尔顿出版小说《失去的地平线》，其中虚构了一个叫作香格里拉的地名。他一定想不到，七十年后，这个名词会成为一个品牌，在中国西南边陲引起激烈的争夺。他当然更想不到，争夺的结果，一锤定音，中国地图上当真出现了一个香格里拉县。

我手上有两本书。一本说，唯在迪庆藏语方言中才有"香格里拉"的发音，意为心中的日月，而迪庆州中甸县的古藏语地名汉译即为日月城，所以香格里拉就在迪庆。另一本说，地方志证明，丽江府治下曾有东香阁里和西香阁里的区划，所以香格里拉就在丽江。希尔顿未曾到过中国，他的素材得自哪里？前一本说，得自到过云南藏区的法国人妮尔，后一本说，得自到过丽江的美籍奥地利人洛克。

当然每个候选人还拿出了别的证据。当然还有别的候选人。

一个疑问始终盘旋在我的心中：一个并不知名的英国小说家杜撰的地名，值得这样去争吗？争到手了真是美事吗？譬如说，丽江之名载于典籍已有七百多年历史，倘若依照七十年前一本英国通俗小说把它改掉，岂不很怪诞？

滇西之行，一路景色美不胜收。如此天生丽质，是不需要用一个标签来增辉的。如果说因为地处偏远，"养在深闺人未识"，为了发展旅游业，未尝不可打造一个品牌。香格里拉的发音很好听，能激起美丽的想象，不妨借用。在希尔顿笔下，香格里拉的特征是雪山、峡谷、草甸、寺庙，多民族和多宗教的和睦共处。滇川藏一带，有广阔的地区皆符合这些特征，何不辟出若干旅游专线，统称为香格里拉走廊？总之，依我之见，香格里拉之名只可虚用，不宜坐实，可用于旅游策划，不宜用作行政区划。

二　歌舞之乡

然而，木已成舟。我们4日离京飞到昆明，当天又夜航飞到迪庆，就是为了赶上参加翌日上午举行的中甸县更名为香格里拉县的庆典。

深夜的迪庆机场，我们步出机舱，天空下着凉丝丝的细雨，迎面扑来的却是滚烫的歌声。朦胧的白色灯光下，左边一列姑娘甩着长袖，右边一列小伙搂着弦子，鲜艳的民族服装，憨厚朴实的脸庞，激越冲天的歌声，垂头俯胸的舞姿，皆成奇特的对照。每一个来宾接受哈达，饮青稞酒，从队列中穿过。这该是原汁原味的藏族歌舞了，既高亢又谦卑，周而复始，其中有高山蓝天的辽阔，也有佛土的坚忍与安顺。

庆典盛大，车流和人流从四面八方涌来，节日气氛浓烈。从主席台望出去，三面山坡上人群密集，服色斑驳，这里那里露出一顶帐篷，远处的雪山顶在阳光下闪着耀眼的光芒。在官员们演讲之后，是长达一个半小时的大型歌舞表演，一个个方队载歌载舞，依次入场。藏族为主，还有彝族、纳西族、傈僳族等，演员基本上是当地百姓，正因此而充满自然的生机。这是我在都市的任何一个舞台上未尝看到也不可能看到的。藏民的能歌善舞给我印象尤深，对于他们来说，歌舞是祭祀，是流淌在血液中的本能，是生活本身，而不是表演和业余爱好。所以，即使在眼前这个表演的场合，你仍不觉得是在看表演，你会不由自主地想象出他们在村落里的欢聚场面。

可是，晚上，当我们被领到一个专门接待旅游者的表演场所时，我感到了失望，名曰民族歌舞，实际上已经卡拉OK化了。我不禁想，旅游业不但威胁自然生态，而且也威胁文化生态，它把大众媒体的平庸标准带到穷乡僻壤，用这个标准飞快地毁灭着各地文化的多样性和独特性。

我悄悄退场，和几个同伴去县城广场，那里有群众自发的歌舞。一堆篝火，百来个藏民围成圈，男女对歌，边舞蹈边缓缓移动。一个两岁左右的小男孩抱着弦子，两只小脚丫也在踏着藏族男人的舞步，可爱极了。

三　中甸风光

中甸以甸为名，是有道理的。山丘之间，多开阔的草甸，黑色的牦牛散落其上，静止如墨迹，一派牧场风光。随处可见晒青稞用的栅状木架，又富有田园情调。

山丘之上，还多高原湖泊，那是山神和林神为自己准备的一面面镜子。我们去了蜀都湖。一人骑一匹马，长长的一队马帮，在湖和森林之间蜿蜒而行。头顶上是最蓝的天，最白的云。高原的天空多么奢侈，天晴的时候，因为水分依然充足，天上堆满大团的白云。

中甸有未经修缮因而保持了原貌的古城，以陡壁惊涛闻名的长江中虎跳峡也在中甸境内，但我都不能去了。到迪庆的第二天，我们这个体验团兵分三路，我分在梅里雪山组，匆匆上了路。

那个戴眼镜的年轻干部常常对我笑脸相迎，我不知道他是谁。一次早餐时，他坐到我身边，作了自我介绍，原来他是这个县的副县长陈俊明。十几年前，他已是我的书的知音，至今仍保持着写作的爱好，我看了他的一篇文字，颇具功力。他将陪体验团游中虎跳，很为我不能同行而遗憾，我告诉他，我一定会再来。

四　松赞林寺

松赞林寺坐落在中甸县城北四公里的一个山麓上，康熙年间所建，据称是藏传佛教第三大寺。布局仿布达拉宫，依山势屈迭而上，制高点是两座主殿，四周散布着数百间毗连的僧舍。

走进大殿，呈现在眼前的是一百零八根猩红楹柱，其间铺满黄绸坐垫。遥想鼎盛时期，有一千三百名僧侣在这里打坐诵经，何等气势。两侧有经卷柜，正中是七世达赖和释迦牟尼的铜像。铜像背后，靠墙竖着若干高僧灵塔，其造型和排列毫无章法，仿佛是临时搁在那里的，不经意成了永久。这使我感到真实。走进内地许多佛庙，我立刻感到自己是一个游客，置身于一些无所用心的游客或各怀心思的香客之中，在这里的感觉却完全不同。这里是僧侣的家，只有必需之物，没有一样东西是为招徕游客准备的。我相信，凡宗教圣地一开始皆如此，奢华和伪饰必是世俗侵入的结果。

那些僧舍就更加简朴了，一间间白墙土屋，几乎让我想起延安窑洞，唯窗户按照藏家传统有彩檩装饰，也是没有规则地挤在那里。每一间僧舍都是僧人家里自费修筑的，殷实人家才有财力把子弟送到这里，期待他们学有所成，光耀门庭。时间久了，这些土屋便连缀成了一个特殊的村落。藏传佛教有严格的学位制度，可以想见一代代学子在这里的寒窗之苦。一所名副其实的寺院，其实就是一座宗教的大学城。

五　梅里雪山

从中甸出发，向西北行车六小时左右，到达德庆。

离中甸渐远，草甸和丘陵留在了身后。一条清澄的碧溪与一道汹涌的浊流相遇，界线泾渭分明，那道浊流便是金沙江。从此景色一变，灰褐取代了青绿，汽车隐没在苍茫的大山峡谷之中，如一只小小的甲虫。金沙江在我们的脚下翻滚，然后沉入深谷之底，奔向远方的大海。

过崖口，海拔四千二百五十米。两天来持续头痛，人说是高原反应。打火机也有高原反应，打不着火，被我扔了，后来才知道是因为缺氧。陪同我们的德庆县长说，他到了平原有相反的反应，因多氧而不适。崖口是我们到达的最高点，越过之后，头痛消失了，对较低的海拔能够适应了。

快到德庆了，汽车停下，路边有观景台，看梅里雪山。七座小佛塔，形如喇嘛灵塔，一些摆香火摊的藏民，树丛里挂满经幡和哈达。对面就是梅里雪山，巨大的山体，连绵的高峰，积雪的峰顶上白云缭绕。可是，那座高出一大截的山峰，海拔六千七百四十米的主峰卡格博，却是没有一丝云彩，把它的金字塔般的轮廓清晰地印在蓝天上。据说这种情形极为罕见，一年中难得有几回。于是人们纷纷庆幸自己运气好，有佛缘。真是这样吗？只有佛知道。

六　敬畏自然

从德庆县城出发，去明永冰川。沿途仍是大山深谷，谷底涌流着的是澜沧江。途中也有一处看梅里雪山的观景台。

车停留了半小时许，该重新上路了，可是不见了两个人，老资格的登山运动员曾曙生和潘多。我们去寻找，在树丛里找到了他们。那里有一小块空地，立着一块矮石碑。只见曾先生站在碑前，把一支支烟卷点燃，整齐地排列在碑顶上。一共十七支。然后，他和潘多向梅里雪山的方向肃立默哀。

这是一个感人的场面。十一年前，中日联合登山队攀登梅里雪山，途中遭雪崩，宿营地被掩埋，十七名队员全体牺牲。曾先生当年奉命来此处理这一山难事件，一无所获，遇难者的尸体和遗物是在七年以后才被发现的。

我心情沉重，痛惜那十七个年轻的生命。但我同时也想说：从此以后，人类不要再去惊扰梅里雪山了吧。在登山运动员眼中，海拔更高的山峰都已被征服，梅里仍是一座处女峰，让人不甘心。然而，在藏民眼中，梅里是一座神山，他们从未想到要去征服它，相反是一步一磕头地围绕它而行，称作转山，每转一圈历时一个月左右，以此表达对它的敬畏之心和感恩之情。藏族是最虔信的民族，全民信教，而这一点肯定和他们生活在神奇的自然环境中有关。大自然是神圣的——这对于他们绝非抽象的观念，而是直接的事实。攀登梅里之所以如此困难，地质学家会有不同的解释，姑且不论。不管怎样，我们都应向一切虔信的民族学习一个基本信念，就是敬畏自然。我们要记住，人是自然之子，在总体上只能顺应自然，不能征服和支配自然，无论人类创造出怎样伟大的文明，自然永远比人类伟大。我们还要记住，人诚然可以亲近自然，认识自然，但这是有限度的，自然有其不可接近和揭穿的秘密，各个虔信的民族都把这秘密称作神，我们应当尊重这秘密。

七　明永冰川

梅里雪山脚下有一个叫明永的小藏村，坐落在海拔仅二千二百米的山坳里，气候温暖，绿荫环抱。我们在那里用午餐，摆在餐桌上的是刚摘下的新鲜蔬菜和核桃花。午餐后，马帮出发，在山路上徐行，路边是翠谷、树林和蓝色的大叶兰花，一小时后到达了冰川。

明永冰川是世界上海拔最低的冰川，其冰舌的下端直抵海拔二千六百米处，正是我现在站立的位置。这来自远古地质年代的稀客，此刻近在眼前，伸手可及，令人难以置信。此岸是青山松林，对岸也是青山松林，冰川夹在两山之间，以肉眼看不见的速度移动着。倘若从高空俯瞰，看见的便是茫茫林海中一条白色的冰蛇了。山坡上的杜鹃刚开出紫色的花朵，与万古不化的冰川咫尺相邻，真正是奇观。

这边山坡上已经修筑木头栈道，拾级而上，登上最上端的平台，可以观赏冰川下中段的全貌。因为未通栈道，中段以上的情形是看不到了，听说上面有开阔的草甸，景色更奇。

呈现在眼前的这一截冰川像一件抽象派的巨型石头作品。想象一下，一匹宽阔的瀑布飞湍乱溅，咆哮而下，刹那间被一声魔咒定格，凝固成了一堵石头墙。这墙的正面斑驳得近乎狰狞，仿佛当初有一群大力士顽童争先恐后地朝它投掷熔岩，这些岩团胡乱地堆积连合，形成了这一面狰狞的浮雕。浮雕下端连着倾斜的冰床，绵延数百米，表面覆盖着黑色的冰渍物。冰上密布平行齐整的大裂缝，缝壁冰渍物较少，呈灰白色，仿佛一条巨鲸被利斧砍了许多刀，鲸肉翻露了出来。放眼看，整个冰床像是用黑白巨石制成的装置图案。有一些裂缝深不见底，闪烁着不祥的绿光。

有人在叹息鬼斧神工，话音刚落，山谷里响起一声轰隆，看得见冰川某处发生了小规模的崩塌。我心想，这填满了整条山谷的冰不知有多么深，积蓄了多少寒冷，所以能在万木向荣的温暖中誓不融化。

八　丽江古城

汽车清晨从德庆开出，途遇塌方，耽搁良久，到达丽江已是夜晚。明天一早又要赶路，好在一个月前我携家人来此，在友人潘修荣开的庭院式宾馆木王府驿栈住了三天，对古城风貌已经有所领略了。

初到时我大感意外，想不到在云南的崇山峻岭里藏着这么玲珑的一座城池。保存完好的明清民居，灰瓦飞檐，朱楹画梁，道路皆青石铺设，清洁如洗。城中有河渠穿绕，随处可见小桥流水，青苔苍木。整个古城布局紧凑而不局促，井然有序。现在古城已成典型的旅游城，城内几乎所有的门面都是商店，鳞次栉比，出售各种土产和特色工艺品。最难得的是，许多商店同时是作坊，店主自己动手制作工艺品。这里听不见兜售的吆喝声，店主们有一种悠闲的风度。给我印象最深的是一家面具店，店主面目清秀，留着长发辫，席地而坐，俨然一位正在沉思的艺术家。我们走进去，他平静地望我们一眼，继续他的沉思。老板娘是一个年轻的纳西族女子，对我们笑一笑，走了出去。面具做得真好，我想问价钱，却说不出口，仿佛觉得这会是对那个沉思着的艺术家的亵渎。城里还有不少酒吧和小饭店，我们尝了一家的意大利匹萨，味道好，价格也便宜。丽江是茶马古道上的集散中心，明清时商贸已很兴旺，现在又入选了世界文化遗产，名声远扬，外国游客源源不断而来，有的一住数月，乐不思归。事实上，在这里的街道上漫步，其特色之浓郁，情调之优雅，真不亚于游览欧洲的一些驰名小城。

当然也有不尽如人意之处。譬如说，这里多银器店，一律标榜纯银，写有"假一罚十"标语。我想此地民风淳朴，信以为真，结果遭人笑话。一个同行的电视主持人购一银手镯，当天破损，露出的内层不是银，要求退货未成，还惹了一肚子气。

这次在丽江只逗留一夜，安排的节目是观赏纳西古乐。台上的演奏员多为老者，戏装像寿衣。舞台正面墙上还挂着二十来张老人遗像，据介绍是陆续亡故的演奏员。这使人感到如置身于灵堂一样。一开场，那个名叫宣科的团长便宣告，纳西古乐已濒临灭亡，演奏员每年要死二人。这时我发现，台上那些老人都面露不自在的神情。宣科用中英双语发表了长篇演讲，大意是他的乐团如何举世闻名，轰动全球。他还花很大篇幅抨击了小燕子毁灭传统文化的罪行。此人太聪明，巧舌如簧，但我受不了他的自吹自擂，听了两个曲子就离席了。坚持到终场的同伴说，在后来的演出中他还多次演讲，骂中国交响乐团和民族乐团不懂音乐，甚至拿九一一事件调侃。他介绍来宾，说《黄土高坡》的作者也来了，不料陈哲已中途退场，于是他对观众说："他一定去厕所了，否则能去哪里呢？"其自信如此。至于所演奏的音乐，我觉得像道士做道场时弹奏的东西，应属道教音乐。一位朋友下断语：不是民族，不是音乐，不是文化。是什么呢？另一位朋友说得委婉：一个成功的商业炒作。

九　深入苍山

大理一日游，马不停蹄地走了蝴蝶泉、严家大院、崇圣寺三塔、大理古城等景点。古城中心街道拓宽，空落落的，不复有古城情调。黄昏时，乘游轮渡越洱海，关在舱里观赏白族舞蹈，品三杯茶，我挡不住万顷碧波的诱惑，走到了甲板上。傍晚，下榻于靠近另一端岸边的南诏风情岛。坐在海景别墅装修讲究的居室里，透过落地窗户看洱海，真是享受。可惜的是，名曰行宫的主建筑外形很怪，据说其理念是一张巨大的太师椅，架在绿荫之上，怎么看都别扭。

10日早上，体验活动结束，大队人马踏上返程。应陈哲之邀，我和江铸久、芮乃伟夫妇留了下来。近几年来，陈哲在滇桂民间采风和创作，广结人缘，他要给我们别一番体验。接待我们的是吉小冬先生，三天中一直陪着我们，他待人温和、诚恳、侠义，我不禁遥想其祖父吉鸿昌之风范。

车把我们接到感通寺，位于苍山之麓，吉先生在此处有开发项目。乘缆车上山，设备一流，车厢全封闭而透光好，一路背景音乐伴随。到达半山腰，绿树丛里出现一个巨大的象棋盘，沉甸甸的大棋子各就各位，那是吉先生突发奇想的作品。大师夫妇虽然恨这不是围棋盘，依然留恋不舍。拾路进山，沿途是茂林清溪，碧潭白石。然后上马，在阳光和细雨中骑行一个半小时，去七龙女池。马行走在崖壁边的羊肠小道上，身旁是绿雾氤氲的无底深谷，秀美得令人忍不住要朝下望，望一眼又胆战心惊。崖壁上常有凸出的石头，必须弯腰甚至把身子俯贴在马背上才能通过。途遇返回的游客，马背上的那个女孩一脸惊恐，面色煞白。七龙女池藏在峡谷最深处，是一个大石潭，飞流从悬崖上滑下，被撕成若干条瀑布，错乱地挂在石壁上。下方还有若干石潭串联在溪流上，宛如遗落在深山里的一串珍珠。

归途仍骑马，但不像来时那样心怯，敢时常偷眼看一看身旁的大峡谷了。称大峡谷是名副其实的，大山仿佛裂开一道巨缝，宽不见边，深不见底，却又处处绿叶茂盛，生机勃勃，称得上险秀双绝。曾经站在洱海边望苍山，十七峰连绵横列，看上去山势平缓，山色灰褐，像一道单调的屏风，没想到里面竟藏着如许珍宝。可见山和人一样不可貌相，天下有大智若愚之人，也有大仙若凡之山。

十　剑川石窟

在大理多留的三日，后两日接连下雨，雨中驱车访茶马古道上的名胜，到剑川、巍山二县。在剑川境内，参观了石钟山石窟和沙溪镇，后者以保持原貌的清代民居著称，的确是原貌，有的房屋因为年久失修而快倒塌了。巍山是扎染之乡，我们参观了最大的两家厂。县城也是一景，城方如印，房屋古朴，雄伟的北门城楼为明初文物，遗憾的是街道已由石子路改成了水泥路。

最让我大开眼界的是石钟山石窟，即此一处，此行便已不虚。剑川距大理一百余公里，石窟距剑川又二十五公里，地处偏远，公共交通不达，所以虽属首批全国重点文物保护单位，仍不为人广知。倘若没有这次意外的机会，我也不知何年能来此一游呢。我到过敦煌、云岗、龙门、大足诸石窟，就更惊奇于此窟的怪异了。

石窟造于唐末宋初，当时云南虽属蛮地，却因处在中国内地与印度、西藏的交通要道上而接受着各方影响。可以想见，各派佛教从不同方向传到这里，必定混合成了一种和原来各派都很不同的东西。在这不同之中，地方的特色便鲜明了起来，一是用佛教来为地方政权服务，二是融进了原始巫术的信仰。于是，眼前的这些石刻造像并无通常的得大自在之相，倒是使人感到强烈的蛮风和鬼气。十六窟中，竟有三窟进驻了南诏的三代国王，侍者前呼后拥，毫不顾忌佛土的清净。大乘居士维摩诘的造像，在别处都是美髯华服，神情闲雅，在这里偏是一副瘦猴之相，愁病之容，绰号愁容观音。那座甘露观音像雕刻极精细，衣饰极华丽，脸部侧看似平面，正看却如满月，可是为何在她的胸部开出了一个醒目的洞，因而得到了剖腹观音的绰号？

然而，最奇的要数第八窟。扣钟形的窟内，供奉的是女性生殖器雕塑，一个硕大的大阴唇，丰满而有质感。当地人称它作"阿姎白"，在白族语里，"阿姎"是姑娘，"白"是裂缝，意思很明白。一千年来，无数男女来到这里，把香油涂抹在上面，使它变得乌黑油亮了。大阴唇近旁的石壁上刻着两行字，右边为"大开方便门"，左边为"广集化生路"，侧面的石壁上则分别是线刻的阿弥陀佛和毗卢佛。这两句话是可以做不同的解释的，既可解作生育和投胎，也可解作交欢和双修。老百姓大体上着意于前者，但是，考虑到云南的佛教主流是密宗，后者也许更接近事实。不管是生殖力崇拜还是性力崇拜，把女阴供奉在佛龛中，让佛在两壁护驾，这在世界上是绝无仅有的奇观。

在石窟主群落下方有一石山，其形如钟，石钟山由此得名。可是，倘若思路不被这命名拘束，就不难发现，其实它的形状更似男性的龟头，而表面密布的菠萝裂纹且使它富有肉感。如此看来，在离它不远处立一女阴石雕，产生这样的构思应该说是十分自然的了。

我注意到，为我们讲解的那个小伙子有问必答，历史知识相当丰富。事后得知，他是北京大学历史系的研究生，因为热爱这石窟，毕业后执意回家乡，担负起了石窟的管理工作。我心中顿生敬意，并且庆幸云南深山中的这一瑰宝有了可靠的守护人。

十一　称心旅伴

旅行的愉快，一在好景物，二在好旅伴。这次活动，体验团由各界人士组成，便给了每个人一个机会，得以与事业和生活很不同的人接触。我不是一个合群的人，但这不妨碍我欣赏人类的风景。譬如说，当我站在雪山和冰川前时，身旁站着两位攀登过珠峰的老登山队员，一位闯过地球两极的年轻地理学家，他们心中藏着许多关于雪山和冰川的秘密，我便会感应到一种特别的心情。

在最后三日，四人结伴，关系当然就更是亲近了。不过，也许在结伴之前，这亲近感就已经存在。

飞机从北京出发,坐在我身边的这个头发蓬乱的瘦个子就一直对我侃侃而谈。他语速快,声音忽高忽低,我有时候听不清他的话。但是,三个小时下来,我毕竟弄清楚了他是那个创作了好几首著名歌曲的作者,名叫陈哲,还知道了他对民歌的热情和对社会现状的忧思。后来我半开玩笑说,相反的是,直到下飞机时,他对他的这个倾谈对象仍是一无所知。

我孤陋寡闻,以前竟不知道著名的九段围棋夫妇。那一日,先生把太太介绍给我,落落大方地说:"她很喜欢你的书,自己不好意思跟你说。"全部旅程中,人们看见这一对夫妇形影不离,却毫没有不舒服的感觉。他们是那样一种人,你和他们相处始终感到很舒服,你会觉得自己变得和他们一样质朴而安静了。

在剑川时,参观一家木器厂,厂方要送他们一张围棋盘,是用珍贵木料制作的,标价二千多元。只见夫妇俩用惋惜的眼光打量着这张盘,指出线不直、格子不匀等毛病,这些毛病是我们外行的眼睛根本看不出来的。厂方坚持要送,芮乃伟急了,说了一句话:"我们真的不要,以后你们不要再把这么好的木头做成这么差的棋盘,我们就谢天谢地了。"这句话是脱口而出的,她的眼睛里停留着惋惜的神情,她仍在为被糟蹋了的珍贵木料惋惜。我心想,换了别人,即使不满意,也多半会收下礼物,并且客气一番的。

陈哲也是一个毫不客套的人,每到一地,他和人打交道时很随意,也很直言不讳。我欣赏这种风格。不过,目睹一个有这种风格的人到处受到欢迎,我多少仍觉惊讶。

与人相处,如果你感到格外的轻松,在轻松中又感到真实的教益,我敢断定你一定遇到了你的同类,哪怕你们从事着截然不同的职业。

2002 年 5 月

自序辑录

释"回家"

——《记住回家的路》小序

这本小书实际上是由两个部分组成的。第一部分是近几年里写的随笔和散文,按照出版者的要求,我单挑篇幅短小的,每篇的字数大致在一千上下。其中有少数篇什,原文的篇幅稍长或很长,但内容比较合适,我就自己做了删节或摘选,也收了进来。第二部分是更短的不成文章的东西,可以称之为随感。自1996年9月开始,我在天津《今晚报》副刊上开了一个名为"守株待兔录"的小小的专栏,那里发表的文字就构成了这个部分的主干。在编辑本书时,我还顺便清理了一堆早该丢弃的废纸片,捕捞到了一些不知何年何月写下的片言只语,也当作意外的收获保存在了书尾。

"记住回家的路"是书中一篇文章的标题,我觉得颇能代表书中大部分文章的主旨,就拿它做了整本书的名字。这句话有两层意思。其一,人活在世上,总要到社会上去做事的。如果说这是一种走出家门,那么,回家便是回到每个人的自我,回到个人的内心生活。一个人倘若只有外在生活,没有内心生活,他最多只是活得热闹或者忙碌罢了,决不可能活得充实。其二,如果把人生看作一次旅行,那么,只要活着,我们就总是在旅途上。人在旅途,怎能没有乡愁?乡愁使我们追思世界的本原,人生的终极,灵魂的永恒故乡。总括起来,"记住回家的路"就是:记住从社会回到自我的路,记住从世界回到上帝的路。人当然不能不活在社会上和世界中,但是,时时记起回家的路,便可以保持清醒,不在社会的纷争和世界的喧嚣中沉沦。

一本由短文和短句组成的小书,理应有一篇短小的序言。我对读者的长长的祝愿和感谢,都在不言之中了。

1999 年 1 月

| 朝圣的心路 |

——《各自的朝圣路》序

托尔斯泰年老的时候，一个美国女作家去拜访他，问他为什么不写作了，托尔斯泰回答说："这是无聊的事。书太多了，如今无论写出什么书出来也影响不了世界。即使基督再现，把《福音书》拿去付印，太太们也只是拼命想得到他的签名，别无其它。我们不应该再写书，而应该行动。"

近来我好像也常常有这样的想法。看见人们正以可怕的速度写书、编书、造书、"策划"（这个词已经堂而皇之地上了版权页）书，每天有无数的新书涌入市场，叫卖声震耳欲聋，转眼间又都销声匿迹，我不禁想：我再往其中增加一本有什么意义吗？

可是，我还是往其中增加了一本。

我如此为自己解嘲：我写作从来就不是为了影响世界，而只是为了安顿自己——让自己有事情做，活得有意义或者似乎有意义。所以，对于我来说，写作何尝不是一种行动呢。

托尔斯泰晚年之所以拒斥写作，是因为耻于智识界的虚伪，他决心与之划清界限，又愤于公众的麻木，他不愿再对慕虚荣的崇拜者说话。然而，事实上，托尔斯泰始终不是一个真正的社会活动家。他从前的文学创作也罢，后来的宣传宗教、上书沙皇、解放家奴、编写识字读本等所谓行动也罢，都是为了解决他自己灵魂的问题，是由不同的途径走向他心目中的那同一个上帝。正像罗曼·罗兰在驳斥所谓有前后两个截然不同的托尔斯泰的论调时所说的："只有一个托尔斯泰，我们爱他整个，因为我们本能地感到在这样的心魂中，一切都有立场，一切都有关连。"我相信，这立场就是他对人生真理的不懈寻求，这关连就是他一直在走着的同一条朝圣路。

但我还是要庆幸托尔斯泰一生主要是用写作的方式来寻找和接近他的上帝的，我们因此才得以辨认他的朝圣的心迹。我想说的是，我要庆幸世上毕竟有真正的好书，它们真实地记录了那些优秀灵魂的内在生活。不，不只是记录，当我读它们的时候，我鲜明地感觉到，作者在写它们的同时就是在过一种真正的灵魂生活。这些书多半是沉默的，可是我知道它们存在着，等着我去把它们一本本打开，无论打开哪一本，都必定会是一次新的难忘的经历。读了这些书，我仿佛结识了一个个不同的朝圣者，他们走在各自的朝圣路上。是的，世上有多少个朝圣者，就有多少条朝圣路。每一条朝圣的路都是每一个朝圣者自己走出来的，不必相同，也不可能相同。然而，只要你自己也是一个朝圣者，你就不会觉得这是一个缺陷，反而是一个鼓舞。你会发现，每个人正是靠自己的孤独的追求加入人类的精神传统的，而只要你的确走在自己的朝圣路上，你其实并不孤独。

本书是我1996年至1998年所发表的文章的一个结集。东方出版社还曾出版过我此前文章的结集《守望的距离》，为了保持连续性，我把那个集子未及收进的1995年的部分文章也收在了本书中。我给这本书取现在这个名字，一是因为其中我自己比较满意的文章几乎都是读了我所说的那些朝圣者的书而发的感想，二是因为我自己写作时心中悬着的对象常是隐藏在人群里的今日的朝圣者，不管世风如何浮躁，我始终读到他们存在的消息。当然，这个书名同时也是我对自己的一个鞭策，为我的写作立一标准。我对本书在总体上并不满意，但我还要努力。假如有一天写作真成了托尔斯泰所说的无聊的事，我就坚决搁笔，决不在这个文坛上瞎掺和下去。

1999 年 2 月

没有人是专门写散文的

——《周国平散文》自序

我发表散文的历史不长，迄今为止不到二十年。不必说前辈，即使与许多同辈比，资格也是浅的。开始时，我并不知道自己是在写散文。当时我研究生刚毕业，动笔的情形是有的，分做两类。一类是所谓学术论文，目的明确，是为了发表和评职称。另一类却无以名之，只是出于一向的爱好或习惯，时常写点什么，天地良心，压根儿没想到要发表。80年代初，国内的刊物远不像现在这样多，在我眼里，只有一两家专业刊物与我可能有点关系，其余的都离我很远。真的是非常偶然的原因，譬如说，某位朋友毕业分配到了某家杂志社当编辑，人生地不熟，只好姑且在自己认识的人中约稿充数。我便把给自己写的东西拿一点出来，就这样开始给非专业杂志供稿了。很久以后，直到别人把我称作了一个散文作家，我才恍然悟到那算是我写散文的开端。

所以，我完全是不知不觉写起了散文的。这个经历告诉我，散文是一种非常自由的文体，你用不着特意去写，只要你不是写诗和小说，不是写论文，写出来的就是散文。我们差不多可以这样来定义散文，说它什么都是，因而什么也不是，或者说它是一种人人都能写的东西，因而没有人是专门写散文的。

当然，这不等于说人人都能写好的散文。如同在别的领域一样，自由比法则更是一种考验，享用自由比遵守法则更需要真本事。一块空地，没有布景和道具，没有规定动作，让你即兴表演，你的水平一目了然。诚然，现在许多流行的所谓散文里也有了规定动作，比如先讲一则小故事，接着抒发一点小情调，最后归纳出一个小哲理，不过其水平仍是一目了然，无可掩盖。散文贵在以本色示人，最忌涂脂抹粉。真实的前提则是要有真东西——有真情实感才有抒情的真实，有真才实学才有议论的真实。那些被淘汰的诗人跑到散文中来矫揉造作，那些不入流的学者跑到散文中来装腔作势，都是误会了散文的性质。

散文的自由不但在文体，更在写作时的心态。一个人写小说或诗歌，必感到自己是在从事着文学的事业，写论文，必感到自己是在从事着学术的事业。他诚然可以是一个热爱自己的事业的人，但事业心终归形成了一种精神上的压力。写散文却不然，无论在自身的性质上，还是在社会的事实上，写散文都不成其为一种事业。在一切文体中，散文最缺乏明确的界限，最不具独立的形态。因此，在社会分工中，写散文也最难成为一种职业。世上多职业的小说家、诗人、学者，却很少职业的散文家，散文家往往是业余的，这种情形肯定不是偶然的。散文是一种最非职业化、最个人化的写作，这正是它的优点，可以使写作者保持自由的心态。一个人要能够享用自由，前提是要热爱和珍惜自由。在我看来，写散文最值得珍惜的就是这种自由的心态。我十分怀念过去为自己写不供发表的东西时的那种愉快心情，我写只因为我想写，只因为我喜欢，我甚至不意识到自己在写散文，而这正是最适合于写散文的一种状态。后来，约稿多了，写作时知道会发表，心态的自由就不免打折扣。要装做不知道已不可能，退而求其次，我给自己建立一个标准：一篇文章，即使不发表我也要写，那就写，否则就不写。总之，尽量只写自己真正想写、写的时候愉快、写完自己看了喜欢的东西。这样的东西一旦发表出来，也一定会有喜欢它的人，即使发表不出来也没有什么。世上哪有写散文的诀窍，所谓写好散文无非是写让自己喜欢的文章罢了。

　　浙江文艺出版社早就给我来信，表示希望出版一本我的散文的自选集。我看见过这家出版社出版的学者散文的自选集，虽未标丛书之名，但从封面和版式看，明显成一个系列。当时的感觉是，这套书从选题到外观设计都颇具水准。因此，对于这一约稿，我是很乐意从命的。只是因为我过去的散文有多种本子行世，内容上已有重复，所以一直犹豫着。最近，我把我近几年写的散文结集，虽然数量仍然有限，但毕竟可以从中选出相当数量的新作品加入了，于是着手编就了这个本子。

1999 年 3 月

惭愧中的反省

——《周国平哲理美文》自序

编这么一本书，我心里颇惭愧。哲理而且美文，是否有矫情之嫌？不过，书名是出版社已经定了的，大致反映了对我的散文的一种解读角度，我不妨姑妄听之。我自己在写作时，心中从来没有悬着一个要写哲理美文的目标。直到现在编这本书时，我仍不知道美文该如何定义。顾名思义，美文应该是特别讲究文字之美的散文，既是讲究，当然就是有意识的，甚至是刻意为之的。刻意也没有什么不好，像培根的论说文，王尔德的童话，纪伯伦的散文诗，文字之讲究使你不能怀疑他们所下的精雕细刻的功夫，而收获的确是精品。我只是想申明，我不是一个自觉的美文作者。当然，我在写作时也会注意文字，但功夫不下在修辞上，而是更留心于寻找准确的表达，使文字与我的思想或感觉尽可能地对应。我的所想所感大多涉及人生，而许多人对于人生也是有所想有所感的，一旦因我的文字而触发了自己的所想所感，便会感觉到一种共鸣的快乐。这种共鸣的快乐与审美的快乐很容易混淆，或许两者真有相通之处亦未可知。在这极宽泛的涵义上，我也可以算是写过一些美文的人吧。

至于哲理二字，我就无须推辞了。我毕竟是学哲学出身，现在还吃着哲学这碗饭，平心而论也是真喜欢哲学的，因此，肯定会有意无意地把这一专业背景兼个人爱好带进我的写作中来。我不认为这是我的散文的一个优点，因为它很可能也是一个局限。一个人始终写主题及风格相近的文字，终归证明他不够宽广。人们无法用一个词来概括托尔斯泰或者卡夫卡，因为他们的丰富性拒绝任何简单化的界定。所以，倘若一提起某人，大家都说他的文章很有哲理，他从这雷同的表扬中实在应该听出一种警告来。我当然不相信我的可能性已经被穷尽，常常觉得我的世界里还有许多陌生的土地，我的足迹未尝到达过那里，它们等着我去勘测和垦殖。

不过，对于我正在编的这个集子来说，这些都是后话了。这个集子的任务恰恰是要展示我的散文的哲理特点，虽然这展示使我反省到了自己的某种狭窄，但我无须回避。熟悉我的作品的读者一定还会发现，收进这个集子的不少文章在别的集子里已经出现过。我自己丝毫不想讳言这一事实。我要说明的仅是，首先，只要我同意编选这个集子，这种情况就是不可避免的。我于1995年前发表的散文均已结集出版，其后发表的散文亦将结集出版，而本书的编选对象当然不可能超出这个范围。

其次，我承认，对于所谓重复出版，现在我已经怀着一种比较坦然的心态了。从前我对此持一种近乎洁癖的抵制态度，不肯让哪怕一篇文章在不同的集子里出现。然而，事实教训了我。近几年里，我出版了多部作品，令人着急的是，一方面，读者在书店里往往买不到正版本，另一方面，不同的盗印本乘虚大量流行。我曾吁请有关部门追查，毫无结果。这使我明白，在目前中国出版市场尚未建立对付盗印的有效机制的情形下，适当地在不同地区出版不同选本，使更多的读者有机会买到正版书，也许是我与盗印做斗争的唯一可能的方式。这当然不是什么好办法，但我没有能力像有的作家那样铺天盖地做被盗印的广告，然后新书一印几十万铺天盖地地压向市场，暂时也就只好如此。以我之见，铺天盖地也不是什么好办法，因为那是很费精力的。我期待着有一天，作家只须好好写作，不必为他的书能否由正常的途径到达读者手中操心，这也意味着不必为读者的钱能否由正常的途径到达他手中操心。

回头读一遍，在这篇自序里，我对自己的作品，一批评风格上的局限，二招供出版上的重复，简直是自己拆自己的台，哪里合自序的体例？好吧，最后我来给自己圆场，说一说这本书值得一买的理由。不管我自诩还有怎样的创造力有待开发，我必须承认，我迄今为止较满意的短篇散文基本上都收在这本书里了。至于将来是否真能超越，那实在是说不定的。我能够替自己说的好话仅此而已，再说下去又会忍不住拆自己的台，赶紧打住罢。

1999 年 4 月

我没有意识到我这是在写作

——《人与永恒》香港版自序

　　每逢有人问我，在我已经出版的书中，我自己最喜欢哪一本，我的回答大抵是——《人与永恒》。

　　我常常自诩为自己写作，可是在我的全部作品中，能够完全无愧于这一宗旨的，当推这一本书。收在里面的那些随感，至少初版时的那些内容，我写时真是丝毫也没有想到日后竟会发表的。那是在十多年前，我还从来不曾出过一本书，连发表一篇文章也属侥幸的时候，独自住在一间地下室里，清闲而又寂寞，为了自娱，时常把点滴的感想和思绪写在纸片上。我甚至没有意识到我这是在写作，哪里想得到几年后会有一个编辑把它们收罗去，像模像样地印了出来。

　　我自己对这本书的确是情有独钟。读它的感觉，就像偶然翻开自己的私人档案，和多年前那个踽踽独行的我邂逅相遇。我喜欢和羡慕那一个我，喜欢他默默无闻并且不求闻达，羡慕他因此而有了一种真正自由的写作心态。我相信，不为发表而写作，是具备这种自由心态的必要条件。如今的我，预定要发表的东西尚且写不完，哪里还有工夫写不发表的东西。当然，写发表的东西也可以抒己之胸臆，不必迎合时尚或俗见，但在心理上仍难免会受读者和出版者眼光的暗示。为发表的写作终究是一种公共行为，对于一个作家来说，它诚然是不可避免也无可非议的，然而，有必要限制它所占据的比重，为自己保留一个私人写作的领域。

　　事实上，长远地看，读者的眼睛是雪亮的。那种仅仅为了出售而制作出来的东西，诚然可能在市场上销行一时，但随着市场行情的变化，迟早会过时和被彻底淘汰。凡是刻意迎合读者的作家是不会有真正属于自己的读者的，买他的书的人只是一些消费者，而消费的口味决无忠贞可言。相反，倘若一个人写自己真正想写的东西，写出后自己真正喜欢，那么，我相信，他必定能够在读者中获得一些真正的知音，他的作品也比较地能够长久流传。联结他和他的读者的不是消费的口味，而是某种精神上的趣味。人类每一种精神上的趣味都具有超越世代的延续性，其持久犹如一个个美丽的爱情神话。

　　本书1988年3月由上海人民出版社出版第一版，1992年4月出版第二版，迄今发行已逾十万册。使我感到满意和欣慰的是，这个成绩是在没有任何媒体炒作的情形下取得的。现在，三联书店（香港）有限公司又将在香港出版本书。当此之时，我用上面这些话自勉并且和我的读者共勉。

1999 年 4 月

海滩上的五百六十二枚贝壳

——《妞妞》新版自序

一

4月即将来临，空气里飘荡着春天的气息。妞妞出生在十年前的四月。这个时候，我无法拒绝这样一个建议：给《妞妞：一个父亲的札记》出版一个插图珍藏本。

在我一生中，我从未觉得岁月像最近十年这样倏忽易逝。我还是我，但生活的场景已经完全改变，和妞妞一起度过的五百六十二个日日夜夜被无情地推向远方，宛如被潮汐推到海滩上的五百六十二枚贝壳，那海滩绵亘在死寂的月光下，无人能够到达。我知道，所有的贝壳已经不再属于我，我不可能把其中的任何一枚拾起来握在手里。当我自己偶尔翻开这本书的时候，我仍然会流泪，但泪水仿佛是在为轮回转世前的另一个我而流了。上帝啊，你让人老，让人死，你怎么能不让人麻木！人的麻木是怎样地无奈，我们没有任何办法留住人生中最珍贵的东西，我们只能把它转换成所谓文本，用文本来证明我们曾经拥有，同时也证明我们已经永远失去。

既然文本是唯一能够持久的存在，我何必要拒绝给它一个隆重的形式呢？

二

其实，作为文本的《妞妞》从来就不是属于我个人的。我的意思是说，它真正讲述的不是一个小家庭的隐私，而是人类生存的普遍境遇。对于这一点，我自己曾经不太自信，在某些责难面前感到过惶惑，是来自读者的声音给了我一个坚定的认识，从而也给了我坦然。

请允许我从偶然读到的报刊评论中摘引一些话——

"我觉得，周国平为他女儿著这部书是他为捍卫生命的尊严以笔为刀与死亡所做的一场肉搏战。"（朱海军，《今晚报》1997年4月11日）

"当我买下了那本摆在书架上的《妞妞》，读完了周国平满纸的冷峻和温柔，我想说的是，在这个世界上，其实，我们都是妞妞。"（柳松，《南昌晚报》1997年7月17日）

"《妞妞》是为除周国平之外的另一个或其他许多的寂寞而写的。周国平大概永远不会知道，陪着他的寂寞坐着的，另外还有很多寂寞。"（黄集伟，《齐鲁晚

报》1997年8月23日）

"作为妞妞的生父，周国平有着许多难以超越的亲子之情，所以他不可能奢谈意义。而作为没有过妞妞的我们，又无从超越。但我们渴望超越，渴望通过意义引渡我们。这才是我们的痛点……"（陈荷，《文艺报》1997年8月30日）

这些话所表达的当然不是对一个私人不幸事件的同情，而是对人的一种存在境况的共感。我默默感谢这些评论的作者，他们的理解使我相信了《妞妞》的意义不限于妞妞。

三

也是从报刊上知道，《妞妞》作为一个文本，还有另外的解读方式，我且在这里一并录下备案。

首先传递有关信息的是王一方先生，他在主持一次书面座谈时提到：《妞妞》一书"被美国医学人文学专家奉为当代中国人文医学的启蒙之作"。（《中国文化报》1998年10月1日）后来，听说又有一些报刊报道了类似消息，但我没有读到。直到前不久，读到了一则稍微详细一点的报道，其中说："在美国，有两所著名的医学院——得克萨斯大学医学院和明尼苏达大学医学院——已将《妞妞》一书作为案例编进了讲义，讲义科目为医学伦理学。所以在美国，《妞妞》被称为'中国医学人文学的重要作品'。如此判断理由充分：《妞妞》不仅仅是一个作者亲历的悲情故事，而且它还展现出一个鲜活的病人世界。"（《北京晚报》2000年1月10日）紧接着另一则呼吁"医学需要人文关怀"的报道也认为，《妞妞》一书"给中国公众提供了一个反省现代医学观念与制度的生动案例"。（《中华读书报》2000年1月12日）

我没有对上述消息进行核实。我自己明白，我的书当不起相关的评价。不过，如果它真能推动人们反省今日医学的非人道状况，我当然觉得是好事。

四

在中国大陆，《妞妞》一书出过两种版本，一种是收进陕西人民出版社1996年6月出版的《周国平文集》第五卷中的本子，另一种是上海人民出版社1996年11月出版的单行本。后者在出版时被做了少许删节，现在的这个版本悉数予以复原，因而是第一个完整的单行本。

使我感到欣慰的是，没有书商的炒作，没有媒体的吆喝，《妞妞》自己走进了读者中间——

1998年的一天，我意外地获悉，它获得了首届全国优秀青年读物一等奖；

来自全国的千百封读者来信；

早出的两种版本，三年累计印数已达九万五千册。

当然，还有盗版。《中国图书商报》1998年1月16日报道："保守的估计，《妞妞》一书的盗版数至少在二十万以上。"有一个时期，我自己目睹盗版本遍布北京的书摊。直到现在，各地仍不断有新的盗版本流向市场。我之所以愿意出版这个新版本，也是希望它的发行能对盗版起一定的抑制作用。

我听到过一个很个别也很刺耳的声音，但我不想复述。大江健三郎应该庆幸自己没有结识类似的心灵，否则他也会被讥讽为依靠儿子的残疾赚取了诺贝尔奖金。

五

最后我要告诉读者，现在我又有了一个女儿，和妞妞一样可爱，但拥有妞妞所没有的健康。当然，我非常爱她，丝毫不亚于当初爱妞妞。我甚至要说，现在她占据了我的全部父爱，因为在此时此刻，她就是我的唯一的孩子，就是世界上的一切孩子，就像那时候妞妞是唯一的和一切的孩子一样。

这没有什么不对。一切新生命都来自同一个神圣的源泉，都是令人不得不惊喜的奇迹，不得不爱的宝贝。

可是，当我看着我的女儿一天天成长，接近然后越过了妞妞最后的年龄，当我因为她的聪明活泼而欢笑时，常常会有一个声音在我心中响起：妞妞，妞妞太可怜了！于是我知道了，尽管我今天有幸再为人父，经历过沧桑的心毕竟是不一样的了。妞妞并未远离，她只是潜入了我心中最深的深处，她始终在那里为自己的人间命运而叹息。

我感谢上苍又赐给了我做父亲的天伦之乐。但是，请不要说这是对我曾经丧女的一个补偿吧，请不要说新来的小生命是对失去的小生命的一个替代吧。我宁可认为，新生命的到来是我生活中的一个独立的事件，与我过去的经历没有任何因果联系。妞妞依然是不可替代的，而我现在的女儿不能、不应该、并且我也无权要她成为一个替代。

所以，无论我的家庭状况已经和将会发生怎样的变化，《妞妞》始终是一个独立的文本，它的存在不会也不应受到丝毫影响。

2000 年 3 月

227

介于辞典和文摘之间

——《人生哲思语编》编选说明

本书是应上海辞书出版社之约编选的。它的性质介于辞典和文摘之间，内容是我的文字的一个摘录，形式是像辞典那样按照主题和关键词加以详细分类。编选过程是这样的：首先，我把我迄今为止已出版的和未出版的全部非学术性质的文字通读一遍，从中摘出我自己认为比较有价值并且可以独立存在的句子或段落；然后，对这些材料进行逐级分类，让它们尽可能妥帖地各居其位。这是一项很费斟酌的工作，不过，我自己觉得不无收益，使我仿佛对自己的思想做了一次细致的检阅，心中比较有数了。那么，这样一本书对于读者有什么用处呢？我猜想是这样的：在我的老读者手中，它更是辞典，用它可以方便地检索到我在某一问题上的论说；在我的新读者手中，它更是文摘，读它可以清晰地一窥我的文字和思想的基本面貌。全书分为四编，即：生命感悟，情感体验，人性观察，精神家园。它们实际上都是从不同角度对人生进行哲学思考，所以，我给本书取名为人生哲思语编。

2000 年 10 月

讲演辑录

哲学是永远的追问

今天我想谈一谈我对哲学的理解。我17岁读哲学系，毕业后在一个小县城工作了十来年，然后又回到北京，也回到了哲学的学习和研究，哲学可以算我的终身事业，我对哲学应该有一种理解了。当初报考哲学系，是出于一种比较幼稚的想法。我在中学里最喜欢两门课，一门是数学，一门是语文，也就是解习题和写文章。报志愿时，两样都不肯舍弃，就来了一个折中。我相信哲学可以让我横跨文科和理科。当然这也有一定道理，数学使人享受纯粹思维的乐趣，文学使人关注人生，这两样东西在哲学里都有。不过，经过系统的学习之后，我觉得自己对哲学的性质有了比较明确的认识，概括地说，它是对世界和人生的根本问题的一种永远的追问。

一 哲学开始于惊疑

柏拉图（在《泰阿泰德》中）、亚里士多德（在《形而上学》中）都说过，哲学开始于惊疑。惊疑，严群译为疑讶，包含惊奇、惊讶和疑惑、困惑两层意思。为了便于讲述，我想把这两层意思拆开来讲。相对地说，惊奇面对自然，由惊奇而求认知，追问世界的本质，形成了哲学中的世界观、本体论、形而上学（在这里是同义词）这一个大领域。疑惑（困惑）面对人生，由困惑而求觉悟，追问生命的意义，形成了哲学中的人生观、生存论、广义伦理学（在这里也是同义词）这另一个大领域。

所以，我们可以概括地把哲学看作世界观和人生观。当然，哲学还有其他一些领域，例如知识论（认识论），这是因为对世界的认识发生了问题，便转而对我们认识的能力、性质、过程进行审视，尤其近代以来，这方面的内容在哲学中占据了重要位置。此外还有历史哲学、美学、狭义伦理学等等。但是，从源头看，哲学主要是世界观和人生观，其他则是派生的。

中世纪哲学家奥古斯丁（《上帝之城》）说：智慧的研究有两种形式。一种是沉思性的，即对自然的起源及纯粹真理的研究，以毕达格拉斯为代表。另一种是积极性的，关注生活行为和道德，以苏格拉底为代表。柏拉图是两者的融合。康德说：世上最使人敬畏的两样东西是头上的星空和心中的道德律。他们说的都是类似的意思。哲学所思的问题无非两大类，分别指向我们头上的神秘和我们心中的神秘。总之，哲学是灵魂对于世界和人生的根本性追问，所探究的是世界和人生的根本道理。

哲学是世界观和人生观——这个提法一点儿也不新鲜，我们不是一直被这么教导的吗？这个提法本身没有错，过去的问题是对它作狭隘的理解，把世界观等同于政治态度和阶级立场，把人生观归结为为谁服务了。而这就意味着把哲学等同于政治，并且是一种很狭隘的政治。其实，世界观和人生观的内容要广阔得多。

在我们这样体制的国家里，把哲学等同于政治是一个传统。我读哲学系时，许多同学是怀着从政做官的目的报考的，毕业后的去向的确也基本上如此。学习的内容上，主课是艾思奇的《辩证唯物主义历史唯物主义》，其实是对斯大林《联共党史》中的一个章节加上毛泽东的《矛盾论》、《实践论》的一种讲解。也学一点中国哲学史和西方哲学史，是为了批判。从列宁开始，强调哲学的阶级性、党性，把哲学分唯物主义和唯心主义两大阵营，古今一切哲学都按此排队，唯物主义代表进步革命阶级，唯心主义代表落后反动阶级，历史唯物主义和辩证唯物主义是无产阶级的世界观，标志着哲学发展到了顶点和终点。于是，哲学研究就成了给一切哲学家贴标签，唯物主义者是好人，唯心主义者是坏人，机械唯物主义者是有缺点的好人，有辩证法思想的唯心主义者是有一技之长的坏人，而辩证唯物主义者则是完人。其后果是哲学的内容极端贫乏化，哲学成为教条，扼杀了任何独立思考。事实上，哲学课成了大学一切课程中最枯燥乏味的课程。现在情况有所改善，但不同程度上仍有这个问题。

哲学和政治是不同层面的东西，因此，不能从政治角度、阶级利益角度去解释世界观和人生观。要正确理解其含义，最好的办法是回到源头上，不要忘记哲学开始于惊疑。其实，我们每个人都或多或少有过这种惊疑的经验，不妨回想一下，对我们理解哲学的本义会大有助益。这多半是在童年时期，也许是在夏天的夜晚，当我们仰望满天星斗的苍穹，隐约感觉到世界在时间上的无始无终，在空间上的无边无际，不由自主地惊奇于世界的神秘，这时候我们头脑中一定曾经朦胧地产生过一个问题：世界究竟是什么？这正是一个十足哲学性质的追问。在人类历史上，最早的哲学追问也是从对天空感到好奇开始的，包括泰勒斯在内的好几位古希腊早期哲学家同时也是天文学家。另一方面，许多人在一生中的某个时候，一般是在青少年时期，会对人生产生一种困惑。最大的困惑往往是由想到死引起的，当一个人确凿无疑地知道自己终有一天也会不可挽回地死去，他就会对生命意义产生疑惑和发出追问。在哲学史上，这一追问同样十分古老，以至于苏格拉底和柏拉图把哲学称作预习死亡的活动。

在哲学的两类追问中，对生命意义的追问是更根本的。对世界本质的思考并非出于纯粹求知的兴趣，归根到底是为了解决人生问题，要从整体上把握人生的底蕴。"我们从哪里来？我们到哪里去？我们是谁？"这个问题隐藏在一切哲学本体论的背后。无论世界观还是人生观，都是我们灵魂中的活动，而不是一套现成的意识形态。凡哲学的根本问题皆无最终答案，哲学的价值不在提供确定的答案，而在于使我们始终保持对世界和人生的惊疑和追问。

二 世界观：对世界的惊奇和思考

虽然解释世界归根到底是为了解释人生，但是，在大多数哲学家那里，这仅是潜在的动机。从西方哲学史看，哲学的主体部分是世界观、本体论、形而上学。今天我只讲这个部分，人生观问题应该是另一次讲座的题目。

无论人类，还是个人，好奇心是智力觉醒的征兆。当好奇心不仅仅针对个别事物，而是针对整个世界时，就会提出这个问题：世界的本质是什么？可以把这个问题看作哲学的基本问题，它是一种"天问"。当然，出发点不只是好奇心，起作用的还有对安全感的需要，宇宙是人的家，不明其究竟怎么住得踏实呢。

在西方哲学史上，对这个问题大体有两种答案。一种认为，世界的本质是水、火、气、土、原子等等，总之是物质性的东西。另一种认为，是数、理念、绝对精神、意志、神等等，总之是精神性的东西。中国哲学史上也有这样对立的答案，例如气与理之争。这么看，把哲学家分成唯物主义和唯心主义两大派好像不算错。按照恩格斯的说法，哲学的基本问题是物质和精神的关系问题，主张物质第一性的就是唯物主义，主张精神第一性的就是唯心主义。我想强调的是，对世界的思考不能是这么简单地下一个论断，像站队一样，站在唯物主义一边还是站在唯心主义一边，这样就算解决问题了。一个哲学家的思想的价值和他在哲学史上的地位完全不取决于这一点，而是取决于他是否在总体上丰富和加深了人类对世界的思考。有些哲学家并不对世界的本质下论断，尤其是近代以来，哲学家们往往还反对下这样的论断，但他们仍在推进对世界的思考，并且正是通过比以前更深入的思考才得出这样的看法的。

通过深入思考，我们会发现，无论把世界的本质归结为物质还是精神，都有说不通的地方。唯物主义描绘了这样一幅世界图画：世界是物质的永恒变化过程，人（包括精神）是这个过程中的偶然产物。按照这幅图画，就难以解释：第一，人的存在有何意义？人与动物、物质没有本质区别了，也只是物质的一种存在形式而已。第二，如何解释精神（灵魂）的来源？唯物主义通常是用进化论来解释的，即物竞天择、适应性变异和获得性遗传这一套。但这至多只能解释人的肉体和理智（大脑）的起源，无法解释灵魂的起源。我们可以说，理智是为了生存的需要而发展出来的对外部环境的认识能力。可是，人的灵魂，也就是不满足于生存的需要、要使生存具有高于生存的目的和意义那样一种精神上的追求，就完全不是适应环境和机能进化的产物了。进化论提出时，有许多人不能接受，未必都是保守，有些人确实觉得人的尊严受到了侮辱。赫胥黎是进化论的倡导者之一，他曾讽刺那些反对进化论的学者说："我宁肯做猴子的后代，也不愿做一个愚蠢的教授的同事。"但是，作为一个聪明的教授，他并不甘心仅仅做猴子的后代。他在《进化论与伦理学》中谈到：人的精神品质（正义，善）是伦理过程对抗宇宙过程的产物，在宇宙中没有根据，所以终将失败，从而导致人类向下的发展。可见他也认为，精神的产生不但不能用进化论解释，相反是违背进化论的。

在很大程度上，唯心主义之产生正是为了解决精神的来源问题。唯心主义哲学家们有各种不同的理论，但基本思路是一致的，便是设定宇宙有一个精神本质，它是人的精神（灵魂）的来源，保证了精神的不会完全毁灭和人类精神追求的永恒价值。唯心主义的困难在于无法证明宇宙精神本质的存在。其实，无论说世界的本质是物质还是精神，都是无法证明的，这基本上是信念的问题。我们只能在经验范围内证明某物是否存在，而无论科学如何发展，人类的经验永远是有限的，我们永远不能对宇宙整体有所经验。宇宙整体之性质是一个超验的问题，对于宇宙有一个精神本质的论断，唯心主义不能证实，唯物主义也不能证伪。有些聪明的唯心主义者对此心里是明白的，柏拉图称之为"信仰的冒险"，帕斯卡尔称之为赌博，并且都认为值得冒这个险，值得一赌。他们的意思是，虽然无法证明有无，但宁信其有，这比宁信其无好，有助于我们过一种崇高的生活。

三　在宗教和科学之间

哲学要追问世界的本质，而世界的本质是无法证明的。可是，两千年来，哲学却一直在努力做一件事，就是试图对世界本质是什么的问题给出一个可靠的答案。它实际上是在做不可能做到的事，这是哲学本身所包含的矛盾和困难。

要对哲学的这个特点有一个清楚的概念，最好的办法是把哲学与宗教及科学作一比较。

哲学和宗教都是人的精神生活的方式，两者所要解决的问题之性质是相同的，即都是终极关切。和哲学一样，宗教所关心的也是世界和人生的最根本问题，要对世界的本质和生命的意义给出一个完整的说明。但是，它们寻求解答的手段却完全不同。在宗教看来，世界和人生的整体是一个神秘，人的理性是有限的，不可能将它弄明白，唯有靠神的启示来接近它。因此，人在神面前应知谦卑，满足于不容置疑的信仰。相反，哲学却不肯像宗教那样诉诸天启权威，对终极问题给出一个独断的答案，而是只信任理性，要求对问题作出理由充足的解答。在这一点上，哲学又和科学一样。

如此看来，哲学的追问是宗教性的，它寻求解决的方法却是科学性的。哲学家有一个宗教的灵魂，却长着一颗科学的脑袋。灵魂是一个疯子，它问的问题漫无边际，神秘莫测。头脑是一个呆子，偏要一丝不苟、有根有据地来解答。疯子提问，呆子回答，其结果可想而知。

关于哲学所包含的内在矛盾，康德最早做了明确的揭示。他指出：由头脑（他所说的知性）来解答灵魂（他所说的理性）所追问的问题，必定会陷入二律悖反。他因此而断定，只能把此类问题的解答权交给信仰。不过，在罗素看来，哲学面向宗教，敢思科学之不思，渴望对宇宙和人生有一种普遍理解，又立足科学，敢疑宗教之不疑，寻求确切的知识，正是这一结合了两种对立因素的品格使之成为比科学和宗教更加伟大的东西。

也许有人会说，既然哲学所追求的目标——把宗教和科学结合起来，用头脑解答灵魂的问题——注定不能实现，它的努力岂不徒劳。这种看法未免肤浅。从目标不能实现看，也许可以说徒劳，但这个徒劳向目标前进的过程却是富有生产意义的。对于人类精神发展来说，科学理性与宗教渴望是两种不可或缺的动力。正是在哲学中，它们由于彼此发生的紧张关系而同时得到了激励。有一个现象值得我们深思：在历史上，凡大科学家都怀有从整体上把握世界的宗教渴望，凡大神学家都具备寻求可靠根据的科学理性，而他们往往都也是大哲学家。

四　哲学不可能成为科学

用理性手段把握世界的本质，实际上就是试图把哲学建成一门科学，这是两千年来西方主流哲学奋斗的目标。然而，近代以来，哲学家们越来越对理性有无这种能力提出了怀疑。到了康德，就明确否认了这种能力。

从古希腊开始，哲学追问世界本质的基本思路是世界二分模式，即把世界分为现象界和本体界。这一模式认为，现象是不断变化的，多种多样的，但现象背后必定有一个不变的、统一的本质，哲学的使命就是要寻找变化背后之不变，多背后之一，现象世界背后之本体世界。也就是说，万物皆变，变应该有一承担者，世界必定有一个本来的样子，是它变成了我们现在所看见的样子，哲学就要把这个本来的样子找出来。这一思路默认了一个前提，即感觉是不可靠的，只能感知可变的现象，唯有理性才能认识现象背后那个不变的本体界。应该说明，对感觉不信任是古希腊哲学家的共同特点，并不限于唯心主义者，唯物主义者也认定世界有一个感常不能触及、必须靠理性去把握的终极本质。

这个思路存在着以下疑点：

第一，感觉是我们感知外界的唯一手段，既然感觉只感知到现象，我们凭什么说在现象背后还存在着一种本质？至少凭感觉不能证明这一点。近代哲学家中，有三位清楚地论证了这一点，提出三种说法。贝克莱认为：只存在所感知的现象，不存在本质。休谟认为：我们只知道所感知的现象，是否存在本质不可知。康德认为：我们只知道所感知的现象，但我们必须假定现象背后有本质存在，这一点无法证明，仅是必要的信念。

第二，假定变动不居的现象背后有一不变的本质，这只能是理性之所为，是理性（逻辑）追求秩序（普遍性和必然性）的产物。但是，理性同样不能证明它所追求的秩序是世界本身所固有的。这种秩序从何而来？有三种可能的回答。一是从感觉经验中归纳而得，但有限的经验不能提供必然性和普遍性。休谟说：所谓必然性只是经验之重复形成的"习惯性联想"。二是理性与世界本质之间有一种天然的一致性，莱布尼茨称之为"前定和谐"，但这种东西即使有，也无法证明。三是理性本身所固有的，理性把自身所具有的先天结构投射到世界上了。这是康德首先提出、胡塞尔加以发展的看法。在这种情形下，秩序都仍然属于现象范围，而与世界本来面目无关。

那么，第三，世界究竟有没有一个本来面目？在现象界背后，究竟有没有一个不受我们的认识干扰的本体界？在康德之后，哲学家们已经越来越达成共识：不存在。世界只有一种存在方式，即作为显现在意识中的东西——现象。康德把本体界（"物本身"）作为一个必要的假设保留下来，这一点遭到了现代哲学家的尖锐批评。其中，尼采和胡塞尔的批评尤为有力。尼采指出，对世界的认识都是透视，必有一定的视角，因而得到的都是现象。即使我们能够穷尽所有的视角，所得到的现象之总和也仍然是现象。所谓本质的假设是以无视角的认识为前提的，而这个前提是荒谬的。胡塞尔指出，实在论也承认在意识中显现的东西是现象，但断定现象背后还有一个引起该现象的原因，即一个"物本身"。其中，朴素实在论认为现象与"物本身"在本质上是相符的，批判实在论则把"物本身"看作我们人类的意识不可达到、而唯有假定的上帝的直观才能达到的本体。但任何对象只要进入认识，从而显现在意识中，就必然只能作为现象而存在，这一点对于被假定为绝对认知的理想代表者的上帝也不例外。实在论把在意识中显现的东西解释为外部实在对象的形象表现或记号表现，然而，要知道现象是实在的形象或记号，就必须有一种更高的统觉，可以同时观照现象和实在并加以比较，但我们并无这样的统觉。所以，形象论和记号论都是没有根据的。

哲学从追问世界的本体始，经过两千多年的探索，结果却是发现世界根本就没有一个本体，这不能不说是哲学的惨败。这就是人们常说的"哲学的危机"。但是，这只是哲学的某一种思路的失败，它说明哲学不可能成为科学，我们不可能靠理性手段去把握或构造哲学原本想要追问的那个本体，而必须另辟蹊径。

五　出路：沉默和诗的领域？

倘若一个古希腊哲学家来到现代，他一定会大惑不解，因为他将看到，现代的哲学家们都在大谈语言问题，而对世界本身却毫无兴趣。据说哲学家们终于发现，两千多年来哲学之所以误入歧途，原因全在受了语言的误导。于是，他们纷纷把注意力转向语言，这种转向还被誉为哲学上的又一次哥白尼式革命。我本人对之评价不高，怀疑是另一种迷途，偏离了哲学作为根本性追问的真谛。

关于语言如何误导哲学，又有两种相反的看法。

一派哲学家认为，弊在逻辑化的语言，是语言的逻辑结构诱使人们去寻找一种不变的世界本质。因此，哲学的任务是解构语言，把语言从逻辑的支配下解放出来。哲学真正应该寻找的那个本体世界不是与人无关的世界，而是作为人的生活意义之源泉的世界。这是一个情绪体验的领域，不可凭逻辑手段把握，而只能靠一种诗意的思。持这一看法的有尼采、生命哲学、现象学、存在哲学、解释学、后结构主义。

另一派哲学家则认为，弊在语言在逻辑上的不严密，是语言中那些不合逻辑的成分诱使人们对一个所谓本体世界想入非非，造成了形而上学假命题。因此，哲学的任务是进行语言诊断，剔除其不合逻辑的成分，最好是能建立一种严密的逻辑语言。哲学应该运用逻辑手段把握真正能把握的东西——经验事实，没有本体论的容身之地。持这一看法的是逻辑经验主义（分析哲学）。

不管这两派的观点如何对立，拒斥本体论的立场却是一致的。可是，没有了那种追问世界之究竟的冲动，哲学还是哲学吗？因为理性不能把握神秘，我们就不再思考神秘了吗？难道哲学从此要对头上的星空和心中的道德律无动于衷，仅仅满足于做逻辑的破坏者或卫士？

有两位哲学家分别代表上述两个对立的派别，然而，与其大多数追随者不同，他们心中仍然蕴藏着那种追思神秘的冲动。他们不愧是现代最伟大的两位哲学家。

作为逻辑经验主义的开创人之一，维特根斯坦也主张只有经验对象是可思考的，哲学只研究可思考的东西，其任务是通过语言批判使思想在逻辑上明晰。但是，他懂得的确存在着超验的领域，例如那种"从永恒观点来直观世界"的本体论式的体验，只是因为它们不属于经验范围，因而是不可思考的，而不可思考的东西也就是不可说的。"一个人对于不能谈的事情就应当沉默。"这是神秘的东西，甚至是最深刻的东西，却无法作为问题来讨论。针对此他写道："真正说来哲学的方法如此：除了能说的东西以外，不说什么事情，也就是除了自然科学的命题，即与哲学没有关系的东西之外，不说什么事情……"真正的哲学性体验只能封闭在沉默的内心世界，作为一门学术的哲学只能谈论与真正哲学性体验无关的东西，这是多么无奈。

海德格尔却试图冲破这无奈的沉默。在他看来，他名之为"存在"的那个超验的领域，乃是作为意义之源泉的神秘领域，的确不是理性思维所能达到的。但是，他相信这个领域"总是处在来到语言的途中"，是可以在语言中向人显现的。不过，这不是沦为传达工具的逻辑化语言，而是未被逻辑败坏的诗的语言。在诗的语言中，存在自己向人说话。于是，海德格尔聚精会神于他所钟爱的荷尔德林、里尔克等诗人，从他们的诗中倾听存在的话语。

当然，沉默和诗都不是哲学。可是，在维特根斯坦的沉默中，在海德格尔的诗思中，古老的哲学追问仍在百折不挠地寻找栖身之地。

哲学的出路何在？对此我也感到迷茫。我不相信所谓哲学已经终结的论调。我宁可相信，只要人类存在一天，就会有人对世界的神秘进行理性的沉思，因而哲学就会继续存在。也许在经历现在的危机之后，它将更加回避谈论本体，但不可能放弃灵魂的追问，更多地向艺术和宗教学习，但不可能放弃理性的思考。哲学的本性原本就包含着矛盾，它不可能摆脱这种矛盾，否则就不成其为哲学了。我宁可相信，哲学将带着它固有的矛盾向前发展，一代又一代的人将不可阻挡地去思考那些没有最终答案的根本问题，并从这徒劳的思考中获得教益。

（举行此讲座的时间地点：1997年10月30日郑州越秀酒家"人文讲座"；2002年2月7日国家经贸委"中外名家讲坛"。各次的内容有出入。）

哲学与精神生活

哲学有没有用？尤其在今天这个注重实用的时代，哲学的价值何在？这是人们议论得很多的问题，我谈一谈自己的看法。

一 哲学没有实用价值

在一般人眼中，哲学是一种抽象、玄奥、枯燥、无用的东西，哲学家则是一些怪人，在实际生活中十分无能，差不多是呆子（与科学家相似）和疯子（与艺术家相似）的双料货。这个印象大致是不错的。事实上，哲学探讨世界的本质、生命的意义之类大而无当的问题，确实没有实际用处；哲学家对抽象思想本身入迷，对实际生活中的问题不甚关心，不同于常人，确实怪。

其实，对哲学的这种看法不自今日始。早在哲学发源的古希腊，哲学家已是人们嘲笑的对象。柏拉图在《理想国》第六卷中说：在人们眼中，哲学家是"怪人"，"对城邦无用的人"。阿尔西拜阿底斯《筵话篇》讲了一个故事：苏格拉底服兵役时，有一天，他站在同一个地方想事情，从清早到中午，又到傍晚。有几个人搬来铺盖，想看他会不会站一整夜，结果果然站到了第二天早晨。柏拉图在《泰阿泰德》中讲了泰勒斯坠井而被女仆嘲笑的著名故事，那女仆讥笑泰勒斯如此迫切想知道天上的情形，乃至于看不见脚旁的东西。他接着发挥说："此等嘲笑可加于所有哲学家。"因为哲学家研究世界的本质，却不懂世上的实际事务，在法庭或任何公众场所便显得笨拙，成为笑柄；哲学家研究人性，却几乎不知邻居者是人是兽，受人诟骂也不能举对方的私事反唇相讥，因其不了解任何人的劣迹。柏拉图特地说明：他们决不是有意立异以邀誉，因为他们并不知道自己对实际事物这般无知。

柏拉图本人的遭遇也好不到哪里。这位古代大哲一度想在叙拉古实现其哲学家王的理想，向那里的暴君Dionysius灌输他的哲学，但暴君的一句话给哲学定了性，称之为"无聊老人对无知青年的谈话"。结果他只是幸免于死，被贱卖为奴，好在买主慧眼识贵人，放他回了雅典。

说到哲学无用，如果用是指实用价值，这个说法百分之百正确，哲学的确是一切学科中最没有实用价值的一门学科。因此，在当今这个最求实用价值的时代，哲学受到冷落也就是当然的事情了。常常有人问我，报考哲学系好不好，我一律劝阻。从哲学系出来，难以找到工作，这是明摆着的。现代社会特别讲求实用，整个社会的价值观念变了。我上大学时，学科越不实用就越吃香。譬如说，理科比工科和医农科吃香，那时候有一句话，叫作"学了数理化，走遍天下都不怕"。在文科中，文史哲都算好专业，没本事的才读财经之类。现在反过来了，越实用就越吃香，例如计算机专业，医学，文科中的财经类专业和法律专业。西方也是这样，会计师、律师、医生可以算现代社会里的铁饭碗，挣钱比一般人多，并且是体面而稳定的职业。在我们国家，热门的专业还要加上外语，因为学外语的人出国或者到外资公司谋职的机会多。

在中国，哲学曾经吃香过一阵，不过那种情况并不正常。那时候，哲学是被等同于政治的，读哲学系差不多是通向仕途的一条捷径。报考哲学系的多半是中学里的学生干部，他们以为搞哲学就是当干部，事实上毕业后也真能当上干部，哲学系的分配方向主要是各级党政机关。现在，机关精简，公务员下岗，这条路也断了。在我看来，这倒是一种正常化。哲学系本来就不应该是培养党政官员的地方，想当官的人应该进党校或者行政管理学院。我很赞成收缩哲学系的规模，减少哲学从业者的人数。作为一门学科，哲学应该只由对哲学真正有兴趣、有能力的极少数人去研究。这里的情况正与其它一些抽象学科类似，例如社会同样不需要也不可能产生许多纯数学家或理论物理学家。从社会分工看，让绝大多数人拥有一技之长并从事务实的职业，专业的务虚人员要少而精，我认为是合理的。哲学正因为没有一点儿实用价值，专业上的要求就更高。搞文学艺术的，包括写小说、画画、作曲、演戏等等，才能差一些，搞出的东西多少还有娱乐的价值。可是，哲学本身不具备娱乐的价值，搞得差就真是一无价值了。在一定的意义上可以说，大众需要差的文学艺术，那是一种文化消费，但没有人需要差的哲学，因为哲学无论好坏都成不了消费品。一个人要么不需要哲学，一旦他感到需要，就必定是需要好的哲学。

当然，这只是事情的一个方面。另一方面，一个国家、一个民族可以不需要许多职业的哲学家，但是否就不需要哲学了呢？一个人可以不必读哲学专业，但是否就不必关心哲学了呢？哲学没有实用价值，是否就等于没有任何用处了呢？

二　不实用正是哲学的价值

哲学没有实用价值，在这一点上，哲学家与一般人的认识是一致的，分歧在对之的评价。在一般人看来，不实用是哲学的缺点。相反，在哲学家看来，不实用正是哲学的价值之所在，是哲学的大用。

哲学家在实际事务方面无能是否因为智商低呢？恐怕不是吧。亚里士多德讲了泰勒斯的另一个故事：人们因为泰勒斯贫穷而讥笑哲学无用，他听后小露一手，通过观察天象预见橄榄将获丰收，便低价租入当地全部橄榄榨油作坊，到油坊紧张时再高价租出，结果发了大财。"他以此表明，哲学家要富起来是很容易的，如果他们想富的话，但这不是他们的兴趣所在。"联想到柏拉图讲的泰勒斯的故事，我们可以设想，泰勒斯也许会这样回答那个女仆：在无限的宇宙中，人类的活动范围是如此狭小，忙于地上的琐事而忘了看天是一种更可笑的无知。现在又出了一个索罗斯，靠金融投机发大财，搞垮亚洲好几个国家的经济，而他最引以自豪的却是他是哲学家波普的学生。

"这不是他们的兴趣所在"，——亚里士多德的这句话很重要。哲学家的兴趣在思想本身，能够从思想本身获得最大的快乐，而不关心其有没有实用价值。这是哲学家的必备素质，不如此就不成其为哲学家。

为什么说哲学的不实用恰恰是它的价值所在呢？可以从两个方面看。第一，哲学所研究的问题，诸如世界的本质、生活的意义之类，的确是最不关实用的，但对它们的关心恰恰体现了人的神性。人为了生存，不得不注意实用，但如果停留于此，就与动物相去不远。人有灵魂或曰理性，能够关注这些不实用的问题，最是人比动物高贵的地方。第二，哲学解决这些问题不需要任何实际的手段，其实靠金钱、权力、革命、社会活动等等也解决不了这些问题，唯一的手段是思想。正因为如此，哲学就是一种最为自足的活动。你要解决物质问题或者社会问题，离不开种种实际的手段，你要解决哲学问题，就只须自个儿在那里沉思就可以了。

哲学关注的是人的精神生活，满足的是人的精神需要。因此，哲学有没有用，归根到底取决于对精神价值的评价，亦即对于个人和人类来说，精神生活有没有用。正是在对精神价值的看法上，中西文化传统显示出了重大差异。我们中国人历来把不实用看作缺点，对于哲学也强调要经世致用，这至少是儒家哲学的传统。据我所知，在中国，接受西方哲学的影响，明确认识到不实用是哲学的价值之所在，并站在这个立场上来批评中国哲学的实用传统的，王国维是最早的一个人。本世纪初，西方哲学刚刚传入中国，有的学校准备开设哲学课，当时大权在握的张之洞便抨击哲学无用，坚决反对。针对这一论调，王国维在《教育世界》杂志发表文章予以批驳。他指出，哲学就是形而上学，所探究的是宇宙和人生的根本道理，这些道理是"天下万世之真理"，"唯其为天下万世之真理，故不能尽与一时一国之利益合，且有时不能相容，此即其神圣之所存也。"也就是说，哲学的不实用正是哲学的神圣之所在。他特别批评了中国的哲学家都太关注政治，太有政治抱负，中国没有纯粹的哲学，只有道德哲学、政治哲学，孔、孟、墨、荀，汉之贾、董，宋明理学家，骨子里都是道德家、政治家，其结果是把哲学贬为政治和道德的手段，忘记了哲学的神圣之位置和独立之价值。

我们一直有把哲学实用化的倾向。上世纪60年代，所谓"工农兵学哲学用哲学"，实用化达到登峰造极，把哲学当作解决工作中、生活中一切具体问题的灵丹妙药，无论遇到什么问题，只要"一分为二"或"抓主要矛盾"似乎就都迎刃而解了。从总体上说，是政治实用主义，把哲学当作政治的工具。现在是市场实用主义，流行营销哲学、卡耐基式的处世哲学之类，教人如何赚钱、如何公关等等。应当指出，这里所说的实用主义和实用主义哲学是两回事，詹姆斯、杜威的实用主义哲学毕竟是哲学，是对一些根本问题的思考，而这些东西根本就不是哲学。哲学是智慧，不可与技巧、计谋、权术混为一谈。我常常遇到这种情况：讨论一个什么问题，便会有人说，你拿哲学观点分析一下吧。我一律婉谢，因为我不相信一种在任何事情上都可以插上一嘴的东西是哲学。哲学越是实用，哲学的含量就越少，就越不是哲学。

每个人需要哲学的程度，或说与哲学之关系密切的程度，取决于他对精神生活看重的程度，精神生活在他的人生中所占的位置或比重。大致有三种情况：极少数真正意义上的哲学家，哲学本身成为生活方式；重视生活意义和精神生活的人，哲学是精神生活的形式之一；不关注精神生活、灵魂中没有问题的人，不需要哲学。

三　作为一种生活方式的哲学

哲学在生活中不能派上实际用场，不等于它和生活没有关系。哲学与生活究竟是什么关系呢？我的回答是：哲学本身就是生活，它是一种生活方式。对此雅斯贝尔斯有一个很好的说法：哲学的生活是灵魂在世间生活的方式，这是哲学思考的最终意义之所在。

在古希腊，当哲学发源之初，哲学是一种生活方式，这乃是不言而喻的事实。从词源看，"哲学"（Philosophia）一词的希腊文原义是"爱智慧"。据说这个词是毕达哥拉斯所创。"爱智慧"显然不是一门学科，而是一种生活方式，一种人生态度，其特征是爱智慧胜过爱其他一切。19世纪70年代，日本西周把这个词译为"哲学"。1896年前后，黄遵宪、康有为等把此译名介绍到中国。"哲"的意思是贤明、智慧（《书·皋陶谟》："知人则哲。"《诗·大雅》："其维哲人，告之话言。""下武维周，世有哲王。"（《小雅》："维此哲人，谓我劬劳。"《礼·檀弓》："泰山其颓乎，梁木其坏乎，哲人其萎乎！"），应该说比较贴切，但丢掉了"爱智慧"的"爱"这一层意思。

对于最早的哲学家来说，哲学不是学术，更不是职业，而就是做人处世的基本方式和状态。用尼采的话说，包括赫拉克利特、阿那克萨哥拉、恩培多克勒在内的前苏格拉底哲学家是一些"帝王气派的精神隐士"，他们过着远离世俗的隐居生活，不收学生，也不过问政治。苏格拉底虽然招收学生，但他的传授方式仅是街谈巷议，没有学校的组织形式，他的学生各有自己的职业，例如军人、手工业者等，并不是要向他学习一门借以谋职的专业知识，师生间的探究哲理本身就是目的所在，就构成了一种生活。柏拉图和亚里士多德开始建立学校，但不收费，教学的方式也仍是散步和谈话。唯一的例外是那些被称作"智者"（Sophist，又译"智术之师"）的人，他们四处游走，靠教授智术亦即辩论术为生，收取学费，却也因此遭到了苏格拉底们的鄙视。正是为了同他们相区别，有洁癖的哲学家宁愿自称为"爱智者"（Philosophist）而非"智者"。

许多哲学家都强调，做一个哲学家就意味着以哲学为生活方式，而不只是从事理论研究。柏拉图说："具备真正的哲学灵魂"的人，在他从事的无论何种职业活动中，在日常生活中，始终"坚持哲学"，痛恨相反的"生活方式"。（《第七封书简》）爱比克泰德说：你想当哲学家吗？那么，"你必须舍弃一些爱好，同熟人疏远，受到你的奴仆的鄙视，受到你所遇到的人的嘲笑。你将事事都不如别人顺利——在任职方面，在荣誉方面，在法庭面前。"你必须牺牲这一切，以换得平静、自由和安宁。你不可能两者兼得："你要么培养自己的理性，要么服从别人的理性；要么专心于内心世界，要么专心于外部——也就是说，你要么做哲学家，要么做群氓。"（《手册》4—8）康德说：哲学家的含义比学者的含义更深。他必须以自己为例显示哲学对他的正确影响。（《实践理性批判》1-2-1）

那么，一个人怎样才算爱智慧，才是过一种哲学的生活呢？把哲学家们的有关论述加以归纳，我认为作为一种生活方式的哲学大致有以下这些特点。

第一，关心世界和人生的根本道理，力求从整体上把握世界和人生。这是指哲学家总是关心那些最根本的问题，而之所以如此，是因为不愿意糊里糊涂地活着，要活得明白。用苏格拉底的话说，就是"未经思索的人生不值得一过"。世界在时间上是永恒的，在空间上是无限的，而一个人的生命却极其短暂，凡是对这个对照感到惊心动魄的人大抵就有了一种哲学的气质。那么，他就会去追问世界的本质以及自己短暂的生命与这本质的关系，试图通过某种方式在两者之间建立一种联系。如果建立了这种联系，他就会觉得自己的生命好像有了一个稳固的基础，一种永恒的终极的意义。否则，他便会感到不安，老是没有着落似的。这就是所谓终极关切。所以，要过哲学的生活，前提之一就是先得有这样一种气质，已经对世界感到惊奇，对人生感到疑惑了。柏拉图和亚里士多德都说，哲学开始于惊疑，这一点对于个人同样是适用的。当然，如果没有这种气质，我看也没有什么不好，可以少受很多痛苦。

第二，除了理性的权威，不承认任何权威。哲学从整体上把握世界和人生的手段是理性，因此坚持独立思考是哲学的生活的必有特征。对于一切既有的理论、观念、意见，哲学家都要追问其根据，经过自己的思考而决定取舍。任何形式的盲从，包括盲从既有理论、政党立场、公众舆论、流行观念等等，都是哲学的生活之反面。

第三，关注思想本身而非其实用性，能够从思想本身获得最大的快乐。关于这一点，也许没有比亚里士多德说得更清楚的了。他在他的好几种著作（《形而上学》卷一，《政治学》卷七，《伦理学》卷六、卷十）中都谈到：非实用性是由哲学的爱智慧的本性决定的，明智是善于从整体上权衡事物的利弊，智慧则涉及对本性上最高的事物的认识，两者的区别就在于有无实用性；非实用性是哲学优于其他一切学术之所在，"思想要是纯粹为了思想而思想，只自限于它本身而不外向于它物，方才是更高级的思想活动"，这一特征使哲学成为"唯一的自由学术"，"为学术自身而成立的唯一学术"；幸福生活的实质在于自足，与别种活动例如社会性的活动相比，哲学的思辨活动是最为自足的活动，它的非实用性恰好保证了这种沉思的生活的自得其乐，因而是完美的幸福。古希腊哲学家都具有以思想为至乐的特点，毕达哥拉斯发现了勾股定理，杀一百头牛庆祝，那心态何等天真，何等可爱。

第四，与社会现实保持一定的距离。哲学家对于社会现实可有两种态度，一种是完全不关心，如黑格尔所说：哲学是一间隔离的圣所，它的祭司必须远离俗世，潜心真理。另一种是有所关心，但他是站在永恒的立场上来看时代，从坚守人类最基本的精神价值的角度来关心政治的。席勒说：在精神的意义上，摆脱特定国家和时代的束缚，做一切时代的公民，是哲学家的特权和责任。罗素引伯奈特对毕达哥拉斯伦理观的描述："在现世生活里有三种人，正像到奥林匹克运动会上来的也有三种人一样。"最低一等是做买卖的，其次是来竞赛的，最高一等是来观看的，哲学家相当于这最后一种人。在这一点上，柏拉图有些想不开。他在《理想国》第6卷中谈到：配得上研究哲学的人只有极少数，他们如同落入野兽群中一样，只好"保持沉默，只注意自己的事情"。因此，哲学需要"找到如它本身一样最善的政治制度"，由此提出了哲学家王的理想，试图通过赋予哲学家以最高权力来为哲学的生长创造一个最佳环境。在我看来，这只能是乌托邦。他孜孜以求哲学的大用，一心把哲学和政治直接结合起来，恰好也暴露了他对实际事物的无知。他本该明白，哲学之没有实用价值，不但在日常生活中如此，在政治生活中也如此。哲学关心的是世界和人生的根本道理，政治关心的是党派、阶级、民族、国家的利益，两者属于不同的层次。我们既不能用哲学思考来取代政治谋划，也不能用政治手段来解决哲学问题。康德在《论永久和平》中正确地指出：不能指望君主变成哲学家，也不能指望哲学家当上君主，权力的享有不可避免地会腐蚀理性批判，哲学家对于政治的最好期望不是享有权力，而是享有言论自由。

第五，为了精神的自由而安于简朴的物质生活。关于这一点，苏格拉底说得最精辟："一无所需最像神。"古希腊许多哲学家为了过哲学的生活，自愿放弃权力或财产。现在这样的人少了，但仍然有，例如维特根斯坦放弃大笔遗产，并且不肯以哲学为职业。

把哲学作为自己的生活方式，过一种哲学的生活，这是极高的境界，在全部历史上也只有很少的人能够达到，当然不能对一般人提出这个要求。但是，我们至少可以把哲学当作精神生活的一种形式，在过世俗生活的同时，能够常常进行哲学的思考。

四　精神生活的特点和形式

我们可以把人的生活相对地划分为三个部分。一是肉体生活，指满足生物本能的活动，不外乎饮食男女，即温饱、睡眠、性、生育、抚养幼子。扩大一些，把为满足生存需要的活动都包括进来，即物质生产和物质消费活动，应该叫物质生活，其实是广义的肉体生活。二是社会生活，指满足社会需要的活动，包括在社会上做事以及与他人的交往。社会生活的主体部分是由肉体生活、物质生活引申出来的，是为之服务的，例如由性引申出婚姻和家庭，由生存需要引申出职业活动。从整个人类看，经济、政治、法律、军事等活动皆属于社会生活。三是精神生活，即满足精神需要的活动，其实质是对生命意义的寻求和体验。人的这种需要也必须得到满足，否则会觉得自己是一个盲目的存在，因此而感到不安。精神生活也是人的生活的不可缺少的维度。当然，在实际生活中，这三个部分不是截然分开的，例如在两性关系中，性是肉体生活，婚姻是社会生活，爱情是精神生活，它们是互相交织的。

精神生活有两个显著特点。第一是非功利性。物质生活和社会生活是外在的活动，追求实用的价值，具有功利性。精神生活是内在的活动，追求非实用的价值，具有非功利性，其目的是寻求意义，获得精神上的满足。第二是超验性。肉身生活和社会生活都具有经验性质，仅涉及我们与周围直接环境的联系。精神生活则把我们超拔于经验世界的有限性和暂时性，此时我们力求在一己的生命与某种永恒存在的精神性的世界整体之间建立一种联系。真正的精神生活必具有超验性质，它总是指向一个超验领域的。凡灵魂之思，必有这样一种指向为其底蕴。所谓寻求生命的意义，亦即寻求建立这种联系。一个人如果相信自己已经建立了这种联系，便是拥有了一种信仰。因此，寻求意义即寻求信仰。

人类精神生活的一切形式，包括宗教、哲学、道德、艺术、科学，只要它们确实是一种精神性的活动，就都是以建立上述联系为其公开的或隐蔽的目的的，区别只在于方式的不同。其中，道德若仅仅服务于社会秩序，便只具有社会活动的品格，若是以追求至善为目的，则可视作较弱的宗教。科学若仅仅服务于物质生产，便只具有物质活动的品格，若是以认识世界为目的，则可视为较弱的哲学。因此，可以把精神生活归结为三种基本的形式。一是宗教，依靠单纯的信仰亦即天启的权威来建立与世界整体的联系。一是哲学，试图通过理性的思考来建立这种联系。一是艺术，试图通过某种主观的情绪体验来建立这种联系。它们殊途而同归，体现了同一种永恒的追求。

五　哲学与现代人的精神生活

现代人的精神处境有两个显著特点：一是虚无主义，信仰的普遍失落；二是物质主义，商业化潮流席卷天下，影响到生活方式、精神生活、人际关系各个方面。在此情形下，有精神追求的人感到困惑、苦闷、彷徨。针对西方人基督教信仰的失落这一情况，雅斯贝尔斯曾经指出，对于已经不相信宗教但仍然需要信仰的现代人来说，哲学是唯一的避难所，其意义在于鼓励人们寻找非宗教的信仰。我也认为，哲学一方面寻求信仰，另一方面又具有探索性质，它的这个特点也许能够使之成为处于困惑中的现代人的最合适的精神生活方式。

在精神生活方面，哲学至少能为现代人提供以下帮助：

第一，哲学使我们在没有确定信仰的情况下仍能过一种有信仰的生活。广义的宗教精神和广义的哲学精神是相通的，两者皆是超验的追思。在狭义上，它们便有了区分，宗教在一个确定的信仰中找到了归宿，哲学却始终走在寻找信仰的途中。哲学完全不能保证我们找到一个确定的信仰，它以往的历史甚至业已昭示，它的矛盾的本性决定了它不可能提供这种信仰。然而，它的弱点同时也是它的长处，寻找信仰而又不在某一个确定的信仰上停下来，正是哲学优于宗教之所在。哲学使我们保持对某种最高精神价值的向往，我们不能确知这种价值是什么，我们甚至不能证实它是否确实存在，可是，由于我们为自己保留了这种可能性，我们的整个生存便会呈现不同的面貌。

第二，哲学使我们在信仰问题上持一种宽容的态度。意识形态弱化，价值多元，无统一信仰，这是现代的一个事实。我对这个事实持积极的评价，欢迎信仰上的去中心化、个体化。信仰本来就应该是个人的自由选择，求统一必然导致压迫和盲从。因此，我认为，想用某一种学说（例如儒学）统一人们的思想，重建大一统的信仰，不但是行不通的，也是不应该的。哲学恰恰就反对任何人以现代救世主自居，而只是鼓励每一个人自救，自己寻求自己的信仰。哲学所关注的是人类那些最基本的精神价值，而任何宗教信仰中真正有价值的部分也都是对这些基本价值的维护和坚守，教义之争或者发生于其他问题上，或者是由于违背了这些基本价值。哲学的思考有助于把人们的目光引导到哲学基本价值上来，促使有不同宗教信仰的人求同存异，和平共处。

第三，哲学的沉思给了我们一种开阔的眼光，使我们不致沉沦于劳作和消费的现代旋涡，仍然保持住心灵生活的水准。在现代社会中，生存竞争十分激烈，人们尤其青年人往往会面临精神追求与生存竞争之间的冲突，为此感到困惑。一个人在精神方面投入太多，必然会疏于物质的追求。在利益的竞争中，面对唯利是图的奸人，品行好的人也很容易吃亏。对于这个问题，我也拿不出更好的解决办法。我们也许只能这样想：如果精神追求真正是出于内心的需要，那么，我们理应甘愿承担为此不得不付出的代价，包括物质利益方面可能遭受的损失。事情取决于你看重什么，仅仅是实际利益，还是人生的总体质量。在这方面，哲学能够使我们对人生的总体质量有一个正确的判断力，对于世俗意义上的成败有一种比较超脱的态度，在竞争中为自己保留内在的自由。当然，这不妨碍在可能的情形下，对精神需要和生存需要尽量兼顾。我赞成哈耶克的意见：由市场决定报酬是公正的，不能根据品行来决定，品行无权索取物质报酬。不过，我相信，在现代的市场竞争中，综合素质是更加重要的，其中也包括精神素质。市场上的大手笔往往出自精神视野宽阔的人，玩弄小伎俩的人虽能得逞于一时，但决没有大出息。

（举行此讲座的时间地点：1997年11月21日北京大学；1998年3月27日厦门大学。各次的内容有出入。）

前言

人活一生，会遇到许多难题。有实际生活中发生的具体的难题，例如人生某个关头的抉择，婚姻啊，事业啊，也许解决起来难一些，但或者是可以解决的，或者事过境迁未解决也过去了，不会老缠着你。也有抽象的难题，那是在灵魂中发生的问题，其特点是：对于未发生这些问题的人，抽象而无用，对于发生了这些问题的人，却仿佛是性命攸关的最重要的问题；你要么从来不去想，倒也能平平静静过，可是一旦它们在你心中发生了，你就不得安宁了，因为它们其实是不可能最终解决的。

不可能最终解决——这正是哲学问题的特点。凡真正的哲学问题，其实都是无解的难题。要说明哲学问题的性质，最好的办法是把它和宗教、科学做比较。科学是头脑发问，头脑回答，只处理人的理性可以解决的问题。宗教是灵魂发问，灵魂本质上是情感，一种大情感，是对终极之物的渴望，对神秘的追问，宗教不要求头脑做出回答，它知道人的理性回答不了，只有神能回答，情感性的困惑唯有靠同样是情感性的信仰来平息。哲学也是灵魂在发问，却要头脑来回答，想给宗教性质的问题一个科学性质的解决，这是哲学的内在矛盾。

那么，哲学岂非自寻烦恼，岂非徒劳？我只能说，这是身不由己的，灵魂里已经发生了困惑，又没有得到神的启示，就只好用自己的头脑去想。对于少数人来说，人生始终是一个问题。对于多数人来说，一生中有的时候会觉得人生是一个问题。对于另一些少数人来说，人生从来不是一个问题。在座各位不妨问一问自己，你属于哪一种？确实有许多人认为，去想这些想不明白的问题特别傻，这种人活得最正常，我很羡慕。可惜我是属于欲罢不能的那一类，对人生的一些重大问题想了大半辈子仍想不通。不过，我的体会是，想不通而仍然去想还是有好处的。乘今天讲座的机会，我把我所想过的这类问题略加整理，与你们交流。预先说明：我只有问题，没有答案，即使说了一些想法，也是我拿不准的，不算答案。

人生中哲学性质的难题有很多，我姑且列举其中的一些：

一、人生的目的与信仰。人生有没有一个高于生命本身的目的？如果没有，人与动物有何区别？如果有，人的精神追求的根据是什么？怎样算有信仰？

二、死。既然死是生命的必然结局，生命还有没有意义？如何克服对死的恐

247

惧？应该怎样对待死？

三、命运。人能否支配自己的命运？面对命运，人在何种意义上是自由的？应该怎样对待命运？

四、责任。人活在世上要不要负责任？对谁负责？根据是什么？

五、爱。人因为孤独而渴望爱，爱能不能消除孤独？为什么爱总是给人带来痛苦？爱与被爱，何者更重要？婚姻是爱情的坟墓吗？

六、幸福。什么是幸福，它是主观体验，还是客观状态？幸福是不是人生最重要的价值？怎样衡量生活质量？

所有这些问题围绕着、并且可以归结为一个问题：人生意义。即：人生有没有意义？如果有，是什么？对这些问题的思考构成了哲学中的一个重要领域，就是人生观。

人生观主要包含两层意思：第一，对人生的总体评价，即人生究竟有没有一种根本的意义。这个问题以尖锐的形式表现为哈姆雷特的问题："活，还是不活？"当一个人对生命的意义发生根本的怀疑时，就会面临活着是否值得的问题。人生有无意义的问题又分两个方面。一是因生命的短暂性而产生的问题：人的生命有无超越于死亡的不朽的、终极的价值？核心是死亡问题。二是因生命的动物性而产生的问题：人的生命有无超越于动物性的神圣的价值，人活着有没有比活着更高的目的和意义？核心是信仰问题。第二，对各种可能的生活方式的评价，即在人生的范围内，把人生作为一个过程来看，怎样生活更有意义，哪一种活法更好。核心是幸福（生活质量）问题。

对于人生有无意义的问题，大致上有三种回答：第一，绝对否定，如佛教，认为人生绝对无意义。第二，绝对肯定，如基督教，认为人生有来自神的绝对意义。第三，一般人（包括我）在此两极端之间，既不能确定有绝对意义，又不肯接受绝对无意义，哲学是为这种人准备的。按照前两种极端的回答，怎样生活更好的问题有很明确的答案，对于佛教是求解脱，断绝业报的轮回，对于基督教是信奉神，为灵魂在天国的生活做准备。对于第三种人来说，既然在人生总体评价上难以确定，就可能会更加看重在人生的过程中寻找相对的意义，也就是更关心尘世幸福的问题，不过对这问题的看法会有很大的分歧。

我今天讲人生观的几个最主要问题，即信仰问题、死亡问题、幸福问题。

一 信仰问题

问你：为什么活着？你活着的目的是什么？我相信绝大多数人回答不出。我也回答不出。的确常常有人问我这个问题，他们想，看你的书，对人生哲学谈得好像挺明白的，你一定知道自己为什么活着。可是事实上，我在这方面之所以想得多一些，正是因为困惑比较多，并不比别人更明白。在人生某一个阶段，每个人也许会有一些具体的目的，比如升学、谋职、出国，或者结婚、生儿育女，或者研究一个什么课题、写一本什么书之类。可是，整个人生的目的，自己一生究竟要成一个什么样的正果，谁能说清楚呢？

有些人自以为清楚。例如，要成为大富翁、总统，或者得诺贝尔奖。可是，这些都还不是最后的答案，人生目的这个问题要问的恰恰是，你为什么要成为大富翁、总统，得诺贝尔奖，等等？如果做富翁只是为了满足物质欲，做总统只是为了满足权力欲，得诺贝尔奖只是为了满足名声欲，那么，这些其实只是野心、虚荣心，只能表明欲望很强烈，不能表明想明白了为什么活着这个问题。亚历山大征服了世界，却仍然羡慕第欧根尼，正因为他觉得在想明白人生这一点上，自己不如第欧根尼。真正得诺贝尔奖的人，比如海明威、川端康成，决不会以得诺贝尔奖为人生目的，否则他们就不会自杀了。

还有一些人，他们从外界接受了某种现成的观念或信仰，信个什么教或什么主义，就自以为有明确的生活目了。但是，在多数情形下，人们是因为环境的影响而接受这些东西的，这些东西与自己的灵魂、自己的生命实质是分离的，因而只是一种外在的、表面的东西，不能真正充实灵魂和指导人生。我不是责备人们，而是想说明，一个人要对自己整个人生的目的有明确而坚定的认识，清楚地知道自己究竟为什么活着，这是一件极难的事。那些自以为清楚的人，多半未作透彻思考。作了透彻思考的人，往往又反而困惑。

人生目的至少应该是比欲望高的东西，停留在欲望（生存欲望，名利欲是其变态）的水平上，等于是说：活着是为了活着。因此，问题的更明确的提法是：人的生命有没有一个高于生命本身的目的？如果没有，人就不过是活着而已，和别的动物没有什么根本的不同，至多是欲望更强烈（更变态）、满足欲望的手段更高明（更复杂）而已。

为生命确立一个高于生命本身的目的，可以有不同途径。其一是外向的，寻求某种高于个体生命的人类群体价值，例如献身于某种社会理想，从事科学真理的探索，进行文化艺术的创造，传播某种宗教信仰，等等。这相当于通常所说的救世，目标是人类精神上的提升。其二是内向的，寻求某种高于肉体生命的内在精神价值，例如追求道德上的自我完善，潜心于个人的宗教修炼或艺术体验，等等。这相当于通常所说的自救，目标是个人精神上的提升。凡·高于生命的目的，归根到底是精神性的，其核心必是某种精神价值。这一点对于定向于社会领域的人同样是适用的。正像哈耶克所指出的，大经济学家往往同时也是大哲学家，他不会只限于关心经济问题，他所主张的经济秩序必定同时旨在实现某种人类精神价值。即使一个企业家，只要他仍是一个精神性的存在，即本来意义上的人，他就决不会以赚钱为唯一目的，而一定会希望通过经济活动来实现某种比富裕更高的理想，并把这看作成就感的更重要来源。一般的人，哪怕过着一种平庸的生活，仍会承认人不应该像动物那样生活，有精神追求的生活是更加高尚的。由此可见，目的的寻求是人要使自己摆脱动物性而向更高的方向提升的努力。那么，向哪里提升呢？只能是向神性的方向。现在的问题是，这样一种努力有什么根据？

从自然的眼光看，人的生命只是一个生物学过程，自然并没有为之提供一个高于此过程的目的。那么，人要为自己的生命寻找一个高于生命本身的目的，这种冲动从何而来？人为什么与别的动物不一样，不但要活着，而且要活得有意义？对于这个问题，多数哲学家的回答是：因为人是有理性的动物。但是，从起源和功能看，理性是为了生存的需要而发展出来的对外部环境的认识能力，其方式是运用逻辑手段分析经验材料，目的是趋利避害，归根到底是为活着服务的，并不能解释对意义（精神价值）的渴望和追求。于是，另一些哲学家便认为，原因不在人有理性，而在人有灵魂。与动物相比，人不只是头脑发达，本质区别在于人有灵魂，动物没有。可是，灵魂是什么呢？它实际上指的就是人的内在的精神渴望，可以称之为人身上发动精神性渴望和追求的那个核心。我们发现，灵魂这个概念不过是给人的精神渴望安上了一个名称，而并没有解释它的来源是什么。问题仍然存在：灵魂的来源是什么？

为了解释灵魂的来源，柏拉图首先提出了一种理论。他认为，在人性结构与宇宙结构之间存在着对应的关系，人的动物性（肉体）来自自然界（现象界），人的灵魂则来自神界（本体界），也就是他所说的"理念世界"。在"理念世界"中，各种精神价值以最纯粹的形式存在着。灵魂由于来自那个世界，所以对于对肉体生存并无实际用处的纯粹精神价值会有渴望和追求。柏拉图的理论后来为基督教所继承和发扬，成为西方的正统。在很长时间里，人们普遍相信，宇宙间存在着神或类似于神的某种精神本质，人身上的神性即由之而来，这使人高于万物而在宇宙中处于特殊地位，负有特殊使命。人的高于肉体生命的精神性目的实际上已经先验地蕴涵在这样一种宇宙结构中了。

但是，近代以降，科学摧毁了此类信念，描绘了一幅令人丧气的世界图景：在宇宙中并不存在神或某种最高精神本质，宇宙是盲目的，是一个没有任何目的的永恒变化过程，而人类仅是这过程中的偶然产物。用宇宙的眼光看，人类只有空间极狭小、时间极短暂的昙花一现般的生存，能有什么特殊使命和终极目的呢？在此背景下，个人的生存就更可怜了，与别的朝生暮死的生物没有什么两样。人身上的神性以及人所追求的一切精神价值因为没有宇宙精神本质的支持而失去了根据，成了虚幻的自欺。

灵魂在自然界里的确没有根据。进化论用生存竞争最多能解释人的肉体和理智的起源，却无法解释灵魂的起源。事实上，灵魂对生存有百害而无一利，有纯正精神追求的人在现实生活中往往是倒霉蛋。

夜深人静之时，读着先哲的作品，分明感觉到人类精神不息的追求，世上自有永恒的精神价值存在，心中很充实。但有时候，忽然想到宇宙之盲目，总有一天会把人类精神这最美丽的花朵毁灭，便感到惶恐和空虚。

这就是现代人的基本处境，人们发现，为生命确立一个高于生命的目的并无本体论或宇宙论上的根据。所谓信仰危机，其实质就是精神追求失去了终极根据。

那么，在我们的时代，一个人是否还可能成为有信仰的人呢？我认为仍是可能的，但是，前提是不回避失去终极根据这个基本处境。判断一个人有没有信仰，标准不是看他是否信奉某一宗教或某一主义，唯一的标准是在精神追求上是否有真诚的态度。所谓真诚，一是在信仰问题上认真，既不是无所谓，可有可无，也不是随大流，盲目相信；二是诚实，决不自欺欺人。一个有这样的真诚态度的人，不论他是虔诚的基督徒、佛教徒，还是苏格拉底式的无神论者，或尼采式的虚无主义者，都可视为真正有信仰的人。他们的共同之处是，都相信人生中有超出世俗利益的精神目标，它比生命更重要，是人生中最重要的东西，值得为之活着和献身。他们的差异仅是外在的，他们都是精神上的圣徒，在寻找和守护同一个东西，那使人类高贵、伟大、神圣的东西，他们的寻找和守护便证明了这种东西的存在。说到底，我们难以分清，神（宇宙的精神本质）究竟是灵魂的创造者呢，还是灵魂的创造物。因此，我们完全可以把有灵魂（即有精神渴望和追求）与有信仰视为同义语。一个人不顾精神追求的徒劳而仍然坚持精神追求，这只能证明他太有灵魂了，怎么能说他是没有信仰的人呢？

二　死亡问题

许多人有这样的经验：在童年或少年时期，经历过一次对死的突然"发现"。在这之前，当然也看见或听说过别人的死，但往往并不和自己联系起来。可是，有一天，确凿无疑地明白了自己迟早也会和所有人一样地死去。我在上小学时就有过这个经验，一开始不肯相信，找理由来否定。记得上生理卫生课，老师把人体解剖图挂在墙上，我就对自己说，我的身体里绝对不会有这样乱七八糟的东西，肯定是一片光明，所以我不会死。但自欺不能长久，我终于对自己承认了死也是我的不可避免的结局。这是一种极其痛苦的内心体验，如同发生了一场地震一样。想到自己在这世界上的存在只是暂时的，总有一天化为乌有，一个人就可能对生命的意义发生根本的怀疑。

随着年龄增长，多数人似乎渐渐麻木了，实际上是在有意无意地回避。我常常发现，当孩子问到有关死的问题时，他们的家长便往往惊慌地阻止，叫他不要瞎想。其实，这哪里是瞎想呢，死是人生第一个大问题，只是因为不可避免，人们便觉得想也没有用，只好默默忍受罢了。对于这种无奈的心境，金圣叹表达得最为准确，他说：我今天想到死的时候这么无奈，在我之前不知有多少人也这么无奈过了。我今天所站的这个地方，无数古人也曾经站过，而今天只见有我，不见古人。古人活着时何尝不知道这一点，只是因为无奈而不说罢了。真是天地何其不仁也！

但哲学正是要去想一般人不敢想、不愿想的问题。死之令人绝望，在于死后的绝对虚无、非存在，使人产生人生虚幻之感。作为一切人生——不论伟大还是平凡，幸福还是不幸——的最终结局，死是对生命意义的最大威胁和挑战，因而是任何人生思考绝对绕不过去的问题。许多古希腊哲学家把死亡问题看作最重要的哲学问题，苏格拉底、柏拉图甚至干脆说哲学就是为死预作准备的活动。

然而，说到对死亡问题的解决，哲学的贡献却十分有限，甚至可以说很可怜。直接讨论死亡问题的哲学家一般都立足于死之不可避免的事实，着力于劝说人以理智的态度接受死。例如，伊壁鸠鲁、卢克莱修说：死后你不复存在，没有感觉，也就没有痛苦了。可是问题恰恰在于，我不愿意不复存在！我愿意有一颗能感知、能欢乐和痛苦的灵魂！还有什么物质不灭之类，可是我恰恰不愿意仅仅是物质！死的可怕正在于灵魂的死灭、不存在。斯多葛学派则劝人顺从自然，他们说：如果你愿意死，死就不可怕了。西班牙哲学家反驳得好，他说：问题在于我不但不愿意死，而且不愿意我愿意死！还有一种巧妙的说法，意思是说：死后与出生前是一样的，如果一个人为自己出生前不存在而痛哭，你会说他是傻瓜，那么，为死后不存在而痛哭也同样是傻瓜。这种说法巧妙是巧妙，但并不能平息灵魂对死亡的恐惧。灵魂的特点是，它从未存在也罢，一旦存在了，就决不肯接受自己不再存在的前景了。

要真正从精神上解决死亡问题，就不能只是劝人理智地接受不存在，而应该帮助人看破存在与不存在之间的界限，没有了这个界限，死亡当然就不成为一个问题了。这便是宗教以及有宗教倾向的哲学家的思路。宗教往往还主张死比生好，因此我们不但应该接受死亡，而且应该欢迎死亡。其中，基督教和佛教又有重大区别。

基督教宣称，灵魂不死，在肉体死亡之后，灵魂摆脱肉体的束缚而升入了天国。所以，生和死都是有（存在），并且生是低级的有，死是高级的有。与之相反，佛教主张，四大皆空，生命仅是幻象，应该从这个幻象中解脱出来，断绝轮回，归于彻底的空无。所以，生和死都是无，并且生是低级的无，死是高级的无。我个人认为，基督教之宣称灵魂不死，毕竟是一种永远不能证实的假设，或者如同帕斯卡尔所说是赌博，难以令人完全信服。相比之下，佛教可能是在生死问题上的最透彻的理解，是对死亡问题的最终解决。人之所以害怕死，根源当然是有生命欲望，佛教在理论上用智慧否定生命欲望，在实践上用戒律和禅定等方法削弱乃至灭绝生命欲望，可谓对症下药。当然，其弊是消极。不过，在无神论的范围内，我想象不出有任何一种积极的理论能够真正从精神上解决死亡问题。

总的来说，就从精神上解决死亡问题而言，哲学不如宗教，基督教不如佛教，但佛教实质上却是一种哲学。对死亡进行哲学思考虽属徒劳，却并非没有意义，我称之为有意义的徒劳。其意义主要有，第一，使人看到人生的全景和限度，用超脱的眼光看人世间的成败祸福。如奥勒留所说，这种思考帮助我们学会"用有死者的眼光看事物"。譬如说，如果你渴望名声，便想一想你以及知道你名字的今人后人都是要死的，你就会觉得名声不过是浮云；如果你被人激怒，便想一想你和激怒你的人不久后都将不存在，你就会平静下来；如果你痛苦了，例如在为失恋而痛苦，便想一想为同样事情而痛苦的人哪里去了，你就会觉得不值得。人生不妨进取，但也应该有在必要时退让的胸怀。第二，为现实中的死做好精神准备。人皆怕死，又因此而怕去想死的问题，哲学不能使我们不怕死，但能够使我们不怕去想死的问题，克服对恐惧的恐惧，也就在一定程度上获得了对死的自由。死是不问你的年龄随时会来到的，人们很在乎寿命，但想通了既然迟早要来，就不会太在乎了，最后反正都是一回事。第三，死总是自己的死，对死的思考使人更清醒地意识到个人生存的不可替代，从而如海德格尔所说的那样"向死而在"，立足于死亡而珍惜生命，最大限度地实现其独一无二的价值。

三　幸福问题

在世上一切东西中，好像只有幸福是人人都想要的东西。其他的东西，例如结婚、生孩子，甚或升官发财，肯定有一些不想有，可是大约没有人会拒绝幸福。人人向往幸福，但幸福最难定义。人们往往把得到自己最想要的东西、实现自己最衷心的愿望称作幸福。愿望是因人而异的，同一个人的愿望也在不断变化。讲一个笑话：有一回，我动一个小手术，因为麻醉的缘故，术后排尿困难。当我站在便池前，经受着尿胀却排不出的痛苦时，我当真觉得身边那位流畅排尿的先生是幸福的人。真的实现了愿望，是否幸福也还难说。费尽力气争取某种东西，争到了手却发现远不如想象的好，乃是常事。所谓"人心重难而轻易"，"生在福中不知福"，"生活在别处"，这些说法都表明，很难找到认为自己幸福的人。

幸福究竟是一种主观感受，还是一种客观状态？如果只是前者，狂喜型妄想症患者就是最幸福的人了。如果只是后者，世上多的是拥有别人羡慕的条件而自己并不觉得幸福的人。有一点可以确定：外在的条件如果不转化为内在的体验和心情，便不成其为幸福。所以，比较恰当的是把它看作令人满意的生活与愉快的心情的统一。

那么，怎样的生活是令人满意的并且能带来愉快心情呢？这当然仍是因人而异的。哲学家们比较一致的意见是：生活包括外在生活（肉体生活和社会生活）和内在生活（精神生活）两方面，其中，外在生活是幸福的必要条件，内在生活是幸福的更重要的源泉。

对于幸福来说，外在生活具备一定条件是必要的。亚里士多德说：幸福主要是灵魂的善，但要以外在的善（幸运）为补充，例如高贵的出身、众多的子孙、英俊的相貌，不能把一个贫贱、孤苦、丑陋的人称作幸福的。不过，哲学家们大多强调：这不是主要方面，而且要适度。亚里士多德指出：平庸的人才把幸福等同于纵欲。他批评贵族中多亚述王式人物，按照亚述王墓碑上的铭文生活："吃吧，喝吧，玩吧，其余不必记挂。"哲学家一般不会主张这样的享乐主义，被视为享乐主义始祖的伊壁鸠鲁其实最反对纵欲，他对快乐的定义是身体的无痛苦和灵魂的无纷扰。

外在生活方面幸福的条件大致可以举出以下这些：一、家庭出身。在存在着财富或权利不平等的社会中，人们在人生的起点上就处在不平等的位置上，家庭出身决定了一个人早年的生活条件和受教育的机会，并影响到以后的生活。当然，出身对一个人的影响是复杂的，富贵未必都是福，贫寒未必都是祸，不可一概而论。二、财富（金钱）。贫穷肯定是不幸，至少应该做到衣食无忧，物质生活有基本保障。但是，未必是钱越多越幸福。我的看法是：小康最好。三、社会上的成功，地位，名声。怀才不遇、事业失败肯定是不幸。但是，成功要成为幸福，前提是外在事业与内在追求的一致，所做的是自己真正喜欢做的事情。四、婚姻和家庭生活美满。对于老派的人来说，还要加上子孙满堂。对于新派的人来说，这些都可以不要，但至少要有满意的爱情。五、健康。托尔斯泰认为，个人最高的物质幸福不是金钱，而是健康。六、闲暇。一个人始终忙碌劳累，那也是一种不幸，哪怕你自以为是在干事业。要有内在的从容和悠闲来品尝人生乐趣。七、平安，一生无重大灾祸。最好还能长寿，所谓寿终正寝。

内在生活方面的幸福也有诸多内容，主要包括：一、创造。创造是自我能力和价值的实现，其快乐非外在的成功可比。二、体验。包括艺术欣赏，与自然的沟通，等等。三、爱。人间各种爱的情感的体验和享受，包括爱情、亲情、友情等。还有更广博的爱，例如儒家的仁爱，基督教的福音之爱，人道主义的博爱。四、智慧，智性生活。包括阅读和思考，哲学的沉思，独处时内心的宁静。五、信仰。

几乎所有哲学家都认为，内在生活是幸福的主要源泉和方面。其理由是：

第一，内在生活是自足的，不依赖于外部条件，这方面的快乐往往是外在变故所不能剥夺的。亚里士多德说：沉思的生活是人身上最接近神的部分，沉思的快乐相当于神的快乐。

第二，心灵的快乐是高层次的快乐。柏拉图认为，在智慧与快乐两者中，智慧才是幸福。他提出的理由是：智慧本身是善，同时也是快乐，而其他的快乐未必是善。约翰·穆勒从功利主义立场出发，把幸福等同于快乐。即使他也认为：幸福不等于满足，天赋越高越不易满足，但不满足的人比满足的猪、不满足的苏格拉底比满足的傻瓜幸福。因此，和肉体快乐相比，心灵快乐更高级，其快乐更丰富，不过只有兼知两者的人才能对此做出判断。当代人本心理学家马斯洛在类似的意义上把人的需要分成不同层次，认为在低层次的物质性需要满足以后，高层次的精神需要才会凸显出来，并感受到这种需要之满足的更高的快乐。

第三，灵魂是感受幸福的"器官"，任何外在经历必须有灵魂参与才成其为幸福。因此，内心世界的丰富、敏感和活跃与否决定了一个人感受幸福的能力。在此意义上，幸福是一种能力。你有钱买最好的音响，但不懂音乐，有什么用。现在许多高官大款有条件周游世界，但他们对历史和自然都无兴趣，到一地只知找红灯区，算什么幸福。对于内心世界不同的人，表面相同的经历（例如周游世界）具有完全不同的意义，事实上也就完全不是相同的经历了。

第四，外在遭遇受制于外在因素，非自己所能支配，所以不应成为人生的主要目标。真正能支配的唯有对一切外在遭际的态度。内在生活充实的人仿佛有另一个更高的自我，能与身外遭遇保持距离，对变故和挫折持适当态度，心境不受尘世祸福沉浮的扰乱。天有不测风云，超脱的智慧对于幸福是重要的。

一般来说，人们会觉得自己生活中的某一个时刻或某一段时光是幸福的，但难以评定自己整个人生是否幸福。其中一个原因是，幸福与否与命运有关，而命运不可测。所以希腊人喜欢说：无人生前能称幸福。希罗多德《历史》中讲过一个故事：梭伦出游，一个国王请教谁最幸福，他举的都是死者之例，因为可以盖棺论定了，国王便嘲笑他说，忽视当前的幸福、万事等看收尾的人是大傻瓜。亚里士多德对此也评论说：梭伦的看法是荒唐的。我认为，人生总是不可能完美的，用完美的标准衡量，世上无人能称幸福，不光生前如此。仔细思考幸福这个概念的含义，我们会发现，它主要是指对生命意义的肯定评价。感到幸福，也就是感到活得有意义。不管时间多么短暂，这种体验总是指向整个一生的，所包含的是对生命意义的总体评价。尤其在创造中，在爱中，当人感受到幸福时，心中仿佛响着一个声音："为了这个时刻，我这一生值了！"因此，衡量你的人生在总体上是否幸福，主要就看你觉得这一生活得是否有意义。当然，外在条件也是不可少的，但标准不妨放低一些，只要不是非常不幸就可以了。

由于幸福不能缺少外在条件和内心安宁，所以，在一些哲学家看来，幸福不是人生的主要目的和最高价值。历史上有许多天才并不幸福，在外在生活方面穷困潦倒，凡·高是最突出的例子。深刻的灵魂也往往充满痛苦和冲突，例如尼采，像歌德那样终于达于平衡的天才是少数，而且也是经历了痛苦的内心挣扎的。同时，人生有苦难和绝境，任何人都有可能落入其中，在那种情形下，一个人仍可能以尊严的方式来承受，从而赋予人生一种意义，但你绝不能说这是幸福。归根到底，人生在世最重要的事情不是幸福或不幸，而是不论幸福还是不幸都保持做人的正直和尊严。

（举行此讲座的时间地点：1997年12月28日江西师范大学；1998年10月23日清华大学；1998年11月4日郑州大学；1999年3月17日北京广播学院。各次的内容有出入。）

多年前，我在北大讲尼采，那时我刚写出关于尼采的第一本书，也是我第一次给大学生讲尼采。地点是办公楼礼堂，时间是夜晚，刚开始讲，突然停电了，于是点一支蜡烛，在烛光下讲，像布道一样，气氛非常好。凑巧的是，正好讲完，来电了，突然灯火通明，全场欢呼。记得当时也到清华、人大、师大等校讲过。那几年里，大学生对西方思潮很热中，成为一种时髦。我写的《尼采：在世纪的转折点上》一年印了九万册，译的《尼采美学文选》一年印了十五万册，盛况可见一斑。现在冷下来了，大家都比较务实，对信仰、精神追求之类好像不那么起劲了。我倒觉得这就真实了，特别关心精神方面问题的人总是少数，大多数人在务实的同时有所关心就可以了。

在尼采研究方面，我写过两本书，一本是《转折点》，另一本是《尼采与形而上学》。今天我把这两本书里的东西连贯起来，简要地讲一讲尼采在哲学上的主要贡献。

一　尼采的生平和个性

尼采生于1844年，死于1900年。他的生平可以分作四个阶段：二十四岁前，童年和上学；二十四岁至三十四岁，任巴塞尔大学教授；三十四岁至四十四岁，过着没有职业的漂泊生活；四十四岁疯了，直至逝世。他生前发表的主要著作有：巴塞尔时期的《悲剧的诞生》，《不合时宜的考察》，《人性的，太人性的》；漂泊时期的《朝霞》，《快乐的科学》，《查拉图斯特拉如是说》，《善恶的彼岸》，《道德的谱系》，《偶像的黄昏》，《反基督徒》，《看哪这人》。现在通行的尼采全集共十五卷，其中一大半是他生前未发表的遗稿。

西方任何一个伟大的哲学家，他的思想都是生长在欧洲精神传统之中的，并且对这一传统在他那个时代所面临的重大问题进行了揭示和做出了某种回答。尼采同样如此，否则他就不能算一个伟大的哲学家了。除此之外，尼采的哲学同时又是他自己的内在精神过程的体现，和他的个性有着密切的关系。这个特点在别的一些哲学家身上也可发现，但在尼采身上尤其突出，他自己对此也直言不讳。因此，要理解他的哲学，我们必须对他的个性有所了解。

尼采的个性有以下鲜明的特征——

第一，敏感而忧郁。这和他的幼年经历有一定关系。他五岁丧父，据说其后他做了一个梦，梦见在哀乐声中，父亲的墓自行打开了，父亲穿着牧师衣服从墓中走出，到教堂里抱回一个孩子，然后墓又合上。做这个梦后不久，他的弟弟真的死了，家里只剩下了母亲和妹妹。从十岁起，他就喜欢写诗，他的少年诗作的主题是父坟、晚祷的钟声、生命的无常、幸福的虚幻。例如："树叶从树上飘零，终被秋风扫走。生命和它的美梦，终成灰土尘垢。""当钟声悠悠回响，我不禁悄悄思忖，我们全体都滚滚，奔向永恒的故乡。"可见在童年时他的心灵里就植下了悲观的根子，他后来的哲学实际上是对悲观的反抗和治疗。

第二，真诚，对人生抱着非常认真的态度。尼采在大学里学的是古典语言学，成绩优异，被誉为"莱比锡青年语言学界的偶像"。毕业时才二十四岁，就当上了巴塞尔大学教授，当地上流社会对他笑脸相迎。在一般人眼中，他在学界绝对是前程无量。可是，用雅斯贝尔斯的话说，从青年时期起，他就不断发生精神危机。往往是仿佛没来由似的，他突然和周围的人疏远了，陷入了苦闷之中。其实原因当然是有的，就是他从心底里厌恶学院生活。在他看来，多数同事充满市侩气，以学术的名义追逐名利，维持着无聊的社交，满足于过安稳的日子。在对他当上教授的一片祝贺声中，他给一个好朋友写信说："世上多了一个教书的而已！"事实上，从小产生的对生命意义的疑问始终在折磨着他，使他不得安宁。他不能想象自己一辈子就钻故纸堆了，对于他来说，古典语言学只是工具，不能让它摧毁掉哲学的悟性，即对生命和思想的基本问题的探究能力。

第三，孤独。许多伟人是孤独的，但孤独到尼采这种程度的也少见，在德国近代恐怕只有荷尔德林能和他相比。他一生未婚。有人说这是他自找的，因为他蔑视女人，大家都知道他的一句名言："你去女人那里吗？别忘了带鞭子。"在《查拉图斯特拉如是说》里，这句话出自一个老太婆之口，至少不能代表尼采对女人的全部看法。这本书里还说了许多对女人的看法，有些是很中肯的。尼采本人是一个极其羞怯的人，所以罗素嘲笑说：如果尼采带着鞭子去女人那里，十次有十次会乖乖地放下。在他一生中，真正的恋爱只有一次，爱上了一个比他小17岁的俄国姑娘莎乐美。莎乐美是一个了不起的女性，后来与里尔克、瓦格纳、弗洛伊德、斯特林堡等都有很深的交情。其实她很懂得欣赏尼采，这样描述对尼采的第一眼印象：孤独、内向而沉默寡言，具有一种近于女性的温柔，风度优雅。可惜她不爱尼采，两人相处了五个月就彻底分手了。但她仍关注尼采，1894年出版《在其著作中的尼采》，批判对尼采的误解，书中说："没有人像尼采那样，外在的精神作品与内在的生命图像如此完整地融为一体"，"他的全部经历是一种最深刻的内在经历"，唯有懂得这一点才能把握他的哲学及其发展。可见她对尼采是相当理解的。尼采在发疯前一直得不到世人的理解，基本上默默无闻。他最心爱的著作《查拉图斯特拉如是说》是自费出版的，而且卖不出去。十年的漂泊生活，总是一人孤居，租一间农舍，用酒精炉煮一点简单的食物，长年累月无人说话。他在信中写到那种"突然疯狂的时刻，孤独的人想拥抱随便哪个人"。他后来真这样了。1889年1月3日，他正寓居都灵，走到街上，看见一个马车夫在鞭打牲口，就哭喊着扑上去，抱住马脖子，从此疯了。病历记载：这个病人喜欢拥抱和亲吻街上的任何一个行人。

二　尼采的哲学观

自古希腊以来，哲学家们一直认为，哲学的使命是追求最高真理。什么是最高真理呢？在他们看来，我们凭感官接触到的只是世界的现象，在现象背后还存在着一个世界的本质，这个本质"客观地"存在在那里，是世界的本来面目，它就是哲学要凭理性思维来把握的最高真理。在尼采以前，已经有一些哲学家对这种经典的哲学观提出了否定。其中，康德的否定有决定性的影响，他相当有说服力地证明了一点：即使世界真有一个本来面目，我们也永远不可能认识它。这就等于证明了二千年来哲学为自己规定的使命是错误的，因此，在康德之后，哲学家们对于哲学究竟应该和能够做什么这个问题发生了空前的困惑。

尼采也是如此。他曾经谈到，每一个以康德哲学为出发点的思想家，只要同时是一个有血有肉的人，而不仅仅是一架思维机器，就会不堪忍受一种痛苦，便是对真理的绝望。正是在这样的绝望中，他要为哲学寻找一个正确的使命。他的结论是，哲学仍然应该和能够追求最高真理，但这个最高真理不是世界的那个所谓"客观"本质，而是生命的意义，哲学的使命是给生命的意义一种解释。哲学仍可对世界作出某种整体性的解释，但这种解释实质上还是对生命意义的解释，而不是对世界本质的揭示。

尼采之形成这样一种哲学观，很大程度上是由于叔本华的影响。他在上大学时读到了叔本华的主要著作《作为意志和表象的世界》，大为震动。叔本华在这部著作中陈述了一种极其悲观的哲学，大意是说：世界的本质是意志，意志客体化为表象，包括我们的个体生命。意志是盲目的生命冲动，表现在个体生命身上就是欲望。欲望等于欠缺，欠缺等于痛苦，而欲望满足了又会感到无聊，人生就像钟摆一样在痛苦和无聊之间摇摆。同时，个体生命作为表象是虚无的，人生就像吹肥皂泡一样想越吹越大，但最终都要破灭。因此，唯一的出路是自觉否定生命意志，其方式是绝育、自杀、涅槃等等。尼采自小就对生命的意义产生了疑问，读这本书时就感到异常兴奋，觉得它像一面巨大的镜子，照出了世界、人生的真相和他自己的心境，好像是专门为他写的一样。他认为，叔本华的伟大之处就在于，他站在人生之画前面，把它的全部画意解释给我们听，而别的哲学家只是详析画画用的画布和颜料，在枝节方面发表意见。由此他得出结论，认为每一种伟大的哲学应该说的话是："这就是人生之画的全景，从这里来寻求你自己的生命的意义吧。"他还认为，自然产生哲学家的用意就是"要给人类的生存一种解释和意义"。后来他否定了叔本华的悲观主义，但对哲学之使命的观点始终没有变，坚信哲学理应对人生整体提供一种解释，只是这种解释不能像叔本华那样是否定人生的，而应该是肯定人生的。

尼采的哲学观有一个鲜明的特征，就是强调哲学不是纯学术。他认为，既然哲学问题都关系到人生的根本，那么，当然就没有一个是纯学术的。他常常将哲学家与学者进行对比。首先，学者的天性是扭曲的，一辈子坐在墨水瓶前，弯着腰，头垂在纸上，在书斋沉重的天花板下过着压抑的生活，长成了精神上和肉体上的驼背。他们一旦占有一门学问，便被这门学问所占有了，在一个小角落里畸形地生长，成为专业的牺牲品。这样的人自己的人生已经无意义，怎能去探索和创造人生的意义呢？相反，哲学家的天性是健康的，应该在辽阔的天空下生活和思考。古希腊的哲学家就是这样，所以有廊下、花园、逍遥学派之类的称呼。其次，哲学家是热情真诚的，关心生命意义甚于生命本身，思考哲学问题如同它们决定着自己的生死存亡一般，耳边仿佛响着一个声音："认识吧，否则你就灭亡！"他们把自己的全部感情投入其中，不断生活在最高问题的风云中和最严重的责任中，从痛苦中分娩出思想。学者却是冷漠的，以一种貌似客观的态度从事研究。最后，哲学家有创造性，用全新的眼光看世界上的事物，自己也是世界上一个全新的事物。他所要求得的是真正属于自己的真理，而非所谓抽象的一般的真理。学者没有创造性，他们勤勉，耐心，能力和需要都平庸适度，一点一滴搜集现成的结论，靠别人的思想度日。尼采对他们极尽挖苦之能事，说他们是不育的老处女，在缝织精神的袜子，说他们宛如好钟表，只要及时上弦，就能准确报时。他还说，假如真理是一个女子，他们用一本正经、死死纠缠的方式追求，怎能讨得这个女子的欢心呢。总之，尼采认为，要做哲学家，首先就必须做一个真实的人。

尼采的哲学观还有一个鲜明的特征，就是强调哲学是非政治的。20世纪对尼采的最大误解是把他看作一个政治狂人，并从这个角度来理解他的所有哲学概念，例如把权力意志理解为强权政治，把超人理解为种族主义。尼采生活在俾斯麦的第二帝国时期，事实上，他对俾斯麦的对外扩张政策和当时笼罩德国的民族主义持极其鲜明的反对立场，自称是"最后一个反政治的德国人"，并且一再指出：民族主义和种族歧视是民族心灵上的毒疮，政治狂热使德国人精神堕落，文化衰败。在他看来，哲学探究的是生命意义、存在、精神生活问题，世界和人生的最高真理，政治处理的是党派、阶级、民族的利益，两者属于不同层面，因此绝不能通过政治途径来解决哲学问题。他还认为，权力和职业是败坏哲学的两个因素，国家出钱养一批学院哲学家必然会导致哲学变质。由此他提出，应该取消国家对哲学（不论哪种哲学）的保护和判决，禁止以哲学为职业。他推崇的是苏格拉底之前的古希腊哲学家，称他们为"帝王气派的精神隐士"，因为他们蔑视权力，也不靠哲学来谋生，而是把哲学思考当作目的本身，当作他们处世做人的生活方式。

三　时代分析：虚无主义

一个哲学家具有独特而真诚的个性，他的著作很可能会得到久远的流传，但未必会对他的时代发生重大影响。尼采之所以对他之后的欧洲思想发生了重大影响，主要原因还在于他敏锐地把握了他的时代的问题。在一定意义上可以说，他的个人精神中的病痛与时代精神中的病痛是高度一致的，而他的真诚使他能够由直面自身的病痛进而直面时代的病痛，成为时代病痛的最热情也最无情的揭露者。

尼采诊断，时代所患的病叫虚无主义。他预言，一个虚无主义时代不可避免地会到来，历时至少二百年。他给虚无主义下的定义是：最高价值丧失了价值，缺乏目标，缺乏对"为何"的答案。在虚无主义笼罩下，人类和个体的生存都失去了根据、目的、意义。这实际上就是信仰危机。"上帝死了"是他用来概括欧洲虚无主义的基本命题。对于欧洲人来说，对"上帝"的信仰至关重要，它担保了灵魂亦即人的生命的不朽和神圣。因此，基督教信仰崩溃的后果极其严重：一方面，人的生命失去了永恒性，死成为了不可挽救的死，于是人们必须面对叔本华提出的问题：生命究竟有一种意义吗？另一方面，人的生命失去了神圣性，整个欧洲道德是建立在生命神圣性的信念上的，必然随之崩溃，于是出现"一切皆虚妄，一切皆允许"的局面。尼采形容说，欧洲人失去了对上帝的信仰，就好像地球失去了太阳一样，从此陷入了无边的黑暗。

不过，尼采认为，在他的时代，虚无主义还只是站在门前，作为一个时代尚未完全到来，作为一种病还刚呈现征兆。事实上，人们还在用虚假的基督教信仰和浅薄的科学乐观主义掩盖自己的没有信仰。但是，虚无主义这种病已经在用"成百种征兆"说话了。他举出的征兆，归纳起来，大致可分三方面。第一，在信仰问题上，人们往往抱无所谓的态度。他愤怒地指出：真正的虚伪也极其罕见，虚伪属于有强大信仰的时代，人们在被迫接受新信仰时内心不放弃旧的信仰，现在人们却轻松地放弃和接受，而且依然是诚实的。左右逢源而毫无罪恶感，撒谎而心安理得，是典型的现代特征。第二，在生活方式上，典型的特征是匆忙。他形容说：现代生活就像一道急流，人们拿着表思考，吃饭时看着报纸，行色匆匆地穿过闹市；人们不复沉思，也害怕沉思，不再有内心生活，羞于宁静，一旦静下来几乎要起良心的责备。勤劳——也就是拼命挣钱和花钱——成了唯一的美德。"现代那种喧嚣的、耗尽时间的、愚蠢地自鸣得意的勤劳，比任何别的东西更加使人变得'没有信仰'。"现代人"只是带着一种迟钝的惊讶表情把他的存在在世上注了册"。第三，在文化上，这是一个"大平庸的时代"。一方面，由于内在的贫困，缺乏创造力，现代人是"永远的饥饿者"，急于填补亦即占有，带着"一种挤入别人宴席的贪馋"，徒劳地模仿一切伟大创造的时代，搜集昔日文化的无数碎片以装饰自己，现代文化就像是一件"披在冻馁裸体上的褴褛彩衣"。（令人想起今日的"包装"文化。）另一方面，商业成了"文化的灵魂"，记者取代天才，报刊支配社会。人们只求当下性，不再关心永恒。（令人想起今日的"快餐"文化。）尼采特别讨厌剧场，认为那是为大众准备的，在剧场里，人不再是个人，而成了大众、畜群。"剧场迷信"表明了人们的精神空虚和无个性，因此他称剧场是"趣味上的公共厕所"。（令人想起今日的"电视迷信"。）

针对虚无主义的时代病症，尼采提倡真诚意识和彻底的虚无主义。真诚意识就是在信仰问题上真诚。真就是认真，不苟且，也不是无所谓。用他的话说："置身于生存整个奇特的不可靠性和多义性之中而不发问是可鄙的。"诚就是诚实，不作假，不冒充有信仰，也不人为制造虚假的信仰。所谓彻底的虚无主义，就是不仅仅不相信某一种信仰了，比如说不相信上帝了，而是所有的信仰都不相信了。"对真理的信仰以怀疑一切迄今为止所信仰的真理为起点。"如果思考的结果仍然是什么也不相信，那就要敢于面对自己的结论，正视失去一切信仰的现实，承担起无信仰、无意义的后果，"在无神的荒漠上跋涉"。尼采就是这样，所以他自称是"欧洲第一个虚无主义者"。

四　对传统形而上学的批判

尼采揭示了时代的虚无主义病症，并且要求人们正视它，但是，他没有就此止步，他的目的是要救治这个病症。为此他对欧洲虚无主义的由来作了追根溯源的探究，他得出结论：其根源在于欧洲的传统形而上学，也就是柏拉图奠基的世界二分模式。这一模式把世界分为两个世界，即变动不居的现象界和不变的本体界，而认定前者是"虚假的世界"，后者才是"真正的世界"。尼采认为，那个所谓的"真正的世界"是用逻辑手段虚构的道德化本体。一方面，它是用逻辑手段虚构的。逻辑的产生原是出于对事物简单处理的需要，使之可认识和可操作。例如，同一律假定有完全相同的事态，事实上并没有，因果律假定一切作用背后都有一个作用者，事实上也并没有。传统形而上学所虚构的那个本体界，既超越于现象界之一切变化而永远自我同一，又是现象界的终极原因，在此虚构中起作用的正是同一律和因果律。另一方面，世界二分模式是建立在某种道德判断的基础上的。它把生成看作恶，所以要虚构一个不变的本体界，而把生成变化的现象界判为"虚假的世界"。可见否定生成是虚构"真正的世界"的道德动机。根据以上分析，尼采认为，传统形而上学用虚构的世界否定唯一的现实世界，用道德审判生命，实质上已是虚无主义。这种隐蔽的虚无主义在基督教中发展到了顶点，必然暴露出来并走向反面。

逻辑和道德在形而上学的建构中起了主要作用。自古以来，人们把这两样东西视为天经地义，传统形而上学在很大程度上是建立在对这两样东西的迷信之上的。因此，尼采花费了很大力气来揭露这两大偶像，剖析其世俗的、功用的来源，证明其非神圣性。

20世纪哲学的基本特征是否弃用逻辑建构本体的传统形而上学。从这个角度回顾，我们可以把尼采对传统形而上学的批判视为他最重要的哲学贡献。其中，有两个观点对于当代哲学尤具启迪意义。一是对于语言在哲学中的作用的分析。在揭示逻辑在形而上学虚构中的作用时，他进而认为，是语法造就了逻辑，决定了思维，抽象的同一性来自主语，因果关系来自主谓结构。一切发生的事情以谓语的方式从属于一个主语，主语成了不变的原因，谓语则是可变的结果。最后，整个现象世界也必须有一个主语，作为其初始的原因也就是本体。所以形而上学实质上是"语言形而上学"，是对主语的信仰。他明确指出："哲学家受制于语言之网"。他由此揭示了语言在传统形上学形成中的关键作用，把语言问题作为一个重大哲学问题提了出来。当代哲学的主流是把语言问题作为克服形而上学的突破口，在这方面尼采是一个先行者。

二是透视主义。这是尼采在批判世界二分模式时提出的一种认识理论，其主要内容为：认识即解释，即透视。有无数可能的透视中心，包括人类之外的存在，人类自身的不同透视角度，同一个人身上的不同情绪冲动，因此世界具有无限可解释性。所以，不存在"世界X"（摆脱了透视关系的"真正的世界"），只存在"X个世界"（从不同透视中心把握的许多个现象世界）。"把握全，这意味着废除一切透视关系，后者又意味着什么也不把握。"如果一定要对世界做一"客观"的描述，则它是"关系世界"。即：从每一个可能的点（透视中心）出发都能获得一个现象世界，它是这个点对其余一切点的关系之总和。在不同的点上，这个总和不同。所有这些总和的总和，即一切点对一切点的关系的总和，才是世界的"客观"面目，但它仍然是现象世界。世界究竟有没有一个本来面目？在现象界背后，究竟有没有一个不受我们的认识干扰的本体界？在康德之后，哲学家们已经越来越达成共识：不存在。世界只有一种存在方式，即作为显现在意识中的东西——现象。在达成这一认识的过程中，尼采的透视主义起了重要的作用。

由此可见，尼采不只是一个诗人气质的哲学家，而且在一向认为的严格的哲学领域（本体论、认识论）中也是完全够格的大哲学家，有着卓越的悟性和创见。

五　形而上学的重建

现代哲学的基本趋势是否定传统形而上学。但是，有一个问题值得我们深思：为什么二千年来的欧洲哲学要孜孜于寻求一个本体世界呢？这当然不是偶然的。叔本华说："人是形而上学的动物。"这是有道理的。事实上，哲学源自对世界追根究底的冲动，因而必是一种终极追问。如果否定了终极追问，哲学也就没有存在的必要了。所以，对于传统形而上学，应该分两方面来看。一方面，那种追根究底的冲动是不可消除的，其背后的动机正是要给人生一个根本的解释。另一方面，用逻辑手段建构终极的本体，这条路是走错了，其结果是离给生命意义以一个解释的初衷越来越远，甚至背道而驰。所以，为了满足人所固有的形而上学冲动，必须另辟蹊径。

其实，尼采自己就是一个有着强烈的形而上学冲动的人。他一开始就是怀着给生命意义以一个总体解释的渴望走上哲学之路的，而唯有对世界有一个总体解释，在此框架内，对生命意义的总体解释才有可能。所以，重建形而上学是尼采必须解决的一个任务，但那已经不是传统意义上的形而上学了。针对传统形而上学用逻辑手段构造一个道德化的本体，他在重建时的出发点是非道德，即肯定生命、生成、现实世界，不对之作道德评判；手段则是非逻辑，自觉地把形而上学看作对世界的一种解释，其实质是价值设置。总之，就是要提出一种肯定生命的世界解释。他早期通过酒神和日神的概念把世界解释为生生不息的生命意志，他自己就明确地说明这是对世界的审美的解释，其用意是要用艺术拯救人生。后来，他把世界解释为权力意志，一个积极创造的力的海洋，也是为了倡导一种积极的人生态度，促进人类向上发展。所以，海德格尔根据权力意志理论而把尼采归入笛卡儿系统的形而上学家行列，我觉得理由是不充分的。我本人认为，从纯粹哲学的层面看，尼采的权力意志理论没有多大的重要性，事实上对于后来的哲学发展也没有什么影响。我们要了解尼采在本体论问题上的思想，真正应该重视的是透视主义和根据透视主义提出的"关系世界"理论。

（举行此讲座的时间地点：1996 年 12 月 29 日清华大学；1997 年 11 月 15 日清华大学；1998 年 5 月 15 日中央民族大学；1998 年 12 月 25 日北京大学；2002 年 1 月 27 日国家图书馆分馆"文津"讲座。各次的内容有出入。）

人文精神的哲学思考

这个题目是讲座的主持人给我出的，是命题作文。"人文精神"这个词，大家都挂在嘴上，但对它的含义却比较模糊，我也一样。为了今天的讲座，我稍微认真地想了想，有了一个思路，提出来和大家讨论。

在西文中，"人文精神"一词应该是 humanism，通常译作人文主义、人本主义、人道主义。狭义是指文艺复兴时期的一种思潮，其核心思想为：一、关心人，以人为本，重视人的价值，反对神学对人性的压抑；二、张扬人的理性，反对神学对理性的贬低；三、主张灵肉和谐、立足于尘世生活的超越性精神追求，反对神学的灵肉对立、用天国生活否定尘世生活。广义则指欧洲始于古希腊的一种文化传统。

和"人文精神"有关的另一个词是 humanities，或 humane studies，通常译作人文科学。在西方，根据研究对象的不同，一般把学科划分为自然科学、社会科学、人文科学三大部分。其中，人文科学是研究人或人性的学科，可以笼统地称作人学或人性学。在德国，人文科学叫 die geistige Wissenschaft，即精神科学。究竟哪些学科属于人文科学或精神科学，各国的划分有出入，但大致都包括文学、语言学、艺术学、历史学、考古学、哲学、法学等。一般来说，在人文科学中，价值观点占据更重要的位置，而其他科学则更注重事实（现象）和逻辑。当然，这只是相对而言，事实上，人文价值观点也常常作为一种研究方法用于其他学科。

根据以上分析，我把人文精神的基本内涵确定为三个层次：一、人性，对人的幸福和尊严的追求，是广义的人道主义精神；二、理性，对真理的追求，是广义的科学精神；三、超越性，对生活意义的追求，是广义的宗教精神。简单地说，就是关心人，尤其是关心人的精神生活；尊重人的价值，尤其是尊重人作为精神存在的价值（尊重精神价值）。

一 人性：尊重人的价值

人文精神的起点是对人的价值的尊重，确认人是宇宙间的最高价值。这一方面是相对于物而言的，人永远比物宝贵；另一方面是相对于神而言的，不能以神的名义压制人。

从这一点出发，人文精神肯定人的尘世幸福，认为人生的价值应在现世实现，人有权追求尘世的幸福，不能把幸福推延到天国或不可见的未来。其中也包括肯定感官的快乐，反对禁欲主义。

266

但是，和人的生物性欲求相比，人文精神更看重人的精神性品格，认为后者是人的尊严之所在。也就是说，对于人来说，尊严高于幸福。关于这一点，康德的解说最有代表性。他认为，人一方面属于现象界，具有感性，受制于自然法则，追求快乐（幸福），另一方面属于本体界，具有理性，能够为自己建立道德法则，"人的尊严就在于这个能够作普遍律的立法者的资格"，它证明人是自由的。正是在人的尊严之意义上，他进一步提出：人是目的，永远不可把人用做手段。

　　我对康德这个观点的理解是：所谓人是目的，就是要把人当作精神性存在加以尊重。这分对己和对人两个方面。一方面，每个人要把自己当作精神性存在、当作独立人格加以尊重，在任何情况下不能丧失做人的尊严和人格。现在有些人为了物质利益而丧失人格，他们实际上就是不把自己当作目的而是当作手段了，是把自己当作了谋取物质利益的工具。另一方面，每个人也要把他人当作精神性存在、当作有独立人格的个人加以尊重，在任何情况下不可侮辱他人的人格，贬损他人作为人的尊严。我认为，我们的文化传统中一向缺少人的尊严这个极其重要的观念。比如说，现在人们普遍痛感诚信的缺乏，都在呼吁诚信。仔细分析一下，为什么会缺乏诚信呢？其实根源就在缺乏人的尊严之意识。一个人之能够诚实守信，基础是自尊，他仿佛如此说：这是我的真实想法，我愿意对它负责。一个人之能够信任他人，基础是尊重他人，他仿佛如此说：我要知道你的真实想法，并相信你会对它负责。可见诚信是以双方共有的人的尊严之意识为基础的。没有这样的意识，就会互相之间把自己也把对方看作工具，为了利益不择手段，哪有诚信可言。

　　尊重人的价值不能流于空泛，必须落实到尊重每一个个人。因此，个人主义也是西方人文精神的一个重要传统。我们常把个人主义当作自私自利、损人利己的同义词，理解未免太偏太窄。西方思想家也会在不同的意义上使用individualism一词，在肯定的意义上，这个词是指对个性、个人独特性的推崇。作为一种伦理思想，个人主义强调：每个人的生命（和灵魂）是独一无二、不可重复的，本身就具有不可替代的价值，必须予以尊重。每个人都有责任也有权利充分实现自己的个性和人生价值。同样，每个人对他人也应该如此看待。在个人与社会的关系上，个人主义认为，个人是目的而非手段，一种合理的社会秩序应该有助于一切个人的自由发展。

　　在个人主义伦理思想和自然法传统的基础上，又形成了自由主义政治思想的传统。其实，自然法传统也与个人主义密切相关，其基本主张是：个人拥有天赋权利（生命、自由和财产）；政府和社会的存在是为了保护个人的权利。自由主义的基本思想可归结为两点。第一，个人自由原则。在涉及自己的行为上，个人拥有完全的自由，不受他人（和政府）的强制。这一点当然也适用于每个人对他人的关系，任何人不得对他人实施强制。在为这个原则辩护时，一般举出两方面的理由。一方面，个性本身即是价值。如同约翰·穆勒所说："一个人自己规划其存在的方式总是最好的，不是因为这方式本身算最好，而是因为这是他自己的方式。"当代自由主义思想家哈耶克则指出：人性有着无限的多样性，个人的能力及潜力的先天差异性使每一个人都"具有成为一个特立独行的个人的素质"，是自由理想和个人价值理想的生物学依据。另一方面，个人自由有益于社会，包括在物质上，如同亚当·斯密所说，个人之间的自由竞争像一只"看不见的手"那样，能够形成最合理的经济秩序。也包括在精神上（思想，言论，信仰），个人自由能够最有效地促进思想发展和文化繁荣。

第二，法治原则。为防阻强制的发生，保障个人自由，需要法律和政府。但是，政府一旦存在，就有了政府侵犯个人自由的可能性。因此，法治原则主要是针对政府的，旨在保证政府依据法律治理。其要点为：一、法律的目的仅在于保护个人自由，防阻强制的发生，有悖于此的虽由立法机关颁布亦为非法。二、法律是普遍性规则，不针对具体的人和事，法律面前人人平等。三、法律至上，政府必须受法律支配，而这意味着政府除了防阻强制之外，不得使用它的强制权力。四、立宪政治，关键是立法权与行政权真正分离，以保证法律的制定不受行政干预和监督政府对法律的遵守。

通过以上所述，我们可以看到，西方思想中的若干重要传统，包括人道主义、个人主义、自由主义，都是从尊重人的价值的立场出发，围绕着保证个人自由和个人价值之实现这个目的而形成的，彼此有着十分紧密的联系.

二　理性：头脑的认真

人文精神之尊重人的价值，不只是把人当作一种生命存在，更是把人当作一种精神存在。关心精神生活，尊重精神价值，是人文精神更深刻的方面。从人文精神的立场看，人的肉体生存的权利必须得到保障，物质生活有其不应贬低的价值，在此前提下，精神生活又具有独立于物质生活、甚至比物质生活更高的价值，不可用功利标准来衡量。精神生活是人的高级天性的实现，人之为人的价值之所在，人真正高于动物之处。动物有肉体生活，有某种程度的社会生活，但肯定没有精神生活。精神禀赋是人的最可贵禀赋，它的自由发展本身即有价值而且是最高的价值。人与人之间最重要的区别也在此，而不在物质上的贫富，社会方面的境遇，是内在的精神素质把人分出了伟大和渺小，优秀和平庸。对于一切精神伟人来说，精神的独立价值和神圣价值是不言而喻的，是无法证明也不需证明的公理。

精神生活可相对区分为智力生活和心灵生活，前者面向世界，探寻世界的奥秘，体现了人的理性，后者面向人生，探寻人生的意义，体现了人的超越性。

大多数哲学家认为，理性是人区别于动物的本质特征。为了解说方便，我把理性（智力生活）归纳为以下三个要素：

第一，好奇心。好奇心是智力生活的开端和最基本要素。爱因斯坦称之为"神圣的好奇心"。为什么好奇心是"神圣"的呢？也许是因为，好奇心是人区别于动物的一个特征，动物只注意与生存有关的事情，人超出生存而对世界万物感兴趣；它甚至使人接近于神，受好奇心驱使，人仿佛想知道创世的秘密，在自己的头脑中把世界重新创造一遍。无论在人类，还是在个人，好奇心都是理性能力觉醒的征兆。柏拉图和亚里士多德说，哲学开始于惊疑。其实，科学也是这样，好奇心是科学探索的原动力。惊奇是一种伟大的能力，表明一个人意识到了未知原因的存在，并且渴望把它找出来。爱因斯坦谈到，他5岁时看见指南针在未被接触的情形下转动，便感到异常惊奇，意识到在事物中藏着某种秘密。这给他留下了极深的印象，很可能是他日后走上科学研究之路的最初动因。然而，"神圣的好奇心"有许多敌人，主要敌人有二。一是习惯，所谓见怪不怪，习以为常了。孩子往往都有强烈的好奇心，一般规律是随着年龄增长，好奇心递减。在一定意义上，科学家是那种不受这个规律支配、始终保持着好奇心的人。二是功利心，凡事都问有没有用，没有用就不再感兴趣。如果说好奇心是神圣的，那么，功利心恰恰是最世俗的，它是好奇心的死敌，在它的支配下，科学探索的原动力必定枯竭，眼光必定被限制在一个狭小的范围内。当今教育的最大弊病是受功利原则支配，其中也包括家庭教育，急功近利的心态极其普遍，以马上能在市场上卖个好价钱为教育和受教育的唯一目标。所以，我把现在的教育看作好奇心的最大敌人。爱因斯坦早已发出惊叹：现代教育没有把好奇心完全扼杀掉，这简直是一个是奇迹。现在的所谓素质教育往往也只是着眼于增加课外知识，扩大灌输范围，仍以有用和功利为目标，而不是鼓励和保护好奇心。依我看，要真正改变应试教育，就必须废除高考，把竞争和淘汰推迟到大学阶段，在大学里也着重考查独立研究的能力而非书本知识。

第二，头脑的认真。好奇心是对未知之物的强烈兴趣，它理应引向把未知变成已知的认真的求知过程。有的人似乎有广泛的好奇心，但事事不求甚解，浅尝辄止，只能说明他的好奇心仍不够强烈，因而缺乏推动的力量。真正强烈的好奇心必然会推动人去探根究底。人的精力有限，不可能对自己感兴趣的所有问题都作系统的探究。因此，好奇心可以广泛，智力兴趣必须定向。许多大科学家、大思想家都在青年时期形成了自己的问题领域和研究方向，那可能是引起他们最大好奇心的问题，或他们发现的以往知识体系中最可疑的环节。头脑的认真归根到底是在知识的根据问题上认真，一种认识是否真理，一定要追问其根据。所谓根据，一是判断是否符合经验事实，二是推理是否合乎逻辑，人的理性能力就体现在运用逻辑对经验材料进行整理。但是，人的理性能力本身是否可靠呢？如果它不可靠，它所确认的根据就成了问题。在西方哲学中，这种担忧一直存在，促使人们由追问知识的根据进而追问人类知识形成方式的根据，对知识形成的各个环节作仔细审查。因此，知识论成为哲学中的一个重要领域，近代以来更成了主题。其中贯穿着一种努力，便是想把人类知识建立在完全可靠基础上，否则就放心不下。相比之下，中国哲学一向不重视知识论，知识论是最薄弱的环节。相对而言，宋明算是最重视的，但也偏于知行关系问题，所讨论的知识主要指道德认识，即所谓"德行之知"。在中国哲学史上，从总体上怀疑知识之可靠性的只有庄子（"夫知有所待而后当，其所待者特未定也。"），但基本上没有后继者。苏格拉底所主张的"知识即德行"是西方哲学家的普遍信念，中国哲学家正相反，信奉的是"德行即知识"。由于把知识本身看作目的性价值，因此，西方多具有纯粹的思想兴趣、学术兴趣、科学研究兴趣的人，在从事研究时只以真知为目的而不问效用。正是在这样的精神氛围中，最容易产生大思想家、大学者、大科学家。中国则缺少这样的氛围，所以不容易出大师。

第三，从思想上把握完整的世界图画的渴望。好奇心和头脑的认真面对整个世界，就会追问整个世界存在的根据，因而必然把人引向哲学的沉思或宗教的体悟。爱因斯坦把这种渴望称作宇宙宗教感情，并认为它是科学研究的最高动机。到了这一步，头脑与灵魂便相通了，科学与哲学、艺术、宗教便相通了。事实上，大科学家都不满足于纯粹经验研究，他们都是怀着揭示宇宙最高秘密的心愿度过实验室里的日日夜夜的。

以上所述可统称为广义的科学精神，其实质是对非功利性的纯粹智力生活的热爱。这是人文精神的一个重要方面。

三　超越性：灵魂的认真

超越性指人对超出生存以上的意义之寻求。与理性相比，超越性更是人所特有的本质。动物有某种为生存服务的认识能力（低级理性），但决不可能有超越的追求，不可能有哲学、宗教、艺术。理性的产生也许可以用进化论解释，但进化论肯定解释不了灵魂即对意义的追求之来源。

和理性的解说相对应，我把超越性（心灵生活）也归纳为三个要素：

第一，对自己人生的责任心。这是心灵生活的开端和最基本要素。它根源于对生命的爱。因为这爱，不愿生命流逝，便会珍惜自己的生命体验和感受，发展出丰富的内心生活。也因为这爱，不愿生命虚度，便要寻求生命的意义，对人生进行思考。每个人在世上只有活一次的机会，没有任何人能够代替你重新活一次；如果虚度了，也没有任何人能真正安慰你。如果你清醒地意识到了这些，对自己的人生怎么会不产生出最严重的责任心呢？我把对自己人生的责任心看作人生在世最根本的责任心，因为其他的责任可以分担或转让，唯有这不能，必须完全靠自己承担。然而，具备这种责任心极不容易，因为人们往往受习俗和时尚支配。约翰·穆勒指出：在仅关自己的事情上，人们从不问什么合于我的性格和气质，或者什么能让我身上最好和最崇高的东西得到发挥的机会。所问的是什么合于我的地位，别人通常是怎么做的。他们还不是在合乎习俗与合乎自己意向两种情形相比之下，舍后者而取前者。他们根本是除了趋向合乎习俗的事情外便别无任何意向。由于他们不许依循其本性，结果就没有本性可以依循了。尼采也指出：人们躲藏在习俗和舆论背后，随大流地思考和行动，而不是快快乐乐地做他自己。之所以如此，是因为怯懦，怕邻人指责，更是因为懒惰，怕真诚可能加于他们的负担。事实上，对自己的人生负责的确是沉重的责任，最需要毅力和勇气，而跟随习俗和时尚则最轻松，但前者的收获是拥有自己的灵魂，后者的代价是失去灵魂，究竟哪一种生活更值得一过，应该是清楚的。

第二，灵魂的认真。即在人生的根据问题上认真。对自己的人生负责，必然会引向对人生意义、根据、价值的追问，要自己来为自己寻求一种人生信仰，自己来确定在世间安身立命的原则和方式。从总体上看，我们中国人也比较缺乏灵魂的认真，缺乏超越性的追求，中国文化传统中缺少形而上学哲学和本土宗教便是明证。我们的人生哲学注重的是道德，是妥善处理人际关系的准则，而往往回避对人生进行追根究底的探究。在一定意义上，孔子和苏格拉底分别是中西哲学传统的始祖，他们两人都重视人生哲学。但是，他们的嫡传弟子便显出了显著差别，孟子走向了更典型的道德论，柏拉图却走向了本体论。这种分殊肯定已发端于他们的老师，在这方面作一比较研究一定很有意思。

第三，在精神上与某种宇宙精神本质建立联系的渴望。认真追问生命的意义，不可避免地会面临死亡与不朽、世俗与神圣之类根本性问题，会要求以某种方式超越有限的肉体生命而达于更高的精神存在，渴望与之建立某种联系。这就是信仰的本来含义。

271

以上所述可视为广义的宗教精神，其实质是对个人内在的心灵生活的无比关注，看得比外在生活更重要。这是人文精神的另一个重要方面。一个人是否具有这种广义的宗教精神，与他是否宗教徒或属于什么教派完全无关。

总之，在我看来，人文精神的基本涵义就是：尊重人的价值，尊重精神的价值。对于个人来说，就是要有自己的人格，有真正属于自己的头脑和灵魂，在对世界的看法和对人生的态度上自己做主，认真负责。对于社会来说，就是要为此创造一个相宜的环境。

结语：拥有心智生活

最后，我想特别对青年人说几句话，谈一谈拥有心智生活的问题。

心智生活就是我前面所说的心灵生活（头脑，理性）和智力生活（灵魂，超越性）的合称，也就是通常所说的精神生活。心智生活的特点是内在性和非功利性。它是一种内在生活，而不像肉体（物质）生活、社会生活那样是外在生活。它是没有功利目的的，心智的运用、真理的探究本身就是目的，并且能够从中获得最大快乐。

对于一个正常人来说，内在生活和外在生活当然都是需要的。只有外在生活，生活的全部内容是谋生（挣钱+消费）和交际，这样的人是十足的庸人。只有内在生活的人极少，往往是某一类天才，同时往往也是世人眼中的或真正病理意义上的疯子，例如荷尔德林、尼采。有两者皆优的天才，如歌德、拿破仑。真正的伟人必有伟大的心智（内在生活），心智不伟大者不可能有伟大的事功（外在生活），但心智伟大者未必有伟大的事功。

是否拥有心智生活，与职业无关。并非只有科学家、学者才能过智力生活，只有诗人、哲学家、宗教家才能过心灵生活。事实上，大学和研究机关里许多人并无真正意义上的精神生活，只是在做死学问，或谋生谋利。职业化的弊病是：精神活动往往蜕变为功利活动；行业规矩束缚了真才之人的自由发展。所以，历史上有许多伟大的精神探索者有意从事一种普通职业，而只在业余时间从事精神探索。

我们时代的特点是，人们普遍沉沦于功利性的外在生活，很少有人真正过内在的心智生活。在这种情况下，我希望青年人保持清醒，认识到心智生活在人生中的重要价值。心智生活能使人获得一种内在的自由和充实。一个人唯有用自己的头脑去思考，用自己的灵魂去追求，在对世界的看法和对人生的态度上自己做主，才是真正做了自己的主人。同时，如果他有丰富的内心世界，便在自己身上有了人生快乐的最大源泉。心智生活还能使人获得一种内在的自信和宁静，仿佛有了另一个更高的自我，能与自己的外在遭遇保持一个距离，不完全受其支配，并能与外部世界建立恰当的关系，不会沉沦其中，也不会去凑热闹。这就是所谓定力。现在学界有一些人，自以为是指导时代的风云人物，但没有内在的心智生活，因而就没有一贯的学术志趣和精神立场。自己没有灵魂的人，怎么能充当拯救别人灵魂的导师呢。

人们常常叹息，中国为何产生不了大哲学家、大诗人、大作曲家、大科学家等等。据我看，原因很可能在于我们的文化传统的实用品格，对纯粹的精神性事业不重视、不支持。一切伟大的精神创造的前提是把精神价值本身看得至高无上，在我们的氛围中，这样的创造者不易产生，即使产生了也是孤单的，很容易夭折。现在的开放是一个契机，我希望我们不要只看到经济上的挑战，更深刻长远的挑战是在文化上。中国要真正成为有世界影响的文化大国，就必须改变文化的实用品格。我恳切地希望，现在的青年人能为此做出贡献。一个民族拥有一批以纯粹精神创造为乐的人，并且以拥有这样一批人为荣，在这样的民族中最有希望产生出世界级的文化伟人。

（举行此讲座的时间地点：2002 年 5 月 28 日中国行政大学。部分内容曾以《拥有心智生活》为题举行讲座，时间地点：2001 年 4 月 27 日中国政法大学；2001 年 8 月 4 日三联韬奋中心。）

与中学生谈写作（提纲）

三辰影库请一些作家来给中学生谈写作，我也在被请之列。我不知道自己算不算一个作家。我没有申请加入作家协会，不是作协会员。我的专业是哲学，不是文学。我写过一些东西，因为不像一般学术论文那样枯燥和难懂，人家就把它们称为散文，也就把我称为作家了。这些都不重要，重要的是，我的确喜欢写作，写作的确成了我的生活的一个重要内容。

我自己从来不看作文指导、作文秘诀之类的东西，因为我不相信写作有普遍适用的方法，也不相信有一用就灵的秘诀。所以，我不会来和你们说这些。如果有谁和你们说这些，我劝你们也不要听，他说出的肯定是一些老生常谈。一个作家关于写作所能够说出的最有价值的东西，是他自己在写作中悟出来的道理。我尽量只讲这个。我想根据我的体会讲一讲，对于一个写作者来说，最重要的道理是哪些。

第一讲　写作与精神生活

这一讲的主题是为何写。你们来听这个讲座，目的当然是想学到写作的本领。但是，为什么想学写作呢？这是一个不能不问的问题，它关系到能不能学成，学到什么程度。

一、真正喜欢是前提

一定有不少同学是怀着作家梦学写作的，他们觉得当作家风光，有名有利。现在中学生写书出书成了时髦。中学生写的书，在广大中学生中有市场，出版商瞄准了这个大市场。中学生出书是新鲜事，有新闻效应，媒体也喜欢炒。现在中学生用不着等到将来才当作家，马上就有可能。这对于中学生的作家梦是一个强有力的刺激。

我不认为中学生写书出书是坏事，更不认为想当作家是不良动机。但是，这不应该是主要动机甚至唯一动机。如果只有这么一个动机，就会出现两个后果。第一，你的写作会围绕着怎样能够被编辑接受和发表这样一个目标进行，你会去迎合，失去了你自己的判断力。的确有人这样当上了作家，但他们肯定是蹩脚的作家。第二，你会缺乏耐心，如果你总是没被编辑看上，时间一久，你会知难而退。总之，当不当得上作家不是你自己能够做主的事情，所以，只为当上作家而写作，写作就成了受外界支配的最不自由的行为。

写作本来是最自由的行为，如果你自己不想写，世上没有人能够强迫你非写不可。对于为什么要写作这个问题，我最满意的回答是：因为我喜欢。或者：我自己也不知道为什么，就是想写。所有的文学大师，所有的优秀作家，在谈到这个问题时都表达了这样两个意思：第一，写作是他们内心的需要；第二，写作本身使他们感到莫大的愉快。通俗地说，就是不写就难受，写了就舒服。如果你对写作有这样的感觉，你就不会太在乎能不能当上作家了，当得上固然好，当不上也没关系，反正你总是要写的。事实上，你越是抱这样的态度，你就越有可能成为一个好的作家，不过对你来说那只是一个副产品罢了。

所以，我建议你们先问自己两个问题：第一，我是不是真的喜欢写作？第二，如果当不上作家，我还愿意写吗？如果答案是肯定的，你就具备了进入写作的最基本条件。如果是否定的，我奉劝你趁早放弃，在别的领域求发展。我敢肯定，写作这种事情，如果不是真正喜欢，花多大工夫也是练不出来的。

二、用写作留住似水年华

有人问我：你怎样走上写作的路的？我自己回想，我什么时候算走上了呢？我发表作品很晚。不过，我不从发表作品算起，我认为应该从我开始自发地写日记算起。那是读小学的时候，只有八九岁吧，有一天我忽然觉得，让每一天这样不留痕迹地消逝太可惜了。于是我准备了一个小本子，把每天到哪儿去玩了、吃了什么好吃的东西等等都记下来，潜意识里是想留住人生中的一切好滋味。现在我认为，这已经是写作意识最早的觉醒。

人生的基本境况是时间性，我们生命中的一切经历都无可避免地会随着时间的流逝而失去。"子在川上曰：逝者如斯夫，不舍昼夜。"人生最宝贵的是每天、每年、每个阶段的活生生的经历，它们所带来的欢乐和苦恼，心情和感受，这才是一个人真正拥有的东西。但是，这一切仍然无可避免地会失去。总得想个办法留住啊，写作就是办法之一。通过写作，我们把易逝的生活变成长存的文字，就可以以某种方式继续拥有它们了。这样写下的东西，你会觉得对于你自己的意义是至上的，发表与否只有很次要的意义。你是非写不可，如果不写，你会觉得所有的生活都白过了。这是写作之成为精神需要的一个方面。

三、用写作超越苦难

人生有快乐，尼采说："一切快乐都要求永恒。"写作是留住快乐的一种方式。同时，人生中不可避免地有苦难，当我们身处其中时，写作又是在苦难中自救的一种方式。这是写作之成为精神需要的另一个方面。许多伟大作品是由苦难催生的，逆境出文豪，例如司马迁、曹雪芹、陀思妥耶夫斯基、普鲁斯特等。史铁生坐上轮椅后开始写作，他说他不能用腿走路了，就用笔来走人生之路。

写作何以能够救自己呢？事实上它并不能消除和减轻既有的苦难，但是，通过写作，我们可以把自己与苦难拉开一个距离，以这种方式超越苦难。写作的时候，我们就好像从正在受苦的那个自我中挣脱出来了，把他所遭受的苦难作为对象，对它进行审视、描述、理解，距离就是这么拉开的。我写《妞妞》时就有这样的体会，好像有一个更清醒也更豁达的我在引导着这个身处苦难中的我。

当然，你们还年轻，没有什么大的苦难。可是，生活中不如意的事总是有的，青春和成长也会有种种烦恼。一个人有了苦恼，去跟人诉说是一种排解，但始终这样做的人就会变得肤浅。要学会跟自己诉说，和自己谈心，久而久之，你就渐渐养成了过内心生活的习惯。当你用笔这样做的时候，你就已经是在写作了，并且这是和你的精神生活合一的最真实的写作。

四、写作是精神生活

总的来说，写作是精神生活的方式之一。人有两个自我，一个是内在的精神自我，一个是外在的肉身自我，写作是那个内在的精神自我的活动。普鲁斯特说，当他写作的时候，进行写作的不是日常生活中的那个他，而是"另一个自我"。他说的就是这个意思。

外在自我会有种种经历，其中有快乐也有痛苦，有顺境也有逆境。通过写作，可以把外在自我的经历，不论快乐和痛苦，都转化成了内在自我的财富。有写作习惯的人，会更细致地品味、更认真地思考自己的外在经历，仿佛在内心中把既有的生活重过一遍，从中发现更丰富的意义，并储藏起来。

我的体会是，写作能够练就一种内在视觉，使我留心并善于捕捉住生活中那些有价值东西。如果没有这种意识，总是听任好的东西流失，时间一久，以后再有好的东西，你也不会珍惜，日子就会过得浑浑噩噩。写作使人更敏锐也更清醒，对生活更投入也更超脱，既贴近又保持距离。

在写作时，精神自我不只是在摄取，更是在创造。写作不是简单地把外在世界的东西搬到了内在世界中，它更是在创造不同于外在世界的另一个世界。雪莱说："诗创造了另一种存在，使我们成为一个新世界的居民。"这不仅指想象和虚构，凡真正意义上的写作，都是精神自我为自己创造的一个自由空间，这是写作的真正价值之所在。

第二讲　写作与自我

这一讲的主题是为谁写和写什么。其实，明确了为何写，这两个问题也就有答案了，简单地说，就是为自己写，写自己真正感兴趣的东西。

一、为自己写作

如果一个人出自内心需要而写作，把写作当作自己的精神生活，那么，他必然首先是为自己写作的。凡是精神生活，包括宗教、艺术、学术，都首先是为自己的，是为了解决自己精神上的问题，为了自己精神上的提高。孔子说："古之学者为己，今之学者为人。"为己就是注重自己的精神修养，为人是做给别人看，当然就不是精神生活，而是功利活动。

所谓为自己写作，主要就是指排除功利的考虑，之所以写，只是因为自己想写、喜欢写。当然不是不给别人读，作品总是需要读者的，但首先是给自己读，要以自己满意为主要标准。一方面，这是很低的标准，就是不去和别人比，自己满意就行。世界上已经有这么多伟大作品，我肯定写不过人家，干吗还写呀？不要这么想，只要我自己喜欢，我就写，不要去管别人对我写出的东西如何评价。另一方面，这又是很高的标准，别人再说好，自己不满意仍然不行。一个自己真正想写的作品，就一定要写到让自己真正满意为止。真正的写作者是作品至上主义者，把写出自己满意的好作品看作最大快乐，看作目的本身。事实上，名声会被忘掉，稿费会被消费掉，但好作品不会，一旦写成就永远属于我了。

唯有为自己写作，写作时才能拥有自由的心态。不为发表而写，没有功利的考虑，心态必然放松。在我自己的作品中，我最喜欢的是《人与永恒》，就因为当时写这些随想时根本不知道以后会发表，心态非常放松。现在预定要发表的东西都来不及写，不断有编辑在催你，就有了一种不正常的紧迫感。所以，我一直想和出版界"断交"，基本上不接受约稿，只写自己想写的东西，写完之前免谈发表问题。

唯有为自己写作，写作时才能保持灵魂的真实。相反，为发表而写，就容易受他人眼光的支配，或者受物质利益的支配。后一方面是职业作家尤其容易犯的毛病，因为他藉此谋生，不管有没有想写的东西都非写不可，必定写得滥，名作家往往也有大量平庸之作。所以，托尔斯泰说："写作的职业化是文学堕落的主要原因。"法国作家列那尔在相同的意义上说："我把那些还没有以文学为职业的人称作经典作家。"最理想的是另有稳定的收入，把写作当作业余爱好。如果不幸当上了职业作家，也应该尽量保持一种非职业的心态，为自己保留一个不为发表的私人写作领域。有一家出版社出版"名人日记"丛书，向我约稿，我当然拒绝了。我想，一个作家如果不再写私人日记，已经是堕落，如果写专供发表的所谓日记，那就简直是无耻了。

二、真正的写作从写日记开始

真正的写作，即完全为自己的写作，是从写日记开始的。我相信，每一个好作家都有长久的纯粹私人写作的前史，这个前史决定了他后来成为作家不是仅仅为了谋生，也不是为了出名，而是因为写作是他的心灵需要。一个真正的写作者是改不掉写日记习惯的人罢了，全部作品都是变相的日记。我从高中开始天天写日记，在中学和大学时期，这成了我的主课，是我最认真做的一件事。后来被毁掉了，成了我的永久的悔恨，但有一个收获是毁不掉的，就是养成了写作的习惯。

我要再三强调写日记的重要，尤其对中学生。当一个少年人并非出于师长之命，而是自发地写日记时，他就已经进入了写作的实质。这表明：第一，他意识到了并试图克服生存的虚幻性质，要抵抗生命的流逝，挽留岁月，留下它们曾经存在的证据；第二，他有了与自己灵魂交谈、过内心生活的需要。看一个中学生在写作上有无前途，我主要不看语文老师给他的作文打多少分，而看他是否喜欢写日记。写日记一要坚持（基本上每天写），二要认真（不敷衍自己，对真正触动自己的事情和心情要细写，努力寻找确切的表达），三要秘密（基本上不给人看，为了真实）。这样持之以恒，不成为作家才怪呢。

三、写自己真正感兴趣的东西

写什么？我只能说出这一条原则：写自己真正感兴趣的东西。题材没有限制，凡是感兴趣的都可以写，凡是不感兴趣的都不要写。既然你是为自己写，当然就这样。如果你硬去写自己不感兴趣的东西，肯定你就不是在为自己写，而是为了达到某种外在的目的了。

在题材上，不要追随时尚，例如当今各种大众刊物上泛滥的温馨小情感故事之类。不要给自己定位，什么小女人、另类、新新人类，你都不是，你就是你自己。也不要主题先行，例如反映中学生的生活面貌之类，要写出他们的乖、酷、早熟什么的。不要给自己设套，生活中，阅读中，什么东西触动了你，就写什么。

重要的不是题材，而是对题材的处理，不是写什么，而是怎么写。表面上相同的题材，不同的人可以写成完全不同的东西。好的作家无论写什么，一总能写出他独特的眼光，二总能揭示出人类的共同境况，即写的总是自己，又总是整个人生和世界。

第三讲　写作与风格

这一讲的主题是怎样写。其实怎样写是没法讲的，因为风格和方法都不是孤立的，存在于具体的作品之中，无法抽取出来，抽取出来便不再是原来的那个东西，失去了任何意义。每一个优秀作家都有自己的风格和方法，它们是和他的全部写作经验联系在一起的，原则上是不可学的。我这里只能说一些最一般的道理，这些道理也许是所有的写作者都不该忽视的。

一、勤于积累素材和锤炼文字

好的作品必须有两样东西，一是好的内容，二是好的文字表达。这两样东西不是在写作时突然产生的，而要靠平时下功夫。当然，写作时会有文思泉涌的时刻，绝妙的构思和表达仿佛自己来到了你面前，但这也是以平时做的工作为基础的。作家是世界上最勤快的人，他总是处在工作状态，不停地做着两件事，便是积累素材和锤炼文字。严格地说，作家并非仅仅在写一个具体的作品时才在写作，其实他无时无刻不在写作。

灵感闪现不是作家的特权，而是人的思维的最一般特征。当我们刻意去思考什么的时候，我们未必得到好的思想。可是，在我们似乎什么也不想的时候，脑子并没有闲着，往往会有稍纵即逝的感受、思绪、记忆、意象等等在脑中闪现。一般人对此并不在意，他们往往听任这些东西流失掉了。日常琐屑生活的潮流把他们冲向前去，他们来不及也顾不上加以回味。作家不一样，他知道这些东西的价值，会抓住时机，及时把它们记下来。如果不及时记下来，它们很可能就永远消失了。为了及时记下，必须克服懒惰（有时是疲劳）、害羞（例如在众目睽睽的场合）和世俗的礼貌（必须停止与人周旋）。作家和一般人在此开始分野。写作者是自己的思想和感受的辛勤的搜集者。许多作家都有专门的笔记本，用于随时记录素材。写小说的人都有一个体会，就是故事情节可以虚构，细节却几乎是无法虚构的，它们只能来自平时的观察和积累。

作家的另一项日常工作是锤炼文字。他不只是在写作品时做这件事，平时记录思想和文学的素材时，他就已经在文字表达上下功夫了。事实上，内容是依赖于表达的，你要真正留住一个好的思想，就必须找到准确的表达，否则即使记录了下来，也是打了折扣的。写作者爱自己的思想，不肯让它被坏的文字辱没，所以也爱上了文字的艺术。好的文字风格如同好的仪态风度，来自日常一丝不苟的积累。无论写什么，包括信、日记、笔记，甚至一张便笺，下笔决不马虎，不肯留下一行不修边幅的文字，如果你这样做，日久必能写一手好文章。

二、质朴是大家风度

质朴是写作上的大家风度，表现为心态上的平淡，内容上的真实，文字上的朴素。相反，浮夸是小家子气，表现为心态上的卖弄，内容上的虚假，文字上的雕琢。

文人最忌、又难戒的是卖弄，举凡名声、地位、学问、经历，甚至多愁善感的心肠，风流的隐私，都可以拿来卖弄。有些人把写作当作演戏，无论写什么，一心想着的是自己扮演的角色，这角色在观众中可能产生的效果。凡是热中于在自己的作品中抛头露面的人，都应该改行去做电视主持人。

真实的前提是有真东西。有真情实感才有抒情的真实，否则只能矫情、煽情。有真知灼见才有议论的真实，否则必定假大空。有对生活的真切观察才有叙述的真实，否则只能从观念出发编造。真实极难，因为我们头脑里有太多的观念，妨碍我们看见生活的真相。在《战争与和平》中，托尔斯泰写娜塔莎守在情人临终的病床边，这个悲痛欲绝的女人在做什么？在织袜子。这个细节包含了对生活的最真实的观察和理解，但一般人决不会这么写。

大师的文字风格往往是朴素的。本事在用日常词汇表达独特的东西，通篇寻常句子，读来偏是与众不同。你们不妨留心一下，初学者往往喜欢用华丽的修辞，而他们的文章往往雷同。

三、文字贵在简洁

对于一个作家来说，节省语言是基本美德。文字功夫基本上是一种删除废话废字的功夫。列那尔说：风格就是仅仅使用必不可少的词，绝对不写长句子，最好只用主语、动词和谓语。要惜墨如金，养成一种洁癖，看见一个多余的字就觉得难受。

第四讲　写作与读书

这一讲的主题是谁在写。一个人以怎样的目的和方式写作，写出怎样的作品，归根到底取决于他是个怎样的人。在一定意义上，每个作家都是在写自己，而这个自己有深浅宽窄之分，写出来的结果也就大不一样。造就一个人的因素很多，我只说一个方面，就是读书。

一、养成读书的爱好

写作者的精神世界与读书有密切关系。许多大作家同时是大学者或酷爱读书的人，例如歌德、席勒、加缪、罗曼·罗兰、毛姆、博尔赫斯等。中国也有作家兼学者的传统，例如鲁迅、郭沫若、茅盾、叶圣陶、林语堂、梁实秋、沈从文。现在许多作家不读书，只写书，写出的作品就难免贫乏。

要养成读书的爱好，使读书成为生活的基本需要，不读书就感到欠缺和不安。宋朝诗人黄山谷说："三日不读书，便觉语言无味，面目可憎。"三日不读书，自惭形秽，觉得没脸见人，要有这样的感觉。

读书的面可以广泛一些，不要只限于读文学书，琢磨写作技巧。读书的收获是精神世界的拓展，而这对写作的助益是整体性的。

二、读最好的书

读书的面可以广，但档次一定要高。读书的档次对写作有直接影响，大体上决定了写作的档次。平日读什么书，会形成一种精神趣味和格调，写作时就不由自主地跟着走。所以，读坏书——我是指平庸的书——不但没有收获，而且损害莫大。

我一直提倡读经典名著，即人类文化宝库中的那些不朽之作。古今中外有过多少书，唯有这些书得到长久和广泛的流传，绝大多数书被淘汰，决非偶然。书如汪洋大海，你自己作全面筛选决不可能，碰到什么读什么又太盲目。这等于是全人类替你初选了一遍，这等好事为何要拒绝。即使经典名著，数量也太多，仍要由你自己再选择一遍。重要的是要有一个信念，非最好的书不读。有了这个信念，即使读了一些并非最好的书，仍会逐渐找到那些真正属于你的最好的书，并成为它们的知音。

千万不要跟着媒体跑，把时间浪费在流行读物上。天下好书之多，一辈子读不完，岂能把生命浪费在这种东西上。我不是故作清高，我有许多赠送的报刊，不读觉得对不起人家，可是读了总后悔不已，头脑里乱糟糟又空洞洞，不只是浪费了时间，最糟的是败坏了精神胃口。歌德做过一个试验，半年不读报纸，结果发现与以前天天读报比，没有任何损失。

三、读书应该激发创造力

我提倡你们读书，但许多思想家对书籍怀有警惕，例如蒙田、叔本华、尼采。开卷有益，但也可能无益，甚至有害，就看它是激发了还是压抑了自己的创造力。对于一个写作者来说，读书应该起到一种作用，就是刺激自己的写作欲望。

为了使读书有助于写作，最好养成写笔记的习惯。包括：一、摘录对自己有启发的内容；二、读书的体会，特别是读书时浮现的感触、随想、联想，哪怕它们似乎与正在读的书完全无关，愈是这样它们也许对你就愈有价值，是你的沉睡着的宝藏被唤醒了。

（举行此讲座的时间地点：2000 年 10 月 27 日三辰影库。）